Ce pays de rêve

DU MÊME AUTEUR

Saga LA FORCE DE VIVRE

Tome I, *Les rêves d'Edmond et Émilie*, roman, Montréal, Hurtubise, 2009

Tome II, *Les combats de Nicolas et Bernadette*, roman, Montréal, Hurtubise, 2010

Tome III, *Le défi de Manuel*, roman, Montréal, Hurtubise, 2010

Tome IV, *Le courage d'Élisabeth*, roman, Montréal, Hurtubise, 2011

Saga CE PAYS DE RÊVE

Tome I, *Les surprises du destin*, roman, Montréal, Hurtubise, 2011

Tome II, *La déchirure*, roman, Montréal, Hurtubise, 2012

Un p'tit gars d'autrefois – L'apprentissage, roman, Montréal, Hurtubise, 2011

Un p'tit gars d'autrefois – Le pensionnat, roman, Montréal, Hurtubise, 2012

Michel Langlois

Ce pays de rêve

tome 3

Le retour

Roman historique

Hurtubise

Catalogage avant publication de Bibliothèque et Archives nationales du Québec et Bibliothèque et Archives Canada

Langlois, Michel, 1938-

    Ce pays de rêve : roman historique

    Sommaire: t. 3. Le retour.

    ISBN 978-2-89647-991-7 (v. 3)

    1. Canada - Histoire - Jusqu'à 1763 (Nouvelle-France) - Romans, nouvelles, etc. I. Titre. II. Titre: Le retour.

PS8573.A581C4 2011   C843'.6   C2011-941256-X
PS9573.A581C4 2011

Les Éditions Hurtubise bénéficient du soutien financier des institutions suivantes pour leurs activités d'édition :

– Conseil des Arts du Canada ;
– Gouvernement du Canada par l'entremise du Fonds du livre du Canada (FLC) ;
– Société de développement des entreprises culturelles du Québec (SODEC) ;
– Gouvernement du Québec par l'entremise du programme de crédit d'impôt pour l'édition de livres.

Graphisme de la couverture : René St-Amand
Illustration de la couverture : Marc Lalumière
Maquette intérieure et mise en pages : Andréa Joseph [pagexpress@videotron.ca]

Copyright © 2012, Éditions Hurtubise inc.

ISBN 978-2-89647-991-7 (version imprimée)
ISBN 978-2-89647-993-1 (version numérique PDF)
ISBN 978-2-89647-992-4 (version numérique ePub)

Dépôt légal : 3ᵉ trimestre 2012
Bibliothèque et Archives nationales du Québec
Bibliothèque et Archives Canada

Diffusion-distribution au Canada :
Distribution HMH
1815, avenue De Lorimier
Montréal (Québec) H2K 3W6
www.distributionhmh.com

Diffusion-distribution en Europe :
Librairie du Québec/DNM
30, rue Gay-Lussac
75005 Paris FRANCE
www.librairieduquebec.fr

Imprimé au Canada
www.editionshurtubise.com

Personnages principaux

Abel : domestique des Perré.

Brouillard, Nicole : préceptrice des enfants Perré.

Chauvin, Jean dit Lafranchise : marchand ambulant.

Dassonville, Justine : épouse de Clément Perré.

Dupont, Augustine : cuisinière des Perré.

Dupont, Jeanne : domestique des Perré.

Dumontier, Marguerite : domestique des Perré.

Jimmio : domestique des Perré.

Larchevêque, Félicité : domestique des Perré.

Marceau, Adrien : charpentier de navire, ami de Marcellin Perré.

Perré, Clément : fils de Marcellin Perré et de Radegonde Quemeneur et époux de Justine Dassonville.

Perré, Françoise dite Fanchon : fille de Marcellin Perré et Radegonde Quemeneur, épouse de Jean de La Mirande puis de François Pélissier. Mère de Marcellin, Guillaume, Élise, Marie-Ève et Alexandrine.

Perré, Marcellin : époux de Radegonde Quemeneur dite Laflamme et père de Françoise (Fanchon), Renaud, Marie, Ursule, Simon et Clément.

Perré, Marie : fille de Marcellin Perré et de Radegonde Quemeneur.

Perré, Renaud : fils aîné de Marcellin Perré et de Radegonde Quemeneur.

Perré, Simon : fils de Marcellin Perré et de Radegonde Quemeneur.

Perré, Ursule : fille de Marcellin Perré et de Radegonde Quemeneur.

Quemeneur, dite Laflamme, Radegonde : épouse de Marcellin Perré.

Truchon, Madeleine : cuisinière des Perré.

Personnages historiques

Aramy, Jean (1634-1687): Fils de Mathias Aramy et de Louise Bougars, marchand de La Rochelle en Aunis. Il épouse à La Rochelle, en 1670, Madeleine Roy. Il travaille au pays comme marchand à la Bassse-Ville de Québec.

Brisay de Denonville, Jacques-René (1637-1710): Fils du marquis Pierre de Denonville et de Louise d'Alès de Corbet, il fait d'abord carrière en Hollande et en France avant d'être nommé gouverneur de la Nouvelle-France. Il arrive au pays le 1er août 1685 et retourne en France en 1689.

Chasle, Nicolas-Joseph (1694-1754): Fils de Claude Chasle et Catherine Fol. Étudie au Séminaire de Québec et est ordonné prêtre en 1717. Curé de Sainte-Anne-de-la-Pocatière et ensuite de Beaumont. Il meurt à Québec en 1754.

Denis, Barbe (1652-1694): Fille de Simon Denis et de Barbe Dutartre, elle naît à Québec le 14 juin 1652. Elle épouse à Québec, le 9 septembre 1667, Antoine Pécaudy de Contrecœur dont elle a trois enfants. Elle épouse en deuxièmes noces à Contrecœur, en 1691, Louis de Ganne, sieur de Falaise, dont elle a une fille. Elle meurt à Contrecœur en 1694.

Dubreuil, Étienne (1666-1734): Fils de Jean Dubreuil et de Catherine Le Marinier, il naît à Paris en 1666. Il se marie trois fois: en 1691 à Marguerite Legardeur dont il a cinq enfants, à Marie-Anne Chevalier en 1703, dont il a cinq enfants, et à Jeanne Routhier en 1713. On le retrouve à Québec où il exerce les métiers de bedeau, de cordonnier et d'huissier avant de devenir notaire royal en 1707. Il est premier huissier du Conseil souverain en 1725. Il meurt à Québec le 4 juin 1734.

Franquelin, Jean-Baptiste-Louis (1651-après 1712): Originaire de Saint-Michel de Villebernin en France, il est au pays en 1671 et y travaille comme cartographe et hydrographe du roi. Il épouse à Québec, le 4 février 1683, Élisabeth Aubert, veuve de Bertrand Chesnay et fille de Charles Aubert et de Jacqueline Lucas. Il repasse en France en 1692. Son épouse et huit enfants ainsi que leurs deux servantes meurent dans le naufrage du *Corrosol* en route pour la France en 1693.

Gaultier de Varennes et de la Vérendrye, Pierre (1685-1749): Fils de René Gaultier de Varennes et de Marie Boucher, il naît à Trois-Rivières le 17 novembre 1685. Il épouse à Trois-Rivières, le 29 octobre 1712, Marie-Jeanne Dandonneau, fille de Louis Dandonneau et de Jeanne-Marguerite Lenoir. Ils ont treize enfants. Personnage très important de notre histoire, il sera connu sous le nom de La Vérendrye. Enrôlé dans les troupes, il passe en France en 1707. Il commence ses expéditions vers l'Ouest en 1731. Il meurt à Montréal en 1749.

Gaultier de Varennes, René (1636-1689): Fils d'Adam Gaultier et de Bertrande Gourdeau, il naît vers 1636, à Bécon-les-Granits, en Anjou. Il vient au pays en 1665 avec le régiment de Carignan-Salière comme lieutenant de la compagnie du sieur de Laubias. Il épouse à Trois-Rivières, le 16 septembre 1667, Marie Boucher, fille de Pierre Boucher et de Jeanne Crevier. Ils ont onze enfants. Il est gouverneur de Trois-Rivières en 1668 et marchand de fourrures. Il reçoit la seigneurie de Varennes en 1672. Il meurt à Trois-Rivières le 4 juin 1689.

Jarret de Beauregard, André (1642-1691): Fils de Jean Jarret et de Perrette Sermette, il naît à Salignon, au Dauphiné, où il est baptisé le 9 août 1642. Il vient au pays en 1665 avec le régiment de Carignan-Salière, comme lieutenant de la compagnie de son oncle, le sieur de Contrecœur. Il épouse à Montréal, le 12 janvier 1676, Marguerite Anthiaume, fille de Michel Anthiaume et de Marie Dubois de Paris. Ils ont sept enfants. Il vit à Verchères sur une terre que lui concède son demi-frère François Jarret de

Verchères, seigneur du lieu. Il meurt à Verchères en 1691.

Jarret de Verchères, François (1632-1700): Fils de Jean Jarret et de Claude Pécaudy, il naît à Vigneu, au Dauphiné, le 26 septembre 1632. Il vient au pays en 1665 avec le régiment de Carignan-Salière, comme enseigne de la compagnie de son oncle Antoine Pécaudy de Contrecœur. Il épouse à Sainte-Famille-de-l'Île-d'Orléans, le 7 septembre 1669, Marie Perrot, âgée de treize ans. Il reçoit la seigneurie de Verchères le 29 octobre 1672. Il meurt à Verchères le 26 février 1700.

Jarret de Verchères, Marie-Madeleine (1678-1747): Fille de François Jarret et de Marie Perrot, elle naît à Verchères le 3 mars 1678. Célèbre pour sa défense du fort de Verchères en 1692 à l'âge de quatorze ans. Elle épouse à Verchères, en 1706, Pierre-Thomas Tarieu de La Naudière, sieur de La Pérade. Ils ont cinq enfants. Elle meurt à Sainte-Anne-de-la-Pérade le 8 août 1747.

Jarret de Verchères, Pierre (1680-1708): Fils de François Jarret et de Marie Perrot, il naît à Verchères en 1680. Il entre dans l'armée où il est promu enseigne le 1er mars 1693. Il meurt au combat à Haverhill, Massachusetts, le 29 août 1708.

Le Moyne de Bienville, François (1666-1691): Fils de Charles Le Moyne et de Catherine Thierry dit Primot, il naît à Montréal le 10 mars 1666. Enseigne dans l'armée en 1689, il est lieutenant réformé en 1691. Il est tué par les Iroquois le 7 juin 1691.

Le Moyne de Martigny, Jean-Baptiste (1662-1709): Fils de Jacques Le Moyne et de Mathurine Godé, il naît à Montréal en 1662. Il épouse à Québec, le 1er juillet 1691, Marie-Élisabeth Guyon, fille de Michel Guyon et de Geneviève Marsolet. Ils ont un enfant. Enseigne dans les troupes en 1690, puis lieutenant en 1708, il reçoit la seigneurie du Cap-de-la-Trinité. Il meurt au fort Albany à la baie James en juillet 1709.

Le Moyne de Sérigny, Joseph (1668-1734): Fils de Charles Le Moyne et de Catherine Thierry dit Primot, il naît à Montréal le 22 juillet 1668. Il épouse à La Rochelle, en Aunis, le 21 novembre 1699, Marie-Élisabeth Héron, fille d'Antoine Héron et d'Élisabeth Thibaud. Ils ont deux enfants. Lieutenant de vaisseau, il devient commandant de la Louisiane de 1718 à 1720 et ensuite gouverneur de Rochefort. Il y meurt le 12 septembre 1734.

Le Moyne de Châteauguay, Louis (1676-1694): Fils de Charles Le Moyne et de Catherine Thierry dit Primot, il naît à Montréal le 4 janvier 1676. Il combat avec le grade d'enseigne à la baie d'Hudson où il est tué au fort Nelson le 4 octobre 1694.

Le Moyne d'Iberville, Pierre (1661-1706): Fils de Charles Le Moyne et de Catherine Thierry dit Primot, il naît à Montréal le 20 juillet 1661. Il épouse, à Québec, le 8 octobre 1693, Marie-Thérèse Pollet de la Combe Pocatière, fille de François Pollet et de Marie-Anne Juchereau. Ils ont cinq enfants. Un héros de notre histoire, capitaine de vaisseau, commandant à Plaisance en 1696, on le retrouve par la suite à la baie d'Hudson dont il chasse les Anglais, puis il se rend faire la découverte de l'embouchure du Mississippi et y établit le poste de Biloxy. Il meurt à La Havane le 9 juillet 1706.

Lom d'Arce, Louis-Armand, baron de Lahontan (1666-1716): Fils d'Isaac de Lom et de Jeanne-Françoise Le Fascheux, de Paris, il naît à Bayonne en 1666. À dix-sept ans, il s'embarque pour une tournée de la Nouvelle-France et il écrit ses impressions sur le pays et les habitants. Il vit au pays pendant dix ans avant de retourner en France. Il meurt en 1716 dans le duché de Hanovre.

Pécaudy de Contrecœur, Antoine (1594-1688): Fils de Benoît Pécaudy et d'Esnarde Martin, il naît à Vignieu au Dauphiné en 1594. Il épouse Anne Dubois dont il est veuf quand il vient au pays en 1665 comme capitaine d'une compagnie du régiment de Carignan-Salière. Il est confirmé à Québec le 31 août 1665. Il épouse à Québec, le 9 septembre 1667, Barbe Denis, fille de Simon Denis et de Barbe

Dutartre. Ils ont trois enfants. Il reçoit ses lettres de noblesse en 1661 et devient seigneur de Contrecœur en 1671. Il meurt à Contrecœur le 1er mai 1688.

Perrot, Marie (1656-1728): Fille de Jacques Perrot et de Michelle Le Flot, elle naît à Québec le 22 janvier 1656. Elle épouse à Sainte-Famille-de-l'Île-d'Orléans, le 7 septembre 1669, François Jarret de Verchères dont elle a treize enfants. Elle meurt à Verchères à l'âge de soixante-douze ans le 29 septembre 1728.

Il est également fait mention dans ce roman de:

Barzat dit Lafleur, André (1635-1697): Soldat et cultivateur.

Bégon, Michel (1669-1747): Intendant de Nouvelle-France.

Buade de Frontenac, Louis (1622-1698): Gouverneur de la Nouvelle-France.

Blouffe (Plouf), Jean (1644-1700): Cultivateur.

Cavelier de La Salle, Robert (1643-1687): Découvreur.

Chagnon dit Larose, François (1640-1693): Cultivateur.

Cherlot dit Desmoulins, Jean (1641-1697): Soldat et cultivateur.

De La Villantry, Sauvolle (1671-1701): Gouverneur de la Louisiane.

Hertel de Rouville, Jean-Baptiste (1668-1722): Seigneur.

Lacroix de Chevrière de Saint-Vallier, Jean-Baptiste (1653-1727): Évêque de Québec.

Lamonerie de: Capitaine de troupe.

Montmorency de Laval, François (1623-1708): Évêque de Québec.

Morpain, Pierre (1686-1749): Corsaire.

Oudin, René (1646-après 1675): Notaire.

Raudot, Jacques (1638-1728): Intendant de la Nouvelle-France.

Robineau de Bécancour, Pierre (1654-1729): Seigneur.

Rodrigue, Jean-Baptiste (vers 1675-1733): Marchand et corsaire.

Saint-Ours, Jean-Baptiste de (1669-1747): Officier des troupes.

Tarieu de La Naudière, Pierre-Thomas (1677-1757): Seigneur.

Tonty, Henry de (1649-1704): Explorateur.

Walker, sir Hovenden (1656-1725): Amiral anglais.

Avant-propos

Marcellin s'était promis, en revenant dans ce pays auquel il rêvait tant, de tenir la plume tous les jours pour ne rien perdre de l'histoire des siens. Mais cette plume, il l'aura tenue d'abord et avant tout pour écrire des actes de concession, des obligations, des quittances, des contrats de mariage, des donations, des marchés et des inventaires de biens. Son titre de notaire lui a collé à la peau, lui volant tout son temps.

L'âge lui courbant le dos et n'ayant plus d'autre souci que celui de se bien présenter devant Dieu, Marcellin comptait reprendre la plume pour arracher au temps et à l'oubli l'histoire de son bonheur. Il voulait raconter comment, en ce monde de misères, il avait vécu la plus belle vie que pouvait souhaiter l'humble serviteur qu'il était, mais la maladie lui a tordu les mains de telle sorte qu'il ne pouvait plus écrire et Dieu est venu le chercher avant que son projet soit mené à terme.

Fort heureusement, en bon notaire, il avait pris la précaution de conserver tous les écrits, billets, lettres, papiers, journaux pouvant l'aider à écrire l'histoire de sa famille, si bien que moi, la préceptrice de ses enfants, j'ai hérité de toutes ces informations. Je me suis fondée sur elles, sur tout ce que j'ai vécu dans cette famille et sur tout ce qu'il m'a raconté lui-même pour rédiger son histoire et, à l'exception de la vie de Clément, celle des siens depuis leur retour en Nouvelle-France. Pourquoi à l'exception de Clément ? Parce que son père le considérait comme le mouton noir de la famille et ne désirait pas que je relate son histoire.

« Pour ne pas faire ombrage, me dit-il, à notre famille et à la vie de ses frères et sœurs. » J'ai donc tenu à respecter sa volonté.

Mais je n'aurais certes jamais pu écrire l'histoire que voici si je n'avais pas disposé du livre de raison tenu par Radegonde. C'est grâce à ce document fort précieux que j'ai pu me remémorer une foule de détails que sans cela j'aurais oubliés.

Un livre de raison est la plupart du temps un assemblage de feuilles de papier cousues et reliées pour former un volume. Celui de Radegonde répond en tout point à cette norme. Ce livre est constitué d'au moins dix mains de papier, ce qui donne environ mille pages. Les feuilles sont reliées sous une couverture de parchemin par des lacets de cuir. On y trouve, au fil des jours, des mois et des années, toutes sortes de notices se rapportant tout aussi bien aux événements majeurs survenus dans la famille qu'aux faits divers du quotidien.

Lire le livre de raison de Radegonde me fut un vif plaisir. Elle était si heureuse que Marcellin lui ait appris à lire et à écrire qu'elle ne manqua pas de faire passer tout son savoir dans ce qu'elle écrivait. À chaque page ou presque, par quelque détail, nous apprenons quelque chose. Quel courage et quelle détermination elle démontra en tout! C'était une femme résolue et appliquée, toujours en quête de connaissances. Elle lisait dès qu'elle en avait un peu le temps. Je la revois assise quelque part dans le manoir, occupée à parcourir ou encore à écrire avec application son livre de raison. Marcellin était pourtant notaire. C'est lui qui aurait dû tenir la plume pour tous les comptes, mais elle était parvenue à le convaincre qu'elle pouvait le faire et il la laissa prendre cela en main comme il semble l'avoir fait pour bien d'autres choses dont il ne pouvait ou ne voulait tout bonnement pas s'occuper.

Elle ne jetait rien et s'intéressait à tout. Dans son livre de raison, elle notait tout, chaque objet avait pour elle son histoire. Simplement en me promenant dans le grenier et le fournil, à la vue de maints objets qui s'y trouvaient, j'ai pu me représenter un tas de faits mentionnés dans son précieux livre.

Elle dirigeait les domestiques, voyait à tout, et même si elle avait à son service une cuisinière, elle participait à la cuisson du pain comme à la préparation des repas. Comme elle le mentionne à quelques reprises, elle n'aimait guère les bals qu'elle considérait un peu comme une perte de temps, car elle s'efforçait de ne point gaspiller ne serait-ce qu'une minute.

Pour dresser un meilleur portrait d'elle, il faudrait lire attentivement tout ce qu'elle a écrit dans son livre de raison. Mais, pour ce faire, je devrais le reproduire en son entier, ce qui serait beaucoup trop long, aussi ai-je choisi d'y relever au fil des années et par ordre chronologique ce qui m'est paru le plus pertinent, afin de m'aider à reconstituer l'histoire de sa famille et de dresser le meilleur portrait possible d'elle.

J'ai tenu à en reproduire des extraits en appendice à mon récit. C'est d'ailleurs dans ce précieux document que j'ai pu puiser les renseignements précis que voici concernant les membres de sa famille :

Livre de raison de moi, Radegonde Quemeneur dit Laflamme, épouse de messire Marcellin Perré, notaire des seigneuries de Verchères, Varennes et Contrecœur au pays de Nouvelle-France, écrit de ma main contenant la vérité de ce qui s'est passé plus particulièrement dans notre vie du mardi 15 octobre 1678 que nous sommes arrivés à Verchères, au jeudi 17 novembre 1720 que les fièvres m'ayant prise, je ne fus plus capable de tenir la plume, n'ayant que le courage d'inscrire ce qui précède dans l'espace laissé en blanc à cet effet.

Nous sommes revenus de France, Marcellin et moi, avec nos enfants Fanchon et Renaud en

ce beau pays de Nouvelle-France par le navire
L'Oranger en l'année 1678, après cinq années d'exil
au Havre-de-Grâce où nous vivions dans la maison
dont Marcellin avait hérité de son oncle, le notaire
Laterreur.

Marcellin est le fils d'Arnaud Perré venu en
Nouvelle-France où il a épousé Agathe Meunier
qui ne lui a donné que ce fils.

Arnaud Perré est mort noyé en 1666 alors qu'il
accompagnait les soldats du régiment de Carignan-
Salière allant combattre les Iroquois, lesquels
avaient fait prisonnière et tuée Agathe Meunier
deux ou trois années auparavant.

Le bon père Aveneau, jésuite, nous a mariés à
Charlesbourg le samedi 21 octobre 1671 comme il
est inscrit au registre de la paroisse de Québec, en
présence de Philibert Faye dit Mouture et de Denis
Drieux dit Le Passeur. Nous avions contracté
mariage une semaine plus tôt, le 14 octobre 1671 à
Québec, devant le notaire Pierre Duquet en présence de Charles Therrien et de Nicolas Durand.

Notre fille Françoise, pour nous tous Fanchon,
est née environ deux heures avant le coucher du
soleil, vendredi le 11 avril 1673, et fut baptisée le
lendemain par le père Aveneau à Charlesbourg à

l'auberge du Passage. Elle a eu pour parrain Denis Drieux dit Le Passeur et pour marraine Honorine, l'épouse du meunier Philibert Faye dit Mouture.

Notre fils Renaud est né sur les trois heures de nuit au Havre-de-Grâce le vendredi 2 février 1677. Il fut baptisé au même endroit le samedi 10 février suivant par l'abbé Dupré. Il a eu pour parrain messire Hilaire Laramée, notaire à Honfleur, et pour marraine Isabelle Mercier, épouse dudit notaire, amis de Marcellin.

C'est dans notre manoir de Verchères, le mardi 6 mai 1679 alors que le jour se levait, que j'ai donné naissance à notre fille Marie. Elle a été baptisée le dimanche, huitième de juin, à Contrecœur par l'abbé La Foye, ayant pour parrain le seigneur François Jarret de Verchères et pour marraine Marie Perrot, épouse du parrain.

Notre fille Ursule est née à Verchères, le vendredi 17 novembre 1682. Elle fut baptisée à Contrecœur, le dimanche 26 novembre, ayant pour parrain Nicolas Deshaies et pour marraine Ursule Levasseur, laquelle lui a donné son prénom.

Le jeudi 13 mars 1684, avec l'aide de la sage-femme Catherine Charron, sur les onze heures du soir, j'ai donné naissance à notre fils Simon, lequel, en raison des mauvaises routes, ne fut baptisé à Contrecœur que le dimanche onzième de mai suivant. Il eut pour parrain Augustin Dupont et Nicole Brouillard pour marraine.

Clément, notre dernier fils, nous a réjouis par sa naissance le samedi 15 septembre 1694. Il a été conduit le lendemain à Verchères, où l'abbé Dubois l'a baptisé. Son parrain est Jean de la Mirande et sa marraine notre Fanchonette.

Notre fille Françoise a épousé au manoir de Verchères, le samedi 12 mai 1694, Jean de La Mirande, capitaine d'infanterie, fils de François de La Mirande et de Jeannine Dorgelet, en présence de nombreux parents et amis.

PREMIÈRE PARTIE

VERCHÈRES

Chapitre 1

Le retour

Jugez de l'émotion de Marcellin et Radegonde quand, après cinq ans et demi d'exil, leur apparurent le fort et les maisons de Québec, cet endroit incomparable jamais oublié, ce pays de leurs rêves. Ils savaient qu'ils ne demeureraient que peu de temps à Québec, puisqu'ils voulaient s'établir le long du Richelieu. Mais on leur apprit promptement qu'à l'endroit où ils espéraient acheter une seigneurie, pas une seule n'était à vendre. Aussi leur déception fut-elle vive. Contre mauvaise fortune, ils firent bon cœur, mais ça ne les avançait guère.

Marcellin avait toujours cru à sa chance et le hasard fit que le seigneur de Verchères descendit, ce soir-là, à l'auberge où il passait la nuit avec Radegonde, Fanchon et Renaud. Le sieur Jarret de Verchères venait à Québec afin de participer à une rencontre des vingt principaux habitants du pays, appelés, à la demande de monseigneur de Laval et du gouverneur monsieur de Frontenac, à se prononcer sur la traite d'eau-de-vie avec les Sauvages. Au matin, à la table du déjeuner, Marcellin eut l'occasion de causer avec lui.

— Votre traversée s'est-elle bien effectuée ? s'informa cet homme affable.

— On ne peut mieux, répondit Marcellin. Nous n'avons subi aucune tempête et les vents nous ont été favorables.

Le sieur Jarret se dit très heureux pour eux et demanda :

— Où comptez-vous vous établir ?

— C'est précisément la question que nous nous posons depuis notre arrivée, lui répondit Marcellin. Nous voulions, mon épouse et moi, nous acheter une seigneurie, mais, à ce qu'on nous dit, il n'y en a pas une à vendre à moins d'être située à des lieues de Québec et de Montréal.

Compatissant, le sieur Jarret les pria aussitôt :

— Pourquoi ne viendriez-vous pas à Verchères ? Je pourrais vous céder une bonne terre à la limite de ma seigneurie et convaincre mon voisin, le sieur de Varennes, d'en faire autant à la limite de la sienne. Vous auriez-là pratiquement un domaine où vous pourriez construire un manoir.

Sa suggestion les réjouit. À défaut de posséder une seigneurie, ils auraient une vaste demeure au bord du fleuve à un endroit, au dire du seigneur, où il y avait de nombreuses îles, du poisson en abondance, des cailles à profusion, un nombre considérable de canards et toutes sortes de gibier. Ce fut ainsi que moins d'une semaine après leur arrivée, ils partaient pour Verchères avec armes et bagages, bien décidés à s'établir dans cette région.

❖

Mais ils ne quittèrent pas Québec sans, au préalable, être retournés au Passage et à l'auberge. Ils tenaient à y revoir leurs amis. Radegonde, bien entendu, s'y rendait davantage par curiosité, puisque Rosalie, celle qu'elle aurait tant souhaité y retrouver, n'était plus. Elle voulait toutefois se recueillir sur sa tombe. Quant à Marcellin, le bon père Aveneau étant en France, il s'y rendait avec espoir d'y revoir Drieux Le Passeur et, avec de la chance, les deux compères Le Chauve et Le Matou dont il gardait un bon souvenir. Quant à son ami Marceau, le charpentier de barques, peut-être était-il toujours dans les environs ? Par contre, il ne comptait guère revoir le meunier Faye et sa femme Honorine, tant il est connu que les meuniers changent de moulin comme de vieille harde, dès qu'ils croient pouvoir trouver mieux ailleurs.

Leur visite à l'auberge et au Passage leur permit de constater que si les lieux et les bâtisses n'avaient pas changé, ceux qu'ils avaient connus, eux, s'étaient pratiquement tous volatilisés.

— Le meunier, lui dit Le Matou, se trouve aux Trois-Rivières.

— Et Le Passeur ?

— Le Pacheur, se moqua Le Chauve, il n'a pas obtenu le bail sur la Saint-Charles et il est rendu au Cap-Rouge.

— L'ami Marceau ?

— Il a bien fait de déménager ses pénates à l'Île-aux-Grues. Comme ça il peut exercer son métier en paix sans les inspecteurs toujours en quête de coupables, depuis qu'il y a défense d'abattre des chênes sinon pour les bateaux du roi.

— Et vous deux, dit Marcellin, vous êtes toujours au poste ?

— Pourquoi ne le serions-nous pas ? répondit Le Chauve en riant. Il n'y a rien de mieux que de se retrouver à l'auberge devant un bon verre pour y régler le sort du monde.

— On ne refait pas le passé, fit remarquer Marcellin. Tout a bien changé ici. Beaucoup d'eau a coulé dans la rivière et le fleuve depuis notre départ.

— Pour ça, tu as raison, approuva Le Matou, mais le vin est toujours aussi bon.

Ils lui payèrent une tournée en souvenir du passé. Marcellin eut beaucoup de plaisir à se rappeler ce bon vieux temps en compagnie de ses deux amis toujours aussi volubiles, mais il constata, comme il l'avait si souvent dit, que la vie nous pousse sans cesse dans le dos pour nous rappeler qu'il faut aller de l'avant si nous ne voulons pas risquer de nous retrouver, plus vite que souhaité, à manger des marguerites par la racine.

Le notaire Dupont, qui lui avait succédé, ne manqua pas de le recevoir en son étude, là où il avait passé tant d'heures heureuses à régler par des contrats la vie de toute une seigneurie. Sur place, Marcellin s'avisa tout à coup, en l'apercevant, que l'armoire fabriquée par son père s'y trouvait toujours. Puis il remarqua dans un coin le coffre qui avait également appartenu à son père et dans lequel il rangeait ses hardes et fusils. Il ne manqua point de le signaler au notaire.

— Si ce sont là vos biens, dit-il, ils vous reviennent. Ne manquez pas, une fois établi là où vous allez, de me le faire savoir. Nous prendrons les moyens de vous les rendre.

— Vous me ferez là, l'assura Marcellin, un très beau présent puisque ce sont les deux seuls souvenirs qui me restent de mon père.

❖

S'ils avaient été heureux de revoir les lieux de leur bonheur et de leurs misères passées, ils n'eurent pas trop de regrets de les quitter. Une autre tranche de vie les attendait sur les bords du fleuve en ce si beau coin de pays qu'est Verchères. Une fois de plus, ils eurent l'occasion, à bord du vaisseau qui les y menait, d'admirer cet immense fleuve qu'est le Saint-Laurent, embelli çà et là le long de ses rives par de beaux villages remplis de paix et de quiétude.

Verchères s'élève sur la rive sud du Saint-Laurent, en face, au nord, de la seigneurie du sieur de Repentigny qui couvre plus d'une lieue sur l'autre rive. Le sieur de Verchères les accueillit tout bonnement à son manoir. Sa famille déjà nombreuse se composait de son épouse Marie Perrot, de vingt-deux ans plus jeune que lui, et de leurs quatre enfants. La jeune mère sympathisa tout naturellement avec Radegonde, toutes deux ayant le même âge. Quant à Marcellin, il ne fut pas long à être débordé à la fois par tout ce qui touchait la construction d'un manoir et l'établissement de sa famille en ce lieu.

Il n'allait pas pour autant se plaindre, puisqu'ils étaient entourés de gens fort aimables qui leur donnèrent accès au monde des seigneurs et des bourgeois. Ils logèrent lors de leur arrivée au fort de Verchères et leurs hôtes les y reçurent à souper à leur manoir dès le premier soir.

—Verchères vous plaît-il? s'empressa de leur demander le seigneur.

—Je n'avais qu'une vague idée de ces lieux, dit Marcellin, mais ils ne me déçoivent pas, bien au contraire. Ils sont vraiment fidèles à la description que vous nous en aviez faite.

—Dès notre arrivée ici, nous avons dû construire un fort, précisa le sieur Jarret. À l'époque, les Iroquois rôdaient sans cesse dans les parages. Mais notre venue en 1665 avec le régiment de Carignan-Salière a diminué leurs ardeurs et ils nous laissent depuis en paix, si bien que les habitants de la seigneurie ont pu y développer leur terre en toute sécurité. Vous savez que, sans notre intervention, l'avenir même de la Nouvelle-France était en péril.

— Je suis au fait de tout ça, confirma Marcellin, puisque mon père, qui était de la dernière expédition du régiment contre les Iroquois, s'est noyé au retour.

— Vous m'en voyez désolé.

— Sa mort m'a valu de retourner en France où j'ai pu apprendre auprès de mon oncle les rudiments du notariat.

— Vous avez exercé cette profession avant aujourd'hui?

— Oui, un temps à Charlesbourg, avant de retourner cinq années en France pour revenir en ce pays qui me manquait tant.

— Oh! Vous avez bien raison, c'est un pays de rêve. Mais, dites-moi, vous plairait-il d'exercer votre profession ici, et même à Varennes et peut-être à Contrecœur et Saint-Ours? Les seigneurs de ces lieux, tout comme moi, nous morfondons désespérément depuis des mois à chercher un notaire.

Ce fut ainsi que Marcellin se laissa fléchir et qu'il reprit sa plume de notaire pour le reste de ses jours. Il avait amplement de biens pour profiter largement de la vie jusqu'à son dernier souffle, mais un homme ne peut passer ses jours à ne rien faire, c'est la meilleure façon de le tuer.

Chapitre 2

L'établissement

Il n'y avait pas deux jours que Marcellin était arrivé que le seigneur de Verchères le mena, en compagnie du sieur Gaultier de Varennes, à l'endroit où les terres de leurs seigneuries respectives se touchaient. Comme promis, ils lui offrirent chacun une terre. Marcellin rédigea lui-même les contrats de concession, les premiers des milliers qu'il serait appelé à écrire par la suite. Les seigneurs de Verchères et de Varennes poussèrent même l'amabilité jusqu'à lui trouver un entrepreneur prêt à construire son manoir. Mais encore fallait-il auparavant voir à défricher l'espace nécessaire au bord du fleuve. Cela ne lui causa guère de maux de tête puisque le sieur Jarret avait toute une liste d'hommes aptes à réaliser ce travail.

Deux semaines à peine après leur arrivée, tout était prêt pour l'érection du manoir Perré. Marcellin rencontra l'entrepreneur, un dénommé Larivière. Il n'eut pas besoin d'un architecte pour dresser les plans de l'édifice. Il lui en dicta tout simplement la forme et les dimensions. L'entrepreneur lui dit :

— Votre manoir, monsieur Perré, c'est comme s'il était fait. Je l'ai là dans la tête.

— Je parierais, dit Marcellin, que lorsqu'il sera terminé, il m'apparaîtra bien différent de ce que je voulais.

— Non point ! Si vous me dites à l'avance ce que vous désirez, je vous promets le manoir de vos rêves.

Marcellin s'employa à lui expliquer dans les moindres détails ce qu'il avait en tête. Plume à la main, l'entrepreneur couchait sur papier, au fur et à mesure, le plan du manoir dans toutes ses dimensions. Il esquissa les ouvertures. Outre la porte principale en façade, Marcellin désirait y voir cinq fenêtres, que l'homme fit aussitôt apparaître sur le papier. Il procéda de la même manière pour faire surgir le toit percé de lucarnes. Puis, à chacun des bouts qui dépassaient la toiture, il dessina une large cheminée. Dans le temps de le dire, Marcellin eut sous les yeux, sur papier, le manoir tant désiré. Il ne restait plus maintenant qu'à le bâtir.

Les ouvriers s'y attaquèrent au mois d'août. L'érection des murs en pierre demanda passablement de temps. Il fallait faire venir la pierre par chaloupes de Pointe-aux-Trembles, à l'est de Montréal. Pendant tout ce temps, Marcellin et les siens pouvaient profiter de l'hospitalité des Jarret de Verchères. Fanchon ne fut point longue à s'enticher de la jeune Madelon, âgée de sept mois à peine. Il faisait si bon de la voir amuser ce poupon.

Malgré l'hospitalité de leurs hôtes, Marcellin et Radegonde avaient bien hâte de se retrouver dans leur maison avec Fanchonette et Renaud, leur dernier-né. On ne peut jamais être aussi bien que chez soi. Et leur chez-eux, Radegonde s'appliquait à le préparer à sa façon, voyant à procurer aux siens tous les effets nécessaires à la vie.

❖

De son côté, Marcellin se mit à la recherche d'un cheval et d'une voiture, ce qui serait tellement utile en ces lieux. Pour ce faire, il se rendit à Montréal où il alla rencontrer un certain Galipeau, grand connaisseur de chevaux et un peu maquignon sur les bords, comme le mit en garde le sieur de Verchères.

À peine avait-il mis les pieds chez ce Galipeau que l'homme se lança en effet dans un long boniment de vendeur chevronné :

— On ne s'achète pas un cheval tous les jours. Aussi faut-il le bien choisir. Vous ne trouverez pas meilleur endroit dans tout le pays pour faire votre choix. Des chevaux, j'en ai des dizaines, tous meilleurs les uns que les autres.

Marcellin l'écoutait parler en se demandant quel était ce besoin qu'ont les hommes de toujours vanter ce qu'ils ont afin de s'en départir. Galipeau avait entrepris de lui passer le cheval le plus cher de son écurie, mais Marcellin l'interrompit :

— Ce n'est point ce genre de cheval qu'il me faut.

— Un cheval de labour, alors ?

S'il avait donné le temps à Marcellin de répondre, il aurait su qu'il ne tenait à posséder qu'un petit cheval docile apte à tirer sa voiture sur la route menant de Verchères à Varennes ou à Contrecœur. Il s'évertua à le lui expliquer, mais Galipeau était un homme qui n'écoutait point d'autre discours que le sien. Marcellin finit par se lasser et lui dit :

— Je ne suis pas pressé, je repasserai.

Il le laissa alors que le vendeur tentait de le retenir par la manche pour lui montrer une vieille picouille dont personne sans doute ne voulait.

S'il ne fut guère satisfait en ce qui concernait le cheval, il le fut, et on ne peut mieux, pour ce qui était de la voiture, car il eut le bonheur de s'arrêter devant une maison où pendait l'enseigne « Mathieu Lécuyer, charron ». Il se présenta à lui sous son titre de notaire. Cet homme sut tout de suite à qui il avait affaire et n'eut guère à le questionner pour connaître ses besoins. C'était un homme posé, d'une extrême politesse, qui parlait peu, mais qui, quand il le faisait, disait beaucoup.

— Je n'ai pour le moment que quelques voitures, dit-il, mais je crois bien posséder celle qui conviendrait au notaire que vous êtes.

Il conduisit Marcellin dans sa cour et, de la main, lui désigna la voiture dont il rêvait. Marcellin la lui acheta sur-le-champ, promettant de venir la chercher dès qu'il aurait un cheval pour la tirer.

❖

De retour à Verchères, Marcellin alla trouver le sieur Jarret pour lui faire part de son problème de cheval.

— Oh! Cher ami, dit-il, je crois bien que mon oncle a précisément le cheval que vous désirez.

— Vraiment? Vous avez un oncle ici?

— Bien sûr! Le seigneur de Contrecœur est mon oncle.

— Quel curieux nom que celui de Contrecœur!

— La seigneurie le tient de lui, Antoine Pécaudy de Contrecœur. J'étais l'enseigne de la compagnie qu'il commandait au régiment de Carignan-Salière. C'est tout un homme! Vous aurez, en allant chez lui, l'occasion de faire sa connaissance. Malgré son âge avancé, il est encore gaillard, mais c'est un original qui peut déconcerter quand on n'est pas prévenu. Histoire de bien vous informer à son sujet, je ne résiste pas à vous raconter quelques-unes de ses frasques, pourvu que ça reste entre nous. Mais, auparavant, sachez qu'il s'est marié ici à l'âge vénérable de soixante-dix ans à une jeune demoiselle de Québec, Barbe Denis, tout juste âgée de quinze ans. Me croirez-vous si je vous dis qu'ils ont déjà deux enfants?

— Ils ont des enfants?

—Eh oui ! Et le gaillard est bien capable d'en faire d'autres, car il n'y a rien à son épreuve. Je fus jadis témoin chez lui de scènes vraiment étonnantes. Il vivait tout comme nous au Dauphiné, à Vignieu, pour être plus précis. Quand il vint ici en 1665, il avait derrière lui une longue carrière militaire, avait subi de nombreuses blessures et même une trépanation ! Il fit un mariage malheureux dans les années 1650, si ma mémoire est fidèle. Son épouse possédait une propriété, la Grand-Chana, dont il désirait hériter. Il n'y a rien qu'il ne mit en œuvre pour mettre la main dessus. Je me suis laissé dire qu'il intimidait son épouse en tirant du pistolet au plafond de sa chambre alors qu'elle était endormie. Il voulait qu'elle change son testament en sa faveur et il ne manqua pas, lorsqu'elle mourut en 1662, de poursuivre les héritiers. C'est un homme retors. Après avoir perdu son procès, il fit porter la cause en appel à Paris et la gagna. La Grand-Chana lui revenait, mais il ne put en profiter, car il passa ici la même année avec le régiment de Carignan-Salière.

—À ce que je vois, c'est un homme qui sait où il va.

—Et un bon vivant ! C'est d'ailleurs ce qui l'opposait à la famille de son épouse, des gens d'une rigueur sans pareille qui n'admettaient pas qu'il puisse recevoir ses soldats dans ses caves pour de longues libations. Vous pourrez vous faire une meilleure idée de lui en le rencontrant. Je sais qu'il veut se départir d'un cheval qui, à mon avis, ferait votre bonheur.

Ce fut ainsi que quelques jours plus tard, en compa gnie de Radegonde et du sieur de Verchères, Marcellin se retrouva « à Contrecœur, mais de bon cœur », comme il le dit en riant. Le seigneur du lieu était bien tel que le lui avait décrit son neveu : un vieillard mince, grand et solide qui riait fort, parlait fort, discutait fort et buvait fort.

Après que Marcellin lui eut expliqué la raison de sa venue, il s'exclama :

— Eh bien ! Jeune homme, vous n'aviez pas à attendre d'avoir besoin d'un cheval pour venir faire ma connaissance et me présenter votre chère épouse. Avez-vous peur que je vous la vole ? Et toi, mon neveu, qu'attendais-tu pour nous présenter tes charmants voisins ?

— Ils viennent à peine d'arriver, mon oncle, laissez-leur le temps de s'établir !

— Vous allez souper avec nous ?

— Faites excuse, nous n'avions pas prévu souper, dit Marcellin.

— Vous le ferez, sinon vous ne repartirez pas avec ma cavale.

— Parce que c'est une jument ?

— Qu'as-tu, jeune homme, contre les femelles ? Tu ne trouveras pas mieux pour tirer une voiture. Sois sans inquiétude, elle est comme ma femme, bien domptée.

Il n'aurait pu mieux dire, car sa jeune épouse, maintenant dans la vingtaine, était une charmante enfant qui, tout au long du souper, ne se départit pas de sa bonne humeur et s'entretint longuement avec Rade-gonde pendant que son mari détaillait aux hommes les péripéties de sa dernière chasse.

Marcellin quitta Contrecœur fort heureux, rame-nant une belle jument qui portait le curieux nom d'Annette. Le seigneur de Verchères lui assura que c'était là une autre singularité de son oncle, qui tenait obstinément à ce que sa jument se nomme ainsi pour faire référence au prénom de sa première épouse. Il prenait, paraît-il, un malin plaisir à lui donner de temps à autre de bons coups de fouet.

Chapitre 3

La vie au manoir

Un mois et demi après leur retour, alors que l'automne en était presque à son mitan, les Perré étaient déjà installés dans leur manoir. L'entrepreneur avait vu juste puisque l'édifice répondait en tout point à l'idée que Marcellin s'en était faite. Malgré tout le travail que lui occasionnait l'installation dans leur nouvelle demeure, Radegonde était aux anges. Enfin, ils étaient en pleine réalisation d'un de leurs rêves. Elle choisit ce moment pour informer Marcellin qu'elle attendait de nouveau un enfant. Pouvaient-ils avoir bonheur plus grand? Marcellin ne tarda pas à vouloir lui engager des aides, et d'abord une cuisinière et une femme de chambre.

Ne sachant trop comment procéder pour en trouver, il s'informa auprès du seigneur de Verchères, qui avait réponse à tout.

—Rien de plus simple, dit-il. J'en aviserai mes propres domestiques et, n'ayez crainte, le mot se passera.

— Vous en êtes sûr ?

— En ce pays, les postes de domestique sont courus. Ils assurent un salaire et un toit à ceux ou celles qui les obtiennent.

Il ne pouvait dire plus juste, car moins de deux jours s'étaient écoulés après cette rencontre qu'une femme se présentait au manoir Perré, accompagnée de sa fille. Elles offrirent leurs services, la mère pour la cuisine, la fille pour les chambres. Marcellin et Radegonde n'eurent qu'à se louer de les avoir engagées, tout particulièrement la mère, qui allait faire partie de leur vie durant des années. Radegonde, d'ailleurs, ne manquait jamais de dire : « Qu'aurions-nous fait sans Augustine et Jeanne ? »

❖

Le cas des domestiques solutionné, Marcellin avait encore à régler celui du défrichement de sa terre. Là encore, la providence y veilla. Il était au fort de Verchères à remplir un contrat pour le seigneur quand deux voyageurs s'y arrêtèrent pour s'accorder un moment de repos. Il leur demanda :

— Où vous rendez-vous comme ça ?

— Du côté de Québec, trouver de l'ouvrage pour l'hiver.

— À faire quoi ?

— Bûcher et défricher.

— Je suis justement à la recherche de deux engagés pour ce genre de travail sur ma terre.

Ils acceptèrent aussitôt son offre. L'automne avançait. Marcellin les employa d'abord à construire un pavillon de chasse au bord du fleuve, là où se trouvaient en abondance canards et cailles. Son intention, et il la leur exposa, était que ce pavillon leur serve de refuge pour l'hiver et qu'ils ne viennent au manoir que pour les repas. Ils seraient de la sorte près de leur travail. Il eut raison d'agir ainsi, car ces hommes accomplirent leur ouvrage à la perfection en bûchant et débitant une cinquantaine de cordes de bois tout au long de la dure saison. Au printemps, ils travaillèrent à essoucher, de telle façon qu'un fermier fut en mesure de commencer des semences : Radegonde tenait à faire un jardin. Ils en préparèrent le carré, puis reprirent le large de la même manière qu'ils étaient venus.

❖

Quand la famille fut enfin bien installée au manoir, Radegonde insista pour qu'ils en soulignent l'inauguration avant l'hiver en recevant les seigneurs de Verchères, de Varennes et de Contrecœur. Marcellin se mit en chasse avec l'intention d'apporter le nombre de cailles suffisantes pour le repas. N'étant pas particulièrement doué pour le coup de feu, il s'y fit accompagner de Julien Duclos, renommé pour ses chasses miraculeuses. Au bout de sa terre, au bord du fleuve, ces oiseaux se montraient en très grand nombre à cette période. Leur chasse s'avéra un succès. Tous les convives s'accordèrent à dire qu'ils avaient participé à un souper mémorable. Radegonde, qui s'occupait de tout, se mêlant de faire la cuisine, secondée d'Augustine et de Jeanne, s'était surpassée dans la préparation des cailles.

L'hiver, ils le passèrent encabanés comme ils avaient si bien appris à le faire au Passage. Quand la nature leur montra des signes que le printemps était proche, Radegonde commença tout de suite à semer des graines qu'elle faisait pousser dans des pots sur des tables placées le long des fenêtres. Même si elle était grosse, elle ne s'arrêtait jamais un instant, s'occupant déjà à préparer son jardin.

L'été commençait à peine que leur famille s'enrichit d'un membre de plus, une fille prénommée Marie. À peine un an après leur arrivée, le manoir avait été érigé, une partie de la terre était défrichée, deux domestiques travaillaient pour eux et leur famille était riche de trois enfants. Marcellin et Radegonde se réjouissaient de leur choix. Pouvaient-ils trouver pays plus propice à leur apporter le bonheur qu'ils cherchaient ?

❖

Verchères était peu développé en comparaison de Contrecœur, que le seigneur du lieu s'était efforcé d'accroître rapidement en concédant des terres à ses anciens soldats. Son neveu, le sieur de Verchères, qui était enseigne de sa compagnie, ne pouvait en faire autant, c'est pourquoi il était si fier d'avoir attiré Marcellin en ce lieu.

Les Perré avaient de temps à autre la visite des Verchères, qui venaient s'informer des progrès de leur établissement. Lors d'une de ces visites, le sieur Jarret rappela leur rencontre à l'improviste à Québec, un an plus tôt.

— Vous vous souvenez, cher ami, dit-il, que j'étais pour lors à Québec afin de participer à une rencontre devant décider de la vente d'eau-de-vie aux Sauvages.

— Je me le rappelle, en effet.

— Si je vous en parle, c'est que je viens tout juste d'apprendre qu'il sera désormais défendu de vendre des boissons hors des villages français. Les autorités tentent de la sorte d'enrayer ce fléau qui, il faut l'admettre, cause beaucoup de problèmes parmi les Peaux rouges.

— Quelle avait été la recommandation faite par les principaux habitants, il y a un an ?

— La grande majorité s'était opposée à ce qu'on défende de faire la traite d'eau-de-vie avec les Sauvages. Mais monseigneur l'évêque de Québec est revenu à la charge et le roi a daigné porter une oreille attentive à ses plaintes.

Cette décision de ne permettre la vente d'eau-de-vie que dans les villages français laissait Marcellin fort perplexe. Le seigneur de Verchères devina ses interrogations, car il ajouta aussitôt :

— Je ne crois guère que cette ordonnance mettra fin à la vente d'eau-de-vie aux Indiens. Ils sauront bien venir s'approvisionner dans nos villages et il y aura toujours quelqu'un pour les accommoder, même si les théologiens de Paris ont décrété que vendre ainsi de l'eau-de-vie aux Sauvages est un péché mortel.

Pendant qu'il causait avec le sieur Jarret, Marcellin prenait plaisir à voir sa chère Radegonde s'évertuer à expliquer à madame de Verchères comment elle s'y prenait pour préparer son jardin. Du haut de ses six ans, Fanchonette suivait les deux femmes en chantonnant. Elle attendit le moment propice pour demander à madame de Verchères comment allait Madelon.

— Tu viendras la voir, ma chérie, elle grandit à vue d'œil. Et celle-là, j'en suis certaine, va avoir beaucoup de caractère. Quand elle veut quelque chose, elle le veut.

Radegonde promit d'aller bientôt faire un tour avec la petite.

Chapitre 4

Une visite et des visiteurs

Verchères n'était en réalité qu'un fort protégeant le manoir de la seigneurie. À peine deux familles y habitaient. L'endroit se développait très lentement, tandis que Contrecœur possédait déjà sa chapelle et son moulin à farine. Quant à Varennes, cette seigneurie n'était guère plus avancée que Verchères. Il avait donc été décidé que Marcellin exercerait comme notaire dans les trois seigneuries, ce qui l'obligeait à se déplacer souvent.

Bon vivant, le seigneur de Contrecœur l'accueillait toujours avec enthousiasme, lui demandant : « Comment va mon Annette ? » C'était un vieillard encore tout guilleret qui s'agrippait à la vie avec un plaisir évident. Il n'était pas du genre à s'accrocher les pieds dans les virgules des contrats. Marcellin eut parfois avec lui de vives discussions, parce qu'il avait une propension à contourner les lois. Il le faisait toujours en riant, mais Marcellin devait sans cesse se méfier de ses propositions.

Ainsi, un jour, le seigneur de Contrecœur le fit venir sous prétexte de rédiger un contrat de vente. Une fois Marcellin arrivé chez lui, le contrat de vente s'était transformé en un contrat de mariage tout à fait singulier, celui d'un jeune homme de quinze ans avec une enfant d'onze ans à peine.

— Ce n'est pas parce qu'ils auront signé un contrat de mariage que le mariage aura lieu, lui dit Marcellin. La jeune fille n'a pas l'âge canonique pour se marier. Le curé refusera de bénir cette union.

— Qui peut le prouver ? Son acte de naissance est perdu quelque part en France. Si dans son contrat il est indiqué qu'elle est en mesure de se marier, comment le curé pourra-t-il démontrer le contraire ?

— Il exigera des preuves et nous n'en avons point.

— Que non ! Que non ! Il suffirait de produire une lettre certifiant l'âge de la jeune demoiselle ou, mieux, de transcrire au contrat de mariage son acte de baptême. Il n'y a rien de plus simple que d'inventer un acte de baptême, comme celui-ci par exemple :

Ce deuxième d'août de l'année de grâce 1666, nous, prêtre curé de la paroisse Saint-Vivien de Rouen, avons baptisé Marie Isabelle Gendreau, fille de Fleury Gendreau et de Viviane Labrecque. Son parrain a été Simon Gendreau, oncle de l'enfant, et sa marraine Isabelle Labastille, sa tante, qui ont signé avec nous, curé.

Si vous comptez sur moi pour me prêter à ce jeu, détrompez-vous! s'indigna Marcellin. Mais pourquoi tenez-vous tant à ce que ce mariage se fasse tout de suite? Dans un an ou deux, il pourra toujours avoir lieu. Nous aurons eu le temps de faire venir de France l'acte de naissance en question.

Il venait d'atteindre le vieil homme à son point le plus faible, car il renonça aussitôt à pousser plus avant. Voulant en avoir le cœur net, Marcellin fit discrètement quelques recherches au sujet des deux familles impliquées dans cette union. Ce fut ainsi qu'il découvrit, plus tard, parmi des documents qu'on lui remit, que le père de la future avait promis au seigneur de Contrecœur que s'il parvenait à faire réaliser le mariage, il lui céderait un héritage qu'il avait en France. Il était vrai que, pour cet homme, l'union de sa fille avec ce jeune homme de famille lui ouvrait plusieurs portes vers la fortune. Sa plus grande crainte était de ne jamais voir ce mariage se concrétiser parce que le jeune homme pouvait être promis à un meilleur parti.

Mais, exception faite des tendances du seigneur de Contrecœur à se jouer de la loi, cet homme plaisait beaucoup à Marcellin. Il avait toujours des historiettes piquantes ou amusantes à raconter, comme celle qu'il lui révéla ce jour-là.

— Connais-tu la dernière?

— À quel sujet?

— Celui d'une femme qui se mêle de tout et a toujours le nez fourré partout. Écoute bien! Un de mes censitaires, dont c'est l'épouse, m'a raconté qu'il a fait venir chez lui un brocheur chargé d'insérer un anneau dans le mufle de son bœuf. L'opération ne s'est pas faite sans que le bœuf fasse entendre des meuglements. La femme est forcément venue voir ce qui se passait. Quand elle s'est approchée du brocheur, il a fait mine avec ses pinces et une broche de lui poser un anneau dans le nez. La femme fut tellement surprise qu'elle a reculé en vitesse et, ne regardant pas où elle posait les pieds, s'est affalée de tout son long dans l'auge des cochons.

Marcellin admit en riant que la scène devait être cocasse à voir.

— Mais ce qui est le plus hilarant, ajouta le seigneur, c'est que depuis, chaque fois qu'elle veut mettre son nez dans quelque chose qui ne la regarde pas, son mari lui dit : "Je vais te faire poser un anneau dans le nez !"

— Pour une leçon, s'esclaffa Marcellin, c'en fut toute une !

— Ne manque pas, ajouta le vieil homme, de conter ça à ta femme si jamais elle veut mettre le nez dans tes affaires !

Tel était le seigneur de Contrecœur, un homme qui s'amusait de tout comme un enfant.

❖

Comme Marcellin revenait de Contrecœur, il vit une charrette arrêtée devant le manoir. Son propriétaire était sur la galerie en grande discussion avec Radegonde. Marcellin s'approcha au moment où cet homme disait :

— C'est arrivé par une barque au quai à matin avec un mot assurant que le livreur serait payé illico. C'est pour ça que je vous l'ai apportée.

— Vous serez remboursé par mon mari que voilà.

— Pourquoi vous dois-je un transport ? s'enquit Marcellin.

— Viens, l'invita Radegonde.

Elle se dirigea vers la pièce qui lui servait d'étude. Le long du mur avaient été placés l'armoire fabriquée par son père et, tout près, le coffre dans lequel Marcellin rangeait autrefois hardes et fusil. Il défraya avec plaisir le coût du transport et dès que l'homme fut parti, Radegonde l'aidant, il s'empressa de ranger dans l'armoire papiers, plume et encre, comme il l'avait fait jadis au Passage. Il trouva dans l'armoire une lettre où ses bons amis Le Chauve et Le Matou avaient fait mettre un mot par le notaire, lui souhaitant, ainsi qu'à Radegonde, bien du bonheur et espérant leur visite.

❖

L'après-midi en était à son mitan quand apparut sur la route une autre charrette qui emprunta à son tour le chemin du manoir. Bien souvent, il leur arrivait de ne voir personne pendant une semaine et voilà que deux visiteurs se présentaient le même jour. Marcellin ne reconnut le nouvel arrivant que lorsque celui-ci déclina sa profession : vendeur itinérant.

— Si vous avez des marchandises rares que vous désirez vous procurer, il suffit de me les demander.

Il s'agissait de leur ami Lafranchise, à la fois heureux et étonné de retrouver Marcellin et Radegonde si loin de Charlesbourg, après toutes ces années. Il n'avait guère changé et se lança dans un long monologue résumant ses succès des dernières années. Puis il tira de sa poche un jeu de tarot, ce qui était nouveau chez lui.

— Je vais vous dire votre avenir. Il est écrit dans les cartes.

Il fit choisir des cartes à Radegonde et les interpréta avec toutes sortes de mimiques qui laissaient croire à tout et n'importe quoi. Marcellin n'avait jamais été impressionné par ceux qui prétendent, de quelque façon que ce soit, prédire l'avenir, car, se plaisait-il à rappeler :

« Personne ne peut supposer savoir quoi que ce soit sur l'avenir des autres, car si leur pouvoir était réel, ils l'exerceraient d'abord sur eux-mêmes, ce qui leur permettrait sans doute de trouver le moyen de s'enrichir autrement qu'en prédisant l'avenir. »

Il s'amusa à voir Radegonde tourner les cartes une à une et à entendre le marchand ambulant se lancer aussitôt dans de longs commentaires sur les événements qui, à partir des figures du tarot, étaient supposés lui pendre au bout du nez :

— La carte de l'Impératrice ! Chère madame, le ciel vous a bénie. Vous avez tous les atouts pour vous, la beauté, l'intelligence, la richesse et vous êtes charmante. Vous réussirez en tout ce que vous entreprendrez. Peut-on demander mieux ?

Radegonde rayonnait de plaisir à l'entendre énumérer ses qualités. Il lui demanda de tourner une autre carte. Ce fut cette fois le Bateleur. De nouveau, il se montra enthousiaste :

— Vous êtes la jeunesse même, vous avez de l'énergie, de la constance, des idées nouvelles et je vois une naissance pour bientôt.

— Vraiment ? dit-elle, heureuse.

Il l'invita à tourner une dernière carte. L'Étoile apparut. Il hocha la tête en signe de satisfaction.

— Tout ce qui vient pour vous et les vôtres annonce de l'espoir et ce qu'il y a de mieux.

Radegonde jubilait. Le tireur de cartes montrait un air satisfait. Malgré ses réticences, Marcellin, qui se disait qu'on peut faire dire aux cartes tout ce qu'on veut pourvu qu'on soit habile à le faire, était tout de même heureux que cet homme ait choisi de plaire à sa chère épouse. Le marchand insista pour que Marcellin tourne aussi quelques cartes. Pour ne point le décevoir, il se prêta à son jeu et dévoila le Soleil.

— Vous rêvez de beaucoup plus que ce que vous avez, dit le marchand. Les moyens ne vous manquent pas pour y arriver. Mais attention de ne point trop voir grand. Le soleil après la pluie. Peut-être aurez-vous des jumeaux.

Marcellin sourit de l'entendre, se disant que ces prédictions étaient loin de ses ambitions. Oui, il voulait mieux. Mais qui ne le désire point chaque jour ? N'est-ce pas l'unique façon d'avancer ? Il déclara :

— Si jamais nous naissent des jumeaux, j'en serai fort ravi, mais ça ne sera sûrement pas en raison de vos prédictions.

Il tourna tout de même une autre carte.

— La Lune ! s'exclama l'homme, se prenant à son propre jeu. C'est le présage de beaucoup de travail. Vous n'aurez guère de temps pour vous tellement le travail vous tiendra debout jusque tard le soir. On vous offrira un poste plus élevé où votre bon jugement vous servira beaucoup.

Marcellin tira une dernière carte, qui apparut à l'envers.

— Le Pape ! s'exclama le marchand. Votre mariage tient ordinairement bien la route en raison de votre sérénité et de votre sagesse. Mais cette carte à l'envers…

Il réfléchit un moment comme pour trouver la suite et ménager ses effets.

— Un enfant vous arrivera dans un temps que je ne peux pas préciser, mais qui vous donnera du souci. Toutefois, vous ne l'en aimerez que plus.

L'homme s'arrêta. Marcellin en avait d'ailleurs assez entendu et, surtout, il avait vu se peindre l'inquiétude sur le visage de Radegonde. Il s'empressa de changer les idées de chacun en faisant remettre à son visiteur son chapeau de marchand.

—J'ai, dit-il, quelques objets que je désire obtenir qui sont difficiles à trouver sur nos rives. Saurez-vous me les dégoter quelque part?

—Ah, ça! Ne vous en faites pas. Je fais rarement chou blanc. Nous avons par ici beaucoup plus que ce que nous pensons. Il suffit de savoir ouvrir les yeux. Je vous apporterai sûrement ce que vous désirez, mais je ne sais trop quand. Donnez-m'en la liste et vous serez satisfait un jour ou l'autre.

Quand, plus tard, il les quitta, Marcellin ne put s'empêcher de penser que si, souvent, le passage prolongé d'un être dans notre vie n'y change rien, l'apparition d'un autre pour une petite heure peut parfois nous laisser bien songeurs.

Chapitre 5

De bonnes marchandises

Cette deuxième année de leur établissement à Verchères fut très chargée, mais elle leur apporta beaucoup de bonheur. Ils avaient belle vie dans leur manoir et n'y manquaient de rien d'essentiel. Toutefois, certaines marchandises utiles leur faisaient défaut. Radegonde, sans qu'elle pense à mal, disait parfois :

— Oh ! Si j'avais donc de la serpentine ou du basilic, ce plat serait bien plus savoureux. Et cette tarte, beaucoup plus délicieuse avec de la cannelle !

Ou encore :

— Dommage, Marcellin que je n'aie pas une solide alène, je pourrais te fabriquer avec le cuir de ces peaux de chevreuil des guêtres dont tu n'aurais point à rougir et qui en ce pays feraient certainement ton bonheur.

Il faut savoir que quoi qu'en disait un marchand ambulant comme Lafranchise, bien des objets manquaient à l'appel, qu'ils leur fallait faire venir de France. Marcellin résolut donc de noter tout ce dont ils avaient besoin. Lors d'un court séjour à Québec en compagnie du sieur de Verchères, il fit la connaissance du sieur Jean Aramy, lequel faisait venir de La Rochelle chaque année, par l'intermédiaire de sa belle-sœur, de menus ustensiles et diverses marchandises utiles à toutes sortes de petits travaux : des aiguilles, du fil, des couteaux, des ciseaux, etc. Marcellin s'adressa à lui pour combler les vœux de sa Radegonde et aussi les siens, puisque certains objets lui faisaient défaut, tels des pierres à fusil, un bon couteau fermant, du plomb à canard et à tourtre, de même que du bon vin.

Les mois passèrent, l'hiver leur tomba dessus et il oublia toutes ces choses, mais voilà qu'un beau jour de printemps, il reçut par le charretier Bruneau cette lettre de Jean Aramy.

Monsieur Marcellin,

Un des navires venant de France est arrivé ces jours derniers à Québec, apportant une partie des marchandises que j'ai fait venir. Ma belle-sœur me fait assavoir que le reste des effets arrivera à bord du vaisseau L'Honoré, du capitaine Durand, parti quelques jours plus tard de La Rochelle. Il semble bien, d'après ce qu'elle écrit, que vous aurez toutes les marchandises que vous avez demandées. Je vous cite le passage suivant de sa lettre :

« Dites au notaire Perré qu'il sera satisfait en tout ce qu'il a fait venir. Ses marchandises sont toutes à bord de L'Honoré. À part le vin qui se trouve dans son baril, les autres effets sont rangés dans un second fût de chêne,

lequel se trouve avec le premier sous le tillac, tous deux marqués JAM. J'ai même pensé à ajouter pour son épouse, et tout bonnement de mon gré, des pois pour son jardin, un pot de noix confites et un pot de prunes.

« Si monsieur le notaire désire obtenir d'autres marchandises l'an prochain, qu'il ne manque pas de me le faire assavoir. S'il veut en tempérer les prix, il peut me faire parvenir par vous mon beau-frère des langues d'orignal et des rognons de castor fort prisés ici, que je saurai revendre pour lui à bon prix. »

Voilà donc, monsieur, ce dont je tenais à vous informer dans l'immédiat. Je vous ferai parvenir vos marchandises sitôt qu'elles seront arrivées, d'autant que vous m'en avez déjà réglé en partie la valeur. Ne manquez pas de porter mes respects et salutations à monsieur de Verchères.

Votre tout dévoué, Jean Aramy, marchand

Deux semaines plus tard, le charretier Bruneau s'arrêtait au manoir pour livrer les deux barils tant attendus avec le court mot suivant:

Monsieur le notaire,

Les effets commandés sont arrivés en bon ordre et en bonne condition. Vous n'aurez plus qu'à me régler le reste du compte par la personne d'un quelconque charretier de chez vous venant à Québec. En espérant le tout à votre satisfaction,

Je demeure votre tout dévoué, Jean Aramy, marchand.

Un peu à la manière d'un enfant recevant un présent, Marcellin s'empressa d'ouvrir le baril de marchandises. Tout y était. Il ne pouvait s'empêcher de trouver merveilleux que des choses désirées huit mois plus tôt lui parviennent ainsi d'aussi loin, ayant traversé la mer pour se retrouver dans ses mains et sous son toit en parfaite condition.

Il fit à Radegonde la surprise de ce après quoi elle avait soupiré tout au cours de l'année précédente. Il y avait diverses épices, la fameuse alène dont elle avait parlé, du fil, des boutons, quelques pièces de toile et de tissu, et les gâteries que lui faisait parvenir de son plein gré, de La Rochelle, cette Jeanne Aramy, belle-sœur du marchand.

Le sourire et l'étonnement dans les yeux de sa chère épouse valaient à eux seuls toutes les récompenses du monde. Il fallait, bien entendu, célébrer ce jour faste. Ils ne manquèrent point de le faire en entamant le baril de vin venu avec le tout. Ils trinquèrent à l'avenir et à leurs jours heureux. Le hasard fit que le même soir, les de Verchères, arrivant de Varennes où ils étaient allés rendre visite à leur voisin, s'arrêtèrent en passant. Marcellin fut tout fier de leur servir un verre de bon vin de France.

— Je ne crois malheureusement pas, dit monsieur de Verchères, qu'un jour il sera possible de produire ici du bon vin, en raison des rigueurs de l'hiver. Nous aurons toujours à le faire venir de France en espérant que, comme celui là, il ne souffre pas trop dans le transport.

— Parce que, s'étonna Marcellin, certains vins ne supportent pas d'être ainsi transportés ?

— Hélas, oui ! Il m'est arrivé, deux années de suite, de recevoir des barriques de vin gâté.

— Comme ça doit être décevant, quand on pense qu'il faut attendre des mois avant de pouvoir en goûter ! Profitons donc de celui-ci puisqu'il est très bien conservé. Il faut croire qu'il avait le cœur voyageur !

Ils levèrent ensuite leurs verres à l'avenir, à la santé de tout un chacun et, surtout, dit le seigneur de Verchères :

— À l'avenir de ce pays qui nous est si cher, en espérant que la paix y dure et que la prospérité soit toujours des nôtres !

❖

Cette année-là, comme il le faisait chaque automne, Marcellin participa à la journée de boucherie des porcs. Il faisait engraisser un porc qu'on abattait à l'automne pour les provisions d'hiver. Il rapporta au manoir de quoi nourrir la famille au cours de tout l'hiver.

Chapitre 6

Jimmio

Sans Radegonde, Jimmio, ce serviteur qui leur fut dévoué jusqu'à la mort, n'aurait jamais mis les pieds chez eux. Ils se trouvaient près du quai, dans le port de Montréal, Radegonde étant allée acheter quelques brimborions pour les enfants. Ils avaient profité de leur séjour là-bas pour arpenter le marché, en rapportant quelques légumes frais, et ils attendaient la goélette qui devait les ramener à Verchères. Une fois à bord du vaisseau, ils virent un homme à la peau noire, d'apparence jeune, recroquevillé dans un coin qu'il ne quitta pas de tout le voyage. Marcellin avait vu deux Noirs sur le navire qui l'avait conduit à Québec, la première fois. Il avait aussi eu l'occasion d'en voir quelquefois dans les ports. Curieuse, Radegonde voulut savoir de qui il s'agissait.

Un homme à la voix haut perchée discourait sur le pont avec deux autres qui l'écoutaient avec attention. Marcellin et Radegonde s'approchèrent d'eux. Comme ils arrivaient à leur hauteur, l'homme disait :

—Je l'ai eu pour quelques écus. C'était un fuyard venu de la Nouvelle-Hollande par le Richelieu. Il risquait rien de moins que la mort. Le marchand qui l'avait recueilli n'en voulait pas, craignant sans doute des représailles des autorités, et je le lui ai acheté. J'essaierai d'en obtenir bon prix à Québec.

Radegonde dit à Marcellin :

— Il parle sûrement de cet homme noir.

— Sans doute, mais cet esclave, comme ceux qui lui donnent l'hospitalité, risquent gros.

— Il y a pourtant des esclaves sauvages chez les jésuites, les récollets et les sulpiciens. Les Contrecœur aussi en ont un.

— Mais celui-ci est un Noir, ce n'est pas pareil.

— Pourquoi ?

— Parce qu'il n'est pas permis encore d'en garder ici. Mais il semble toutefois que ça ne saurait tarder.

L'homme poursuivit :

— C'est un dur, sinon il ne serait jamais sorti vivant de ces bois.

Un de ses compagnons fit remarquer :

— Après tout, ce ne sont que des animaux. Pourquoi s'étonner qu'ils puissent survivre dans les bois ? Il faut se demander s'ils ont une âme. Ils sont habitués au fouet. C'est la seule façon, d'ailleurs, de les mener.

L'autre intervint :

— Les jésuites ont des esclaves et les font travailler dur sans les fouetter.

— Quand quelqu'un est présent, tu veux dire. Penses-tu qu'ils ne sortent pas le fouet de temps à autre quand personne ne les voit?

Radegonde en avait assez entendu et résolut de s'approcher.

— Bonjour, ma belle dame, fit celui à qui cet esclave semblait appartenir.

— Veuillez me pardonner, monsieur, mais j'ai vu, tout en bas dans le vaisseau, un homme noir qui me semblait apeuré.

— Pauvre de vous! Ils ont tous cet air.

— Est-ce un esclave?

— Ce sont tous des esclaves, aussi lâches les uns que les autres.

— À qui appartient-il?

— À moi!

— Que comptez-vous en faire?

— Le vendre, pardi, le vendre! Et à bon prix!

— Combien en demandez-vous?

— Souhaiteriez-vous l'acheter?

— Tout dépend du prix.

— Pour vous, ma belle dame, je le laisserais à 500 livres tournois.

Radegonde, qui n'avait aucune idée de la valeur d'un esclave, se montra fort étonnée.

— Vous ne trouvez pas ça excessif?

— C'est le prix qu'ils se vendent sur le marché. Surtout que, je pense bien, ce sera un des premiers esclaves nègres vendus par ici. J'en aurai bien ce prix à Québec.

Marcellin se tenait en retrait mais n'avait rien perdu de la conversation. Radegonde vint le trouver.

— Cinq cents livres, Marcellin, dit-elle. Qu'en penses-tu ?

— Cinq cents livres ? C'est beaucoup trop ! D'autant plus que nous ignorons s'il est en bonne santé. À ce que je vois, tu voudrais que je l'achète.

— Je ne sais pas… Nous risquerions d'être blâmés.

— Nous n'aurions qu'à dire que nous ignorions qu'il n'était pas permis d'en acheter. Tu sais, ma chérie, que je ne peux rien te refuser. Offre-lui-en 250.

Ils tombèrent d'accord pour 300 livres et ce Noir du nom de Jimmio – c'est, à tout le moins, le mot qu'il s'évertuait à leur répéter – se retrouva au manoir le soir même. Désireux de se faire payer immédiatement, le vendeur alla coucher à Verchères. Marcellin en profita pour passer avec lui le marché suivant :

> *Par devant le notaire des seigneuries de Verchères, Varennes et Contrecœur soussigné fut présent honnête homme Sigisbert Grignon, marchand de Montréal, y demeurant, lequel a reconnu avoir vendu et promet garantir de toutes revendications généralement quelconques au sieur Marcellin Perré, notaire, demeurant à Verchères à ce présent et acceptant le nommé Jimmio, esclave nègre, âgé de vingt ans ou environ, lequel susnommé a été mis dès à présent en possession du dit sieur Perré, acheteur, dont il se contente pour en faire et disposer à sa volonté et comme bon lui semblera. Ladite*

vente faite moyennant le prix et somme de trois cents livres tournois, laquelle somme de trois cents livres tournois, ledit acheteur a remise en main propre audit vendeur en argent ayant cours en ce pays. Ce pourquoi ledit vendeur s'est dit satisfait et bien payé etc., nonobstant etc., promettant etc., obligeant etc., renonçant etc.

Ce marché fait audit Verchères en la maison seigneuriale dudit lieu, ce lundi 18 octobre 1680, en présence de messire François Jarret seigneur et de messire André Jarret, tous deux habitants de ce lieu, qui ont signé avec le vendeur et nous notaire aussi acheteur.

François Jarret de Verchères   *André Jarret de Beauregard*

Sigisbert Grignon   *Marcellin Perré,* notaire

Il y avait derrière le manoir un appentis où une paillasse fut installée pour l'esclave. Radegonde elle-même lui porta à manger. Le lendemain, Marcellin voulut savoir d'où il venait et ce qu'il savait faire. Il ne faisait que répéter «Jimmio». Il ne saisissait visiblement pas le langage de ses nouveaux maîtres. Patiemment Radegonde finit par lui faire comprendre quelques mots. Marcellin tenta de savoir s'il s'y connaissait en animaux. Comme il savait parfaitement bien nourrir et entretenir un cheval, Marcellin lui confia l'entretien d'Annette. Puis, peu à peu, il l'intéressa aux vaches, qu'il savait traire.

Marcellin ne fut toutefois pas sans remarquer que chaque fois qu'il s'approchait de lui et levait le bras pour lui indiquer une tâche quelconque, Jimmio se protégeait la figure de ses mains. Il en conclut que ce Noir avait souvent été frappé. Il s'efforça de le rassurer et surtout de ne pas faire de gestes brusques en sa présence, si bien que Jimmio finit par comprendre qu'il n'avait à craindre d'eux, ni les coups ni le fouet. Petit à petit, Marcellin et Radegonde le virent s'habituer à son travail et, surtout, tranquillement se détendre et s'efforcer de comprendre ce qu'ils lui disaient. Il n'était pas du tout dépourvu d'intelligence, à tel point que Radegonde rêvait de pouvoir un jour lui montrer à lire et à écrire. Pour lors, cependant, il avait tout à apprendre.

Ce fut seulement plusieurs années plus tard qu'ils finirent par apprendre quelques bribes de son histoire.

— Jimmio de loin, disait-il, désignant du doigt l'horizon.

Radegonde l'aidait :

— Tu as été fait prisonnier ?

— Oui, loin.

— Ton maître était méchant ?

— Oui, méchant.

Du bras, il faisait à plusieurs reprises le geste de frapper. C'était peine perdue de tenter d'en savoir plus. Même au bout de plusieurs années, il ne parlait pas assez bien le français pour pouvoir raconter de manière intelligible son enfance et les péripéties de

sa vie d'esclave. Il avait connu le même sort que ces
milliers d'Africains qui, comme lui, avaient été
emmenés et vendus en Amérique. Mais Marcellin se
laissa dire qu'il avait dû être amené par les Hollandais
du côté d'Albany et de la Nouvelle-Hollande. Sans
doute s'était-il enfui de là, avant de remonter vers le
lac Champlain et le Richelieu. Comment était-il
parvenu à se rendre jusqu'à Montréal avant de se faire
prendre? Il ne serait sans doute jamais possible de le
savoir. Radegonde avait suivi son intuition et elle avait
gagné, car Jimmio leur fut d'une très grande fidélité
et devint pratiquement un membre à part entière de
leur famille.

Si je me fie au livre de raison, ils en firent l'acquisition
à la fête de Sainte-Hélène 1679, à un moment où
l'acquisition d'esclaves noirs n'était pas encore permise.
Quelques années plus tard, les autorités de Nouvelle-
France autorisèrent l'achat d'esclaves noirs. Marcellin
et Radegonde, par pure bonté de cœur, avaient tout
simplement devancé la loi.

Chapitre 7

Mieux vaut prévenir que guérir

Quand arriva le printemps, Marcellin songea à engager quelqu'un en permanence pour s'occuper de sa terre. Mais Verchères commençait à peine à se développer : autour du fort, quelques habitants avaient un peu défriché, et ici et là s'élevaient quelques maisons, à bonne distance l'une de l'autre. On ne pouvait parler d'un village naissant, comme c'était le cas à Contrecœur où quelques maisons se regroupaient autour de la chapelle et que tournaient déjà les ailes d'un moulin à vent. Il alla donc de ce côté tenter sa chance. Un habitant serait peut-être intéressé à défricher, labourer et ensemencer la terre attenante à son manoir.

Marcellin ne pouvait évidemment pas se rendre à Contrecœur sans s'arrêter chez le seigneur. Malgré son âge avancé, celui-ci montrait toujours autant d'énergie et mordait dans la vie à belles dents comme un jeune homme de vingt ans. C'était un plaisir de le voir s'enthousiasmer à propos de tout et de rien.

Il était fier de ses accomplissements et tout heureux de montrer les trois cœurs qui ornaient ses armoiries.

Quand Marcellin lui fit part de la raison de sa venue, il dit tout de suite :

— J'ai ton homme !

Il le mena chez un certain Louis Guertin, qui préférait faire valoir ainsi les terres des autres plutôt que posséder la sienne propre.

— Faites-moi signe, dit-il, dès que vous le désirerez et je viendrai pour le contrat.

Le seigneur retint Marcellin chez lui pour le prévenir :

— Je ne suis pas dans le secret des dieux, mais je sais sentir ce qui se passe et il semble bien que les Iroquois, que nous avions mis au pas depuis notre arrivée avec le régiment de Carignan-Salière, commencent à s'agiter de nouveau. Veille bien à ce que ton manoir soit défendu comme une forteresse.

L'avertissement ne tomba pas dans l'oreille d'un sourd.

— Merci de me prévenir, dit Marcellin. On n'est jamais trop prudent. Je crois bien que mon épouse, nos serviteurs et moi, nous allons tous apprendre à nous servir d'un fusil.

— En ce pays, ne serait-ce que contre les bêtes sauvages, il faut à tout prix savoir tirer du fusil ou du pistolet.

Dès son retour à Verchères, Marcellin alla trouver le seigneur et lui exprima le vœu de voir Radegonde apprendre à se servir d'une arme. Le seigneur ne demandait pas mieux, lui qui avait instruit son épouse et ses enfants à manier le fusil. Marcellin fit ensuite venir le tailleur de pierre Benoît Dumoulin afin qu'il pratique dans les pierres, de chaque côté des fenêtres au deuxième étage du manoir, des meurtrières par lesquelles pourrait passer le canon d'un fusil.

Ces travaux le satisfirent un temps, puis il se mit dans la tête qu'il fallait encore mieux protéger les siens. Il fit de nouveau venir l'entrepreneur Larivière et il lui expliqua clairement ce qu'il voulait.

— Ça sera fait et bien fait, monsieur Perré. Êtes-vous toujours satisfait de votre manoir?

— Bien sûr que je le suis, mais nous sommes si isolés qu'advenant une attaque des Iroquois, nous serions des proies faciles. Voilà pourquoi j'aimerais que soient ajoutées à l'étage, aux quatre coins du manoir, des échauguettes en forme de tourelles, coiffées d'un toit conique, ce qui ferait ressembler le manoir de plus en plus à un petit château.

Il se promit d'y faire ajouter un jour une tour comme on en voit aux châteaux de France.

Comme il l'avait fait lors de la construction, le sieur Larivière dessina le manoir tel qu'il apparaîtrait une fois ces modifications terminées. Marcellin fut largement satisfait de cette esquisse, si bien qu'il demanda à l'entrepreneur d'ajouter tout de suite une tour à l'arrière, du côté est du manoir.

— Elle devra dépasser la toiture sans en déparer la façade, insista-t-il, et elle servira pour le guet, de telle sorte que le manoir deviendra un petit château-fort que nos ennemis auront difficulté à prendre.

L'entrepreneur se mit aussitôt à l'ouvrage.

Marcellin ne dormit mieux qu'une fois le tout complété. Le seigneur de Verchères, tout comme celui de Contrecœur, l'honorèrent de leur visite. Le sieur Pécaudy se moqua :

— Il ne manque plus qu'un fossé tout le tour, une contrescarpe et un pont-levis.

— N'est-ce pas vous qui m'avez dit de me prémunir contre les Iroquois ?

— Ils seront tellement étonnés de voir pareille demeure qu'ils en feront le tour sans oser s'en approcher.

— Souhaitons qu'il en aille ainsi, nous serons assurés de vivre en paix.

— On ne prend jamais trop de précautions avec eux, rappela le sieur de Verchères. Ils savent s'approcher comme des loups et capturer facilement leurs proies. Combien de nos Français du côté de Montréal, des Trois-Rivières et même de Québec ont-ils massacrés ? Souhaitons qu'ils nous oublient et nous permettent ainsi de vivre encore longtemps en paix. Le Richelieu étant leur route d'accès jusqu'à nous, nous devenons rapidement leurs cibles. Il vaut mieux être toujours sur nos gardes.

— Pour l'instant, intervint le sieur Pécaudy, la marmite ne bout pas trop fort, mais ne vaut-il pas mieux prévenir que guérir ?

Comme il l'avait promis, le seigneur de Verchères se rendit au manoir Perré à plusieurs reprises pour enseigner à tous, hommes et femmes aptes à porter un fusil, l'art d'en tirer. Il fallait voir avec quelle application, rappela souvent Marcellin, la douce Radegonde s'appliqua de son mieux à apprendre le maniement de cette arme. Quant à Fanchonette, même si elle voulait les imiter, elle était encore trop jeune pour faire le coup de feu. Marcellin avait l'avantage de savoir déjà se servir d'une arme, car il ne dédaignait pas abattre canards et cailles. Il se promit que dès que Fanchonette et Renaud seraient en âge de le faire, tous deux sauraient porter et se servir d'un fusil. Leur paix et leur liberté valaient bien de telles précautions.

❖

Il y avait peu de temps que le manoir montrait ainsi son nouveau visage quand, un midi, un envoyé du gouverneur s'arrêta à la porte. Il se présenta aussitôt :

— À la demande de notre bon gouverneur, je suis mandaté pour faire le recensement du nombre d'habitants du pays.

— Dites-moi plus précisément ce que vous désirez connaître et il me fera plaisir de vous renseigner, dit Marcellin.

— Votre nom, votre âge, votre fonction, de même que le nom de votre épouse et son âge, ainsi que les noms et l'âge de vos enfants, voilà ce qu'il me faut savoir. J'aurai besoin aussi de connaître les noms et âges de vos serviteurs, de même que le nombre de bêtes à cornes que vous possédez et aussi le nombre d'armes à feu.

— Pourquoi diable ont-ils besoin de savoir combien de bêtes et d'armes nous possédons ?

— Je saurai bien vous le dire au sujet des armes à feu, mais nenni pour ce qui est des bêtes.

— Pour les armes à feu, alors ?

— Pardi, ils veulent savoir combien nous en avons pour défendre le pays et s'il y en a partout.

— Pour ce qui est des bêtes, conclut Marcellin en manière de plaisanterie, c'est sans doute pour s'assurer de ne pas en manquer pour leurs festins.

Le recenseur rit de bon cœur et nota les réponses données à ses questions. Il inscrivit le tout dans un grand registre qu'il portait avec lui. Une fois terminées ses écritures, il prit la précaution de bien vérifier que tout était conforme et lut :

— *Marcellin Perré, notaire, 31 ans. Radegonde Quemeneur dit Laflamme, sa femme, 30 ans. Enfants : Françoise, 8 ans, Renaud, 4 ans, Marie, 2 ans. Domestiques : Augustine Dupont, cuisinière, 46 ans ; Jeanne Dupont, domestique, 22 ans ; Jimmio, palefrenier, d'âge inconnu. Trois fusils, sept bêtes à cornes et dix arpents de terre en culture.*

❖

Cette année ne se termina pas sans une visite extraordinaire dont ils gardèrent un vif souvenir. Monseigneur François Montmorency de Laval, l'évêque de Québec, s'arrêta à Verchères pour procéder à la confirmation de ceux et de celles qui n'avaient pas encore reçu ce sacrement. Marcellin avait été autrefois confirmé en France durant les deux années où, à La Roche-sur-Yon, il s'efforçait d'apprendre le métier de meunier. Mais Radegonde n'avait pas été confirmée, pas plus que son amie Marie, l'épouse du seigneur de Verchères. Elles reçurent ce sacrement en compagnie de leurs enfants. Ce fut pour tous de beaux moments de réjouissance qui vinrent compléter toutes les joies que leur avait apportées cette année.

Chapitre 8

L'importance d'être notaire

Cette quatrième année à Verchères valut la chance au seigneur du lieu de se voir attribuer un congé de traite. Le gouverneur et l'intendant accordaient ces congés depuis l'année précédente. Ils n'en donnaient que vingt-cinq par année et le sieur de Verchères avait obtenu l'un d'eux. Cela lui conférait le droit d'engager trois hommes, lesquels partiraient pour l'Ouest dans un canot rempli de marchandises qu'ils pourraient alors échanger contre des peaux de castor.

C'était en ce pays la seule façon de s'enrichir un peu. Le seigneur Jarret demanda à Marcellin de lui trouver trois coureurs des bois expérimentés capables de faire le voyage vers l'Ouest. Il lui confia aussi la tâche de s'informer auprès de ceux qui avaient déjà expédié des marchandises de traite en quoi consistaient surtout celles-ci. En somme, il le laissait libre d'organiser ce voyage en son nom et, bien entendu, de rédiger le contrat d'engagement en conséquence.

Marcellin se rendit à Montréal prendre informations auprès des marchands du lieu au sujet des marchandises à acheter, en commençant par le dénommé Démery.

— Rien de plus simple, lui dit celui-ci. Si le sieur de Verchères désire que ses marchandises lui rapportent le plus en peaux, je lui conseillerais d'acheter en premier lieu des fusils. Les Sauvages adorent les fusils, surtout et avant tout pour le bruit et l'effet qu'ils produisent. Ils sont fascinés par la vitesse et l'efficacité avec lesquelles ces armes peuvent tuer. Ils sont prêts à donner beaucoup de peaux pour un seul fusil.

— Je veux bien, dit Marcellin, et sans doute que le sieur de Verchères, qui est un militaire, sera de cet avis, mais que dois-je encore lui suggérer?

Démery baissa la voix d'un ton :

— À sa place, en deuxième lieu, je les approvisionnerais en boisson et en tabac. Une barrique de rhum pèse exactement quatre-vingt-dix livres, charge qu'un bon coureur des bois est en mesure de porter. L'avantage d'apporter du rhum est qu'il peut facilement être dilué avant d'être vendu aux Sauvages.

— Dans quelle proportion?

— Quatre à cinq pintes mélangées à neuf gallons d'eau. Avec ça, il réussira à obtenir toutes les peaux qu'il désirera.

— Et si jamais il ne veut pas échanger d'eau-de-vie pour obtenir ses fourrures?

— Dans ce cas, qu'il se procure quelques torquettes de tabac des îles. Enveloppées dans une toile huilée, elles s'apportent fort bien et les Sauvages adorent ce tabac.

— En plus de ça, que suggérez-vous qu'il achète ?

— Des couteaux et des haches. Pour les haches, il n'a qu'à leur fournir le fer. Quant au manche, ils savent très bien en fabriquer.

Démery le laissa un moment pour répondre à un client, puis Marcellin lui demanda ce qu'il pouvait encore lui recommander comme autres marchandises.

— Des couvertures et des étoffes de laine, des munitions, du fil, des mouchoirs de soie et de coton, des chandelles et tout ce qui peut servir à coudre, des bijoux. Ils adorent aussi les parfums et, ah ! j'oubliais : des marmites de fer ou de cuivre. Il faut voir à ce que ces marmites de différentes grandeurs puissent s'emboîter les unes dans les autres afin qu'ils les apportent ainsi dans leurs canots.

Fort de ces renseignements, Marcellin se rendit ensuite chez le sieur Adhémar, un confrère notaire très demandé pour la rédaction d'engagements de coureurs des bois. Adhémar lui donna de mémoire une liste d'une dizaine de ces hommes, dont quelques-uns demeuraient du côté de la Prairie-de-la-Madeleine et de Boucherville.

— S'ils ne sont pas déjà engagés pour un prochain voyage, vous pouvez être assuré que n'importe lequel d'entre eux vous donnera satisfaction.

Marcellin s'était rendu à Montréal en voiture. Sur le chemin du retour, il fit un détour par la Prairie-de-la-Madeleine. Il en fut bien récompensé, car il réussit à engager les frères Michel et André Bissonnette, des habitués des Pays d'en haut et de Michillimakinac. Ils insistèrent pour que Marcellin s'arrête, en passant à Boucherville, engager leur cousin Noël Dussault. « Vous n'aurez pas à vous plaindre de nous », promirent-ils à Marcellin, qui leur donna rendez-vous à Verchères la semaine suivante.

De retour au manoir, il s'empressa d'aller trouver le seigneur Jarret afin de lui faire part des résultats de ses démarches et, surtout, pour qu'il lui confirme quelles marchandises il devrait acheter en son nom.

— Marcellin, c'est sans doute le seul congé de traite qui me sera accordé avant longtemps, autant le faire valoir au maximum. Par conséquent, ne nous gênons pas pour vendre de la boisson, du tabac et quelques fusils. Quant aux autres effets, je laisse le tout à ton bon jugement. Tout ce que je demande, c'est que nos trois hommes reviennent avec un canot chargé jusqu'au bord de belles peaux de castor bonnes et marchandes.

Marcellin l'assura :

— Je ferai selon vos désirs, soyez sans crainte.

Une semaine plus tard, les coureurs des bois se présentaient au manoir pour la signature du contrat. Marcellin avait préparé ce contrat selon les normes habituelles. Les trois hommes promirent de se rendre directement à Michillimakinac à l'automne venu afin d'y troquer avec les Sauvages, et au meilleur prix, les quelque trois cents livres de marchandises fournies par le seigneur de Verchères contre les meilleures peaux de castor d'hiver qu'ils pourraient obtenir. Pour eux-mêmes, ils ne pouvaient échanger que deux chemises, un fusil, un capot et une couverture. Le seigneur leur promettait à leur retour, une fois remboursé le prix des marchandises, la moitié des revenus obtenus par la vente des fourrures.

Marcellin mena cette tâche à bien et les coureurs des bois firent leur travail à merveille. Le seigneur de Verchères put empocher plusieurs milliers de livres de ce contrat, ce qui lui permit de respirer un peu mieux, car l'entretien de sa seigneurie et de sa famille lui coûtait fort cher.

Chapitre 9

Plus d'ouvrage
que de temps pour le faire

Il y avait bien près de deux années que le marchand Jean Chauvin dit Lafranchise était passé au manoir. Les Perré l'avaient presque oublié quand, un beau matin, il arriva chez eux comme s'il en était parti la veille. Il apportait chacune des marchandises que Marcellin lui avait commandées, dont une lunette d'approche comme celle qu'utilisent les navigateurs pour voir de loin les vaisseaux qu'ils croisent. Marcellin avait l'intention de s'en servir pour observer d'éventuels ennemis, tels les Iroquois, si jamais ils se présentaient près du manoir. Il fut également fort satisfait d'une chantepleure de tonneau, une vraie belle pièce faite de laiton.

La venue du marchand lui rappela les paroles entendues lorsqu'il avait tiré le tarot: «Un enfant vous arrivera bientôt qui vous donnera du souci, mais vous ne l'en aimerez que plus.» De toutes ses prédictions, celle-là semblait la plus juste puisque Radegonde, aux portes de l'hiver précédent, avait donné naissance à une fille, qu'ils firent baptiser Ursule, laquelle était infirme et maladive. La pauvre enfant n'avait que le bras gauche qui fût développé complètement. Comme une branche qui se flétrit avant d'atteindre sa taille, son petit bras droit s'arrêtait à hauteur du coude, où se montrait un début de main fait de seulement deux doigts, comme une pince. Malgré cette infirmité, la petite avait appris à se servir de ce moignon de façon étonnante.

❖

Ils étaient maintenant à Verchères depuis quatre ans. Leur vie avait pris son rythme. Marcellin allait souvent à Varennes ou encore à Contrecœur remplir au mieux sa tâche de notaire. Il pouvait compter sur Radegonde pour voir en son absence à la bonne marche de tout le manoir. Jimmio était devenu leur homme à tout faire. Aucune tâche ne le rebutait vraiment. Fanchonette allait avoir bientôt neuf ans et Marcellin songeait maintenant à lui apprendre à tirer du fusil. Cette idée lui rappela que lors du recensement, il n'y avait en tout et pour tout que trois fusils dans le manoir. Autant dire que s'ils étaient attaqués, il leur faudrait se défendre avec trois fois rien. Il résolut d'acheter d'autres fusils et se fit indiquer par le seigneur de Verchères le nom d'un armurier de Montréal.

Marcellin se rendit tout droit chez cet homme pour y faire l'achat d'autres fusils à mèche. Ne connaissant que cette sorte de mousquet, il voulut savoir s'il n'existait pas une meilleure arme que celle-là. Il trouvait, avec raison, qu'il fallait mettre passablement de temps à recharger.

— Il y a bien l'arquebuse, dit l'armurier, mais c'est une arme qui pèse lourd et qui est surtout utile à viser loin. Mais voilà qu'on nous promet pour bientôt un nouveau fusil.

— Vraiment?

— J'attends incessamment de recevoir ce qu'on appelle un fusil à silex.

— Qu'a-t-il de différent?

— Pour que l'arme puisse tirer sa balle, il faut y mettre de la poudre par le canon et, surtout, cette poudre doit s'enflammer pour que le coup parte. Avec le fusil à mèche, il faut y mettre le temps. Le nouveau fusil est muni d'un marteau à ressort qui porte une pierre à silex en son extrémité. Quand la détente est actionnée, la pierre frappe une plaque en acier au-dessus du bassinet, ce qui produit des étincelles qui allument aussitôt la poudre et le coup part beaucoup plus vite.

Ses explications satisfirent Marcellin, qui se fit réserver un de ces fusils dès que l'armurier en aurait en main. En attendant, il acheta deux fusils à mèche. Il tenait à ce que tous les gens de la maison en mesure de faire le coup de feu puissent avoir une arme.

Au retour, il eut une idée qui lui sembla fort à propos. Il décida de faire fabriquer par le menuisier Valiquette de Verchères une dizaine de fusils de bois en tous points semblables à de vraies armes. Il pourrait de la sorte, en cas d'attaque, les faire passer dans les meurtrières et faire croire à un grand nombre de défenseurs.

❖

Fanchonette ayant atteint ses neuf ans et Renaud la suivant à trois ans d'intervalle, Marcellin jugea qu'il était grand temps de leur montrer à lire et à écrire. Radegonde partageait le même avis, disant que les enfants apprennent mieux tout petits. Elle insista même pour que Jimmio les imitent, mais le pauvre garçon n'était guère doué et, après deux rencontres, il voulut tout simplement retourner à ses animaux.

Avec la venue du printemps, Marcellin fut sollicité par le seigneur de Verchères pour une tâche qui mangea pratiquement tout son été. Alors il décida d'engager pour l'éducation de ses enfants une préceptrice et ce fut ainsi que j'entrai dans le décor.

Je me trouvais alors au manoir de Varennes, chez mon ami le seigneur Gaultier. Marcellin y vint pour rédiger un acte de concession de terre. Le seigneur l'invita à partager, tout comme moi, le souper de la famille. Au cours de ce repas, Marcellin demanda au seigneur s'il ne connaissait pas quelqu'un en mesure de montrer à lire et a écrire à ses enfants. Je sautai immédiatement sur l'occasion :

— Je pourrais remplir cette tâche. J'ai enseigné la lecture aux enfants du sieur Boucher.

— Vraiment ? Et quand pourrions-nous compter sur vous ?

— Tout de suite, si ça vous chante. Le temps de m'en retourner aux Trois-Rivières chercher mon coffre et mes hardes et je pourrais être à votre manoir dans quelques jours.

— Vous me rappelez votre nom ?

— Nicole Brouillard.

Je le vis esquisser un sourire.

— Vraiment, dit-il, vous n'avez guère le nom de l'emploi.

— Vous n'êtes pas le premier à qui cette réflexion traverse l'esprit. Mais dites-vous plutôt qu'en leur montrant à lire et à écrire, je sortirai vos enfants du brouillard !

Ma réplique le fit sourire. Quatre jours plus tard, je me retrouvais à son manoir de Verchères où je vis toujours, quoique vieillie par le temps et les années. Marcellin et Radegonde me reçurent de si belle façon que je devins pour eux comme un autre membre de la famille. Je mangeais à leur table et je fus la plupart du temps leur confidente.

❖

Au tout début, Fanchonette et Renaud se montrèrent un peu récalcitrants à suivre l'horaire d'étude que je leur dressai. Habitués à organiser chaque journée à leur guise, il leur fallait désormais se mettre tous les matins au travail, ce qu'ils ne semblaient guère apprécier. Mais leur père et leur mère, tout comme moi d'ailleurs dont c'était la tâche première, leur rappelèrent à quel point dans la vie l'instruction est importante. « Que vaut un homme ou une femme qui ne sait ni lire ni écrire ? leur répétait Radegonde. Ils ne sont guère mieux que des aveugles qui marchent au milieu du chemin, à la merci du premier venu. »

Fanchon et Renaud ne manquaient pas de vivacité. Je décidai de leur apprendre les rudiments de la lecture par une méthode qui était mienne, où perçait le jeu. Je leur dis d'abord que notre alphabet contenait vingt-six lettres, faites de six voyelles et de vingt consonnes, et que les voyelles étaient en chicane avec les consonnes. Je commençai à leur enseigner les voyelles à l'aide de mots très courts, en commençant par la voyelle a que j'écrivis en gros, leur disant :

— Saurez-vous la reconnaître dans les deux mots que je vais écrire ?

— Certainement, assura Fanchon.

J'écrivis les mots ail et air, et je leur dis :

— Quelle méchante consonne faut-il chasser de ce mot ?

Ils me désignèrent aussitôt le il du mot ail et le ir du mot air. Je leur dis :

— Il ne faut pas chasser le i car c'est aussi une voyelle.

De la sorte, ils surent reconnaître le a et le i. Quant aux consonnes l et r, après les avoir écrites sur un carré de papier, les enfants les déposèrent dans le récipient des consonnes. J'écrivis ensuite le mot avoir et leur demandai :

— Quelles consonnes faut-il enlever de ce mot pour ne garder que les voyelles ?

— Le méchant r, dit Renaud, en reconnaissant la lettre.

— Ces deux-là aussi, dit à son tour Fanchon, désignant le o et le v.

Je la repris aussitôt :

— Non pas toutes les deux, parce que le o est une voyelle.

J'écrivis un o sur un carré de papier et voilà que trois des six voyelles se retrouvèrent dans leur récipient, et autant de consonnes dans l'autre.

— Voilà, leur dis-je. Nous reconnaissons maintenant trois voyelles et trois consonnes. Combien de voyelles nous reste-t-il à reconnaître ?

— Trois, dirent-ils d'une même voix.

— Nous allons faire connaissance alors avec la plus importante parce qu'elle se trouve partout.

J'écrivis les mots oie et œil. Ils ne mirent guère de temps à reconnaître le l qu'ils chassèrent chez les consonnes, devinant que le e était une voyelle. Je voulus cesser ce jeu et le remettre au lendemain. Ils insistèrent pour connaître les deux autres voyelles. J'écrivis donc : lieu. Ils reconnurent la consonne l et déduisirent que u était une voyelle. Pour leur faire connaître le y, j'écrivis le mot voyelle. Ils en chassèrent le double l, et hésitèrent entre le v et le y. Quand ils reconnurent le v comme une consonne, ils insistèrent pour que j'écrive au plus tôt le y sur un carré de papier, qu'ils déposèrent ensuite dans son récipient. Ainsi, en quelques heures, ils pouvaient repérer les voyelles dans tous les mots.

Le lendemain, ils s'amusèrent à apprendre les consonnes avec des mots comme bel, bec, caca, cacao, cerceau, cerf, coco, daim, feu, pipeau, etc. Ils ne mirent guère plus de six mois à lire et, quelques mois plus tard, ils étaient en mesure d'écrire en démontrant une fort belle écriture.

❖

Augustine s'avérait une excellente cuisinière et sa fille Jeanne s'occupait fort bien des lessives, du ménage et des chambres. Mais on ne peut demander à une jeune femme, à moins qu'elle n'ait ni esprit ni charme, de jouer à la bonne toute sa vie. Augustine fut bien triste de voir sa fille Jeanne nous quitter. Elle trouvait un des serviteurs du sieur de Varennes à son goût. Ils se fiancèrent et se marièrent peu de temps plus tard.

Marcellin se mit à la recherche d'une autre femme de chambre et trouva à Contrecœur une jeune femme

de vingt ans nommée Marguerite Dumontier. Elle
semblait fort délurée et ne manquait pas de fouiner
partout. Je la surpris, un jour que Marcellin était
absent, à écornifler dans son étude. J'en prévins
Radegonde qui ne manqua pas de la rappeler à l'ordre
en lui précisant que son rôle de domestique consistait
à ne s'occuper que de ce qu'on lui commandait de
faire. Il y avait des pièces dans le manoir où elle n'était
pas la bienvenue en d'autres temps que pour y faire le
ménage. La remontrance sembla ne pas tomber dans
l'oreille d'une sourde.

Chapitre 10

Une tâche de plus
et des obligations aussi

Quand Marcellin se présenta au manoir de la seigneurie de Verchères, à la demande du seigneur du lieu, il ne s'attendait guère à ce qui lui pendait au bout du nez. N'est-ce pas l'apanage de tout bon notaire de se voir confier du travail qui demande beaucoup de temps et d'attention? À son retour au manoir, Marcellin nous raconta la dernière tâche dont l'avait chargé le seigneur Jarret en ces mots:

—J'arrive de Québec où je suis allé prêter la foi et hommage pour ma seigneurie. Monsieur l'intendant m'a dit: "Quand pourrons-nous compter avoir l'aveu et dénombrement de vos terres?" Pris de court, j'ai répondu: "Aussitôt mon retour et dès que le temps le permettra, j'y mettrai mon notaire." L'intendant a ajouté aussitôt: "Dites-lui surtout de bien s'appliquer à faire le plus exactement possible cet aveu et dénombrement en se servant, bien entendu, des contrats de concession que vous avez délivrés à vos censitaires. Il ne doit surtout pas, pour les mesures, se fier à ce que les gens lui diront. Qu'il en profite pour bien vérifier les bornes."

—Voilà une lourde tâche, lui avait dit Marcellin.

—J'ai promis, avait ajouté le seigneur de Verchères, que ce travail serait fait selon les normes. Voilà pourquoi j'ai sollicité ta présence ici aujourd'hui. Il me faut avant l'automne l'aveu et dénombrement de toutes les terres de la seigneurie, avec le nombre d'arpents en culture, les bâtiments qui s'y trouvent et leurs mesures. Tu en profiteras également, ayant les chiffres en main, pour réclamer à chacun les cens et rentes de l'année.

Ce fut ainsi que ce printemps-là, Marcellin fit le tour de toute la seigneurie pour la décrire, le mieux que faire se peut, en toutes ses dimensions et possessions. Il eut à se justifier de réclamer au nom du seigneur Jarret les sommes exigées pour les cens et rentes. Mais tout compte fait, il put, au milieu de l'été, rédiger proprement l'aveu et dénombrement de la seigneurie.

Radegonde, qui l'avait vu tant travailler pour dresser aveu et dénombrement, voulut savoir en quoi cela consistait. Je tendis l'oreille pour m'en bien informer moi-même. Il commença à lui en lire la première page :

Par devant Marcellin Perré notaire en la seigneurie de Verchères est comparu François Jarret de Verchères seigneur du lieu, lequel après avoir prêté la foi et hommage pour sa seigneurie, fait procéder à l'aveu et dénombrement de cette dite seigneurie qui lui a été concédée le 29 octobre 1672, faisant une demi-lieue de front sur le fleuve Saint-Laurent par deux lieues de profondeur entre, du côté de l'est, les terres de la seigneurie de Contrecœur et du côté de l'ouest, celles de la seigneurie du sieur Gaultier de Varennes. Le domaine du sieur Jarret, consiste en huit arpents de front sur ledit fleuve Saint-Laurent sur deux lieues de profondeur, sur lequel sont construits son manoir consistant en une grande maison de maçonnerie, grange, étable, cour et jardin, garni de bestiaux, dont vingt-cinq arpents en labour de charrue et autre en bois abattu.

Jean Blouffe y possède quarante arpents, dont quatre en valeur, savoir deux arpents de front sur le fleuve par vingt arpents de profondeur, chargé d'un sol de cens chaque an par arpent de front et en rentes foncières par chaque arpent de front un chapon et aussi quinze sols pour droit de commune...

Radegonde l'arrêta aussitôt dans sa lecture et demanda :

— Marcellin, explique-moi une fois pour toutes en quoi consistent le sol de cens, le chapon de rente par arpent de front et le droit de commune.

— Il n'y a rien de plus simple, répondit-il. Tu sais que nous possédons une terre de quatre arpents de front sur le fleuve par deux lieues de profondeur. Deux de ces arpents de front nous viennent du seigneur de Verchères et les deux autres du seigneur de Varennes. Chaque année, à la Saint-Martin d'hiver, en tant que seigneurs, ils ont droit de nous réclamer un sol de cens pour chaque arpent de front et aussi comme rente un coq vif et bien engraissé par arpent de front. Et comme, pour plus de sûreté, nous faisons paître nos vaches avec toutes les autres dans la commune qui appartient au seigneur, nous devons débourser quinze sols. Comptons-nous chanceux qu'il n'ait pas fait construire de four à pain, car nous serions tenus d'y faire cuire notre pain en plus de lui en laisser en paiement, ce qui serait bien incommodant.

— Ah! dit-elle, je comprends! Tu as été obligé de marquer dans l'aveu et dénombrement les noms de tous les habitants de la seigneurie et ce qu'ils possèdent? Mais pourquoi cela a-t-il été si long?

— Parce que j'ai dû vérifier sur chaque terre les bornes et m'assurer qu'elles étaient toutes conformes au contrat de concession, voilà! En plus, le seigneur Jarret m'avait demandé d'en profiter pour recueillir les sommes dues en cens et rentes.

— Et tu l'as fait?

— J'ai voulu le faire, mais tout ça a suscité de longues discussions. La grande majorité des gens m'ont dit: "Monsieur le notaire, nous préférons nous rendre les payer nous-mêmes au manoir seigneurial le 11 novembre."

À la Saint-Martin d'hiver ?

— Oui, parce que c'est inscrit comme ça dans le contrat qu'ils ont signé quand ils ont reçu leur terre, et aussi parce qu'ils disent que même s'ils sont tenus de payer les cens et rentes ce jour-là, c'est, avec la fête du mai, la seule occasion qu'ils ont dans l'année de rencontrer le seigneur et tous les autres habitants de la seigneurie.

— Irons-nous ensemble avec les enfants cette année au manoir, à la Saint-Martin d'hiver ?

— Nous irons, c'est promis, mais n'oublie pas que nous ne pourrons pas trop nous y attarder parce que le même jour, nous devrons aussi payer les cens et rentes au seigneur de Varennes. C'est le désavantage d'être à cheval sur deux seigneuries.

— Moi je ne trouve pas, dit-elle, puisque cela nous permet de rencontrer plus de monde.

❖

Novembre arriva avec ses froids. Déjà, nous étions obligés de chauffer l'âtre à pleine capacité pour faire cuire nos repas. Nous passions toutes nos soirées non loin de cette bonne source de chaleur. Les enfants avaient voulu baptiser l'âtre « la bouche de l'enfer ». Radegonde avait insisté pour qu'ils lui trouvent un autre nom et ils avaient opté pour « le dragon ». Jimmio nourrissait donc le dragon et les enfants insistaient pour qu'il lui fasse cracher le feu avec un soufflet. Jimmio se pliait à leurs demandes et s'évertuait à faire jaillir de l'âtre des langues de feu.

À la Saint-Martin, Marcellin et Radegonde partirent avec Fanchon et Renaud en carriole, car la route était déjà blanche de neige, pour se rendre au manoir du seigneur de Verchères. Je fus chargée de veiller sur Marie et Ursule. Tout au long du chemin, ils rejoignirent d'autres carrioles et en dépassèrent certaines, mais ce fut tous ensemble, au son des grelots, qu'ils arrivèrent chez le seigneur de Verchères.

C'était un plaisir, me raconta Radegonde, de voir ainsi réunis tous ceux et celles qui étaient redevables au seigneur du lieu. Comme ne devait passer au manoir qu'une seule famille à la fois, ils eurent amplement le temps de jaser, les hommes d'un côté, fumant une bonne pipée, et les femmes de l'autre, à surveiller les enfants occupés à jouer tout autour à la marelle ou à des jeux inventés par eux-mêmes. Ils apprirent ainsi les dernières nouvelles venues de Québec et le prix des légumes au marché de Montréal. D'aucuns se plaignaient du mauvais temps et des piètres récoltes, des chemins difficiles et de l'hiver précoce.

C'était curieux de voir chacun rentrer au manoir avec ses deux chapons attachés par les pattes qui, de temps à autre, lançaient leur cocorico. Cela, je l'appris par Fanchon et Renaud à leur retour au manoir.

Leur tour venu, Marcellin et Radegonde saluèrent tout le monde en vitesse, car dès après leur visite au seigneur Jarret, ils devaient se rendre à Varennes. Pendant les transactions, Fanchonette en profita pour aller saluer la jeune Madelon, tandis que Renaud resta dans les jupes de sa mère ; quant à Marcellin, il s'empressa de payer son dû sans s'attarder. Son ami, le seigneur Jarret, lui dit cependant :

—Marcellin, tu ne peux pas savoir toute la satisfaction que j'ai tirée de l'aveu et dénombrement de ma seigneurie. J'en ai expédié la minute à monsieur l'intendant à Québec et la copie que j'en garde me sera toujours fort précieuse.

—Cher ami, répondit Marcellin, je suis bien heureux de constater que je n'aurai pas travaillé en vain.

—Sais-tu que mon oncle de Contrecœur voudrait que tu en fasses autant pour sa seigneurie ?

—Il lui faudra attendre au printemps que toutes les neiges soient fondues.

—Tu reviendras bientôt me voir, j'aurai un autre travail pour toi.

—Je n'y manquerai pas.

Marcellin s'excusa et alla chercher Radegonde, en grande conversation avec son amie Marie. Fanchonette se fit un peu prier pour laisser la jeune Madelon. Jimmio, pendant tout ce temps, les attendait dans la carriole sous un tas de couvertures. Ils firent le chemin à rebours pour se rendre à Varennes, se pressant pour ne pas être obligés de revenir à la noirceur. Le seigneur n'était pas à son manoir, mais son épouse, Marie Boucher, les reçut avec toute la gentillesse qui est sienne, s'excusant de l'absence de son mari retenu aux Trois-Rivières par des affaires pressantes.

Après cette journée fort bien remplie, ils étaient bien heureux de regagner le manoir. Ce fut Radegonde, dont j'étais devenue la confidente, qui me confia ces derniers détails.

Chapitre 11

Du travail en surplus

Marcellin et Radegonde étaient fiers de Fanchonette et du petit Renaud qui, loin de se laisser impressionner par le bruit des mousquets, apprirent bien vite à s'en servir à la grande satisfaction du seigneur de Verchères. Marcellin les lui mena à quelques reprises et je les accompagnai. Le seigneur, en excellent militaire qu'il était, leur montra à utiliser cette arme avec habileté.

En bon professeur, il se montrait très patient avec les enfants, prenant même le temps de démonter un mousquet pour leur en montrer le fonctionnement. Sa façon de procéder était fort judicieuse. Ses aînés se tenaient autour et aidaient les plus jeunes à manier ces armes trop lourdes pour eux. Quand Marcellin vint nous chercher, le seigneur Jarret lui dit :

— Vous verrez, dans un an ou deux, un mousquet n'aura plus de secrets pour Françoise. Quant au petit Renaud, il a déjà l'âme d'un guerrier. Il a réussi ce matin un coup de feu comme en font les plus grands.

Peut-être était-ce un coup de chance, mais ce ne sera pas long qu'il aura la main.

— Je l'emmènerai chasser la caille et le canard au bord du fleuve, l'automne prochain ! s'exclama Marcellin.

Fanchonette, qui prêtait l'oreille à cette conversation, s'empressa de supplier :

— Et moi aussi, papa ?

— Et toi aussi, ma grande !

— Plus ils auront de chances de tirer, dit le seigneur Jarret, plus vite ils sauront atteindre leur cible.

— Ils ont eu un bon maître et, le temps venu, ils sauront bien lui faire honneur.

❖

Un peu plus tard, Marcellin fut aux prises avec un problème que vinrent lui soumettre les habitants eux-mêmes. Deux d'entre eux, Eugène Larivée et Antoine Duchesne, dont les terres se trouvaient passablement éloignées de celle du seigneur, se présentèrent au manoir pour voir Marcellin. J'entendis leur conversation, que je rapporte ici avec le plus d'exactitude possible.

— Sommes-nous obligés de mener paître nos bêtes à la commune ? lui demandèrent les habitants.

— Pas que je sache. Vous en gardez bien une ou deux chez vous pour vos besoins en lait ?

— Justement, pourquoi ne pourrions-nous pas les garder toutes ?

— Combien de bêtes avez-vous ?

— Trois, dit Eugène.

— Deux, confia Antoine.

— Vous n'avez donc qu'une bête ou deux à la commune, constata Marcellin. L'un ou l'autre des domestiques du seigneur est chargé de les traire.

— Oui-da !

— Alors, quel inconvénient y a-t-il ?

— C'est qu'il nous faut le dédommager pour son travail.

— Ne se paie-t-il pas à même le lait que vos vaches produisent ?

— Oui, mais ça ne nous rapporte rien.

— Vous oubliez que vos vaches sont bien gardées et que le foin qu'elles mangent, vous n'avez point à le payer.

Marcellin avait du mal à voir où ces hommes voulaient en venir. Il mit du temps à comprendre que faire paître obligatoirement une de leurs bêtes à la commune équivalait pour eux à une servitude. Ils avaient bien assez, selon eux, de devoir payer les cens et rentes.

— Les cens et rentes, reprit Marcellin, ce n'est en réalité qu'une bagatelle, comparé à ce que vous pouvez retirer de votre terre.

— Nous ne voulons point dépendre davantage du seigneur.

— Que faites-vous alors de l'obligation que vous avez de remettre au seigneur un poisson sur onze de vos pêches ? Quand le seigneur aura fait construire un moulin à farine sur ses terres, que direz-vous de l'obligation que vous aurez de lui remettre le quatorzième des grains que vous y ferez moudre ? Vous ne semblez pas malheureux de donner trois ou quatre jours de votre temps en corvée. Alors…

À ces questions, ils ne répondirent point parce que tout ça leur semblait normal. Tandis que les vaches dans la commune…

— Pour les vaches, ajouta-t-il, entendez-vous avec le seigneur.

— Marcellin, ne le ferais-tu pas pour nous ?

Ils ne se sentaient pas le courage d'affronter le seigneur pour ce qui semblait bien être un caprice de leur part. Marcellin promit de demander au seigneur si, en retirant leurs bêtes de la commune, ils devraient continuer à payer. Il leur dit cependant que selon lui, il s'agissait là d'un droit inaliénable du seigneur et qu'ils pouvaient s'attendre à une réponse négative de sa part, ce qui fut d'ailleurs le cas. Et quand il leur en fit part, ils n'opposèrent aucune résistance. Comme on dit souvent, ils avaient tout bonnement tenté leur chance.

❖

À l'occasion de sa visite au seigneur de Verchères, Marcellin entendit son hôte lui faire une proposition qu'il s'empressa de nous rapporter à son retour au manoir.

— Tu sais que je vais être appelé à m'éloigner de plus en plus de ma seigneurie, lui avait dit le seigneur. Je compte reprendre du service dans l'armée. Il faudra donc quelqu'un pour me remplacer comme juge à la cour seigneuriale. Accepterais-tu d'ajouter cette tâche-là à celle de notaire ?

Marcellin n'aurait trop su dire pourquoi, mais à ce moment-là lui étaient revenues en mémoire les paroles de Jean Chauvin dit Lafranchise, lorsqu'il lui avait fait tourner les cartes du tarot : « On vous offrira un poste plus élevé où votre bon jugement vous servira beaucoup. » Avant d'accepter l'offre du seigneur, Marcellin avait dit toutefois :

— Votre confiance m'honore, mais saurai-je avoir la même sagesse que vous pour exercer la justice ?

— Je n'en doute point, mon ami, avait répondu le seigneur.

Marcellin avait hésité encore un moment avant de risquer :

— Dans ce cas, je le ferai volontiers, mais à la condition que vous l'exerciez de nouveau chaque fois que vous séjournerez plus d'une semaine au manoir.

La brunante était proche, mais le seigneur avait tenu à trinquer à cette décision. Ils avaient encore longuement causé, comme les bons amis qu'ils étaient devenus. Quand Marcellin avait quitté le manoir, il faisait déjà nuit. Il pensa alors avec raison que Radegonde devait commencer à s'inquiéter. Il la trouva dehors en ma compagnie, venue au-devant de lui en portant un falot. Le nouveau juge était, il faut l'admettre, un peu guilleret.

— Si mon nez ne me trompe pas, Marcellin, dit Radegonde, vous avez bu un peu plus que de coutume, toi et le seigneur Jarret.

— Il y avait de quoi !

— Vraiment ?

— Je serai le juge de la seigneurie quand le seigneur en sera absent !

— Bonne nouvelle pour bonne nouvelle, dit-elle, tu seras de nouveau bientôt père !

Marcellin attira Radegonde contre lui pour la remercier de ce nouveau bonheur qu'elle lui donnait.

❖

Ce fut ainsi que Marcellin devint juge en l'absence du seigneur. Il connaissait si peu tout ce qui concerne les tribunaux de basse justice qu'il lui fallut mettre le nez dans des livres pour y voir plus clair. Mais comme les livres qu'il avait et ceux que lui fournit le seigneur Jarret expliquaient bien mal tout ce qui concerne les petits litiges et les différends entre voisins, il préféra se fier à son bon jugement.

Au fond, tout ce qu'il fallait pour être juge seigneurial, c'était un peu de gros bon sens et, surtout, de l'impartialité. Il fallait écouter avec attention, démêler le pour et le contre, et porter jugement pour faire le moins de mécontents possibles. Dans les cas plus graves, tout devait se régler en haute justice, c'est-à-dire au Conseil souverain.

Il se rappela longtemps de la première cause qu'il eut à juger. En raison d'une clôture mal entretenue, les vaches d'un habitant avaient causé des dommages dans les blés de son voisin.

— Oui, monsieur! hurlait un petit homme rouge de colère. Ses vaches ont détruit au moins le quart de mon blé!

— Ce qui est bien dommage, approuva Marcellin, mais Augustin, j'irai moi-même constater les dégâts sur place si tu le veux bien, à moins que tu ne souhaites que nous nommions deux arbitres, dans lequel cas il te faudra débourser pour les payer.

Ces paroles et, surtout, la perspective de devoir bourse délier affectèrent passablement son humeur. Ce fut d'une voix beaucoup plus posée qu'il accepta que Marcellin aille lui-même jeter un coup d'œil à sa terre. Il le rassura en ces termes:

— J'irai dès cet après-midi, mais à la condition que ton voisin Josaphat y soit.

Augustin montra quelque peu de réticence. Mais Marcellin ne tenait pas à se faire d'ennemis, c'était pourquoi il insistait pour que son voisin fût avec eux, afin, autant que possible, de régler le tout à l'amiable, ce qu'il advint d'ailleurs. L'après-midi même, ils étaient tous les trois dans le champ d'Augustin. Son voisin Josaphat était un homme posé qui reconnaissait ses torts:

— Ma clôture n'a pas tenu le coup, mais regardez, monsieur Marcellin, je l'ai réparée promptement. Quant au blé perdu pour Augustin, je suis bien prêt à le lui remplacer.

Marcellin dut se faire expert pour évaluer combien de blé pouvait avoir été gâché par les vaches. Il mesura donc la partie de la terre dévastée et il s'entendit avec eux sur ce qu'un pareil espace produit effectivement de blé. Dès lors, il fut en mesure de condamner Josaphat à rembourser à son voisin l'équivalent, ce qu'il accepta sans rechigner. Ses vaches avaient à peine détruit le douzième de la récolte d'Augustin, et Marcellin ne manqua point de lui laisser entendre qu'il avait exagéré quelque peu ses revendications.

Chapitre 12

Dîme et filles du roi

Puis vint à Marcellin un autre souci causé par une question de dîme. Comment cette obligation de donner chaque année pour les bons services de nos prêtres le dixième des récoltes a-t-elle pu lui causer des problèmes ? Les seigneuries sont très vastes. Pour lors, seule Contrecœur avait sa chapelle et un missionnaire y passait tous les dimanches pour la grand-messe. Il fallait bien le faire vivre ! C'est à ça que sert la dîme.

Mais les gens s'attendaient à ce que le missionnaire lui-même aille chercher son dû. Il ne pouvait malheureusement le faire vu les grandes distances qu'il aurait eu à parcourir. Il lui était donc venu à l'idée de confier la collecte de la dîme à Laurent Bonnedeau. Il faut croire que des habitants de Varennes qui habitaient à plusieurs lieues de Contrecœur ne s'y étaient pas rendus depuis un certain temps pour la grand-messe, sinon ils auraient bien pu lire ou s'y faire lire sur la porte de l'église l'avis qui avait été affiché :

Avis à tous!

À compter de la Saint-Michel venant, Laurent Bonnedeau, qui a acheté le droit de dîme, est autorisé à passer par toutes les maisons recueillir en notre nom les sommes dues à cet effet.

Le tout était signé de la main même du missionnaire, l'abbé La Foye. Mais voilà que lorsque Bonnedeau se présenta chez plusieurs habitants de Varennes, il se vit fermer la porte au nez. Il le raconta lui-même à Marcellin:

— Je suis arrivé de bon matin à Varennes chez le nommé Hardy afin de remplir le devoir de ma charge. Il m'a toisé d'un drôle d'air. "Depuis quand, m'a-t-il dit, les voleurs se présentent-ils à visage découvert pour venir au nom du bon Dieu nous réclamer des sols?" Je lui ai dit: "C'est moi qui ai, cette année, acheté le droit de dîme et je fais tout bonnement mon devoir." Hardy a répondu d'une voix courroucée: "Je ne crois pas un mot de tes parleries. Continue ton chemin si tu ne veux pas que je mette les gendarmes à tes trousses."

«J'eus beau lui montrer les papiers que m'avait remis l'abbé pour démontrer ma bonne foi, il ne savait pas lire et y jeta à peine un œil. Je poursuivis mon chemin et fus reçu de la même manière chez ses deux voisins. Fort heureusement, les autres, même s'ils m'accueillaient froidement, payaient bien leur dîme.»

L'abbé fut obligé de se rendre à l'autre bout de Varennes pour convaincre ces indociles.

Marcellin tenta de l'amadouer quelque peu en lui laissant entendre :

— Il faut les comprendre un peu. Vous le savez, vous comme moi, ils ont été échaudés en France par la taille, les aides, les douanes entre provinces, la gabelle, la dîme, les impôts et les taxes, si bien qu'ils ne veulent pas que ça recommence ici. Quand il est question de donner le septième de sa récolte au curé, un habitant y pense bien.

— Ce n'est pas ce que nos prêtres exigent ici, monsieur le notaire. Ils font comme en Normandie où ils ne demandent que le dixième.

— Voilà précisément ce que je vous explique : plusieurs de nos habitants ne s'attendaient surtout pas à ce qu'il en soit ainsi sur nos rives. Il ne faut pas se surprendre de ce qu'ils se fassent tirer l'oreille.

Cette querelle sur la dîme marqua le début d'années où nous eûmes à vivre continuellement sur le qui-vive en raison des invasions des Iroquois. La belle paix tant recherchée par les Perré fut ainsi perdue. Mais à ça je reviendrai plus loin.

❖

À peu près en ce temps-là, Marcellin fut pour une question de contrats appelé à se rendre en plein hiver à Boucherville. Fort heureusement, le temps était au beau et la route bien tapée. La carriole glissait on ne peut mieux sur la neige et, comme il le raconta à son retour, il put faire le trajet sans peine dans la même journée. Il descendit pour la nuit à l'Auberge du Chat qui dort.

Dans la soirée, il entendit un homme discourir dans la grande pièce et il résolut, malgré sa lassitude, d'écouter un temps son discours parsemé de toutes sortes de propos qu'il jugea quelque peu excessifs. Cet homme lui semblait bien jeune et vraiment trop sûr de ce qu'il disait. Marcellin s'informa auprès d'un quidam qui semblait suivre ce discours avec un très vif intérêt.

— Qui est-il ?

Le quidam regarda Marcellin comme s'il sortait d'un autre monde :

— Mais vous ne connaissez pas le célèbre baron de Lahontan ?

— Je n'ai pas cet honneur.

Ce fut tout ce qu'il réussit à tirer de cet homme captivé par les propos de l'orateur, qui prétendait que les Sauvages savaient mieux vivre que nous. Marcellin tendit l'oreille avec plus d'attention. Le baron disait :

— Croyez-moi, mes amis, j'ai visité plusieurs tribus sauvages. Ils savent cent fois mieux vivre que nous. Ce sont des enfants libres dans la nature dont ils tirent toute leur subsistance. Ils se sont donné peu d'exigences, mais celles qu'ils ont, ils les suivent scrupuleusement. Ils n'ont besoin ni de police ni de juges, et se moquent bien de nous quand nous leur disons notre façon de faire justice. "Les hommes deviennent méchants, disent-ils, à cause de l'argent. Nous, nous n'avons pas besoin d'argent pour vivre en paix. C'est comme ça que nous sommes libres. Pour vivre, nous ne dépendons de personne d'autre que de nous-mêmes."

Des idées et des discours semblables, Marcellin en avait entendus autant comme autant à l'époque où il habitait en France chez son oncle Laterreur. C'était dans l'air du temps. Des idées viennent et règnent pendant quelques années avant d'être remplacées par d'autres qui meurent à leur tour. C'est le rôle des philosophes de les lancer. Être libre comme un Sauvage, cette idée venait de monsieur de Montaigne. Ce jeune baron de Lahontan la reprenait à son compte et tentait d'éblouir en la lançant dans l'air comme un crachat, oubliant qu'elle risquait de lui retomber bien vite à la figure.

Marcellin l'écouta encore discourir pendant quelque temps et, comme il s'apprêtait à gagner sa chambre pour y dormir d'un sommeil réparateur, le baron prononça une phrase qui lui fit dresser les oreilles.

—Notre société est remplie d'hommes et de femmes qui sont loin d'égaler les Sauvages de ce pays. Prenez par exemple les filles du roi. Elles ne sont rien d'autre que des filles de joie dont la France s'est débarrassée en les envoyant en Nouvelle-France. Que pouvait attendre la France de pareilles filles de petite vertu ?

Marcellin n'hésita pas à l'interrompre. Il lança :

— Qu'elles fassent de merveilleux enfants !

— Qui êtes-vous, s'offusqua le baron, pour lancer pareille ineptie ?

— Qui je suis ? Marcellin Perré, notaire à Verchères, époux de Radegonde Quemeneur Laflamme, fille du roi.

Il se fit un silence marqué parmi les auditeurs, dont tous les regards se tournèrent vers Marcellin qui poursuivit :

— Si je vous retournais la question, jeune homme ? Qui êtes-vous pour vous permettre de parler d'elles à travers votre chapeau ?

Le baron s'indigna :

— Qui je suis ? Qui je suis ? Nul autre que Louis-Armand de Lom d'Arce, baron de Lahontan.

— Et votre titre de baron vous permet-il d'insulter les filles du roi et, à travers elles, mon épouse ?

— Je vous ferai remarquer, monsieur le notaire, que je n'ai insulté personne en disant la vérité.

— Vérité que vous avez pêchée où ? Dans votre imagination ?

— Bien des gens de renom que j'ai rencontrés m'ont rapporté toutes sortes d'incartades de leur part.

— Et vous vous fiez aux racontars ? Il faut croire que vos amis de passage dans les salons que vous fréquentez, aussi beaux parleurs que vous, avaient également autant d'imagination, pour ne pas dire qu'ils étaient mal intentionnés. Apprenez que ces filles, orphelines de la Salpêtrière, pour la plupart, sont aussi vertueuses que vous et moi et ne méritent nullement votre mépris.

Le baron ne sut que dire. Perdant de sa suffisance et trop orgueilleux pour s'excuser, il choisit de s'en tirer par cette échappatoire :

— Ah! J'ai dit ça comme ça, comme on dit bien d'autres choses.

— Eh bien! conclut Marcellin. Continuez à vous gargariser de vos propres paroles!

Il quitta la salle sur ces mots, entendant bien des murmures derrière lui. Puis le baron reprit sa harangue comme si rien ne s'était passé. Il y a comme ça des hommes qui ne savent s'étourdir qu'en parlant.

❖

L'événement qui tint le plus en alerte les Perré cette année-là fut la naissance de leur fils. Une naissance est toujours un grand risque pour la vie de la mère et de l'enfant à naître. C'est pourquoi avons-nous de l'admiration pour toutes ces femmes qui, il faut bien l'admettre, prennent plaisir à faire des enfants, mais n'hésitent pas à mettre leur vie en péril pour en faire naître une autre.

Marcellin put respirer à l'aise une fois de plus, car Radegonde, avec l'aide de Catherine Charron, la sage-femme, donna naissance à son enfant en même temps que le printemps. Un printemps bien tardif, car en mai, si ma mémoire ne me trahit pas, il y avait bien encore deux à trois pieds de neige dans les champs. Il fallut attendre que les routes soient plus praticables pour le faire baptiser à Contrecœur sous le nom de Simon.

Chapitre 13

De boisson et de pain

Marcellin eut le plaisir quelques jours plus tard de s'entretenir avec le seigneur Jarret. Il lui raconta son altercation avec le baron de Lahontan. Le seigneur l'approuva vivement :

— Tu as bien fait, Marcellin, de lui fermer le clapet de la sorte.

Puis cette conversation, m'assura Marcellin, dévia sur les boissons qu'on peut trouver en ce pays.

— C'est curieux, fit-il remarquer, comment parfois des choses anodines nous sont restées à l'esprit alors que d'autres fois nous avons peine à nous rappeler de faits beaucoup plus importants.

Il raconta au seigneur Jarret comment, en venant pour la deuxième fois au pays, sur le navire qui les y menait, un matelot lui fit goûter à une boisson qui n'avait pas mauvais goût et qu'il nommait de la guildive. Le seigneur dit aussitôt :

— Ah, oui ! Cette eau-de-vie qui nous vient des îles d'Amérique, faite à base de canne à sucre. Elle est d'ailleurs fort calorique et particulièrement utile au cœur de nos hivers rigoureux.

Marcellin lui dit :

— Mais vous savez, pour moi rien ne remplacera le calvados.

— Ah, le calvados ! Que dirais-tu, cher ami, si nous nous unissions pour en faire venir une barrique de France ?

— L'idée est fort bonne, nous en partagerons les frais qui seront, selon moi, d'environ quatre-vingt-dix livres.

— Quand on pense, ajouta le seigneur, que c'est le salaire annuel de bien des habitants… S'ils nous entendaient ! Mais sommes-nous tenus de nous priver parce que ces pauvres gens n'ont pas notre chance ?

— Vous avez bien raison, dit Marcellin, de parler de chance dans mon cas.

Il lui raconta, comme on conte seulement à un ami qui nous est cher, comment il avait mis par hasard la main sur l'héritage de son oncle. Le seigneur de Verchères se réjouit avec lui de cette découverte avant de revenir à son propos :

— Je vous avoue, dit Marcellin, que je ne prise guère les ratafias, ces liqueurs faites de noyaux de cerise ou d'abricot, quand ce n'est pas d'un ramassis de fruits auxquels on ajoute de l'eau-de-vie, du sucre, de la cannelle, du poivre blanc, de la muscade et du clou de girofle. On peut bien appeler ça des ratafias, car ça tombe sur le cœur avant même qu'on ne les goûte.

Le seigneur lui conseilla aussitôt :

— Il n'en tient qu'à toi, Marcellin, de refuser quand on t'en offre…

— Vous savez comme moi qu'il y a certaines situations où on ne peut pas se permettre de refuser. Il m'est même arrivé de devoir boire une eau à la frangipane, mais tellement sucrée que j'eus crainte d'être vraiment mal poli en la rejetant aussitôt bue. Mais il y a une recette de rossoli que compose ma Radegonde qui ne me déplaît pas du tout.

— Vraiment ?

— Oh oui ! Il s'agit d'une eau-de-vie de vin dans laquelle, si ma mémoire ne me joue pas un mauvais tour, il y a du clou de girofle, de la cannelle, du poivre noir, du sucre d'érable et quelques autres ingrédients que j'oublie. Ça vaut vraiment la peine d'y goûter.

— Il faudra que Radegonde en donne la recette à mon épouse. Je serais curieux de tremper mes lèvres dans pareil nectar.

Ce fut alors que le seigneur, changeant de propos, lui demanda :

— Marcellin, me ferais-tu une faveur ? Madeleine est maintenant en âge d'apprendre la lecture et l'écriture. Le précepteur de Marie-Jeanne et de François-Michel nous a quittés. Tu as bien appris à tes enfants, pourrais-tu le faire pour notre Madelon ?

Comment refuser pareille faveur à son ami ?

— J'aimerais le faire, dit Marcellin, mais j'ai tant de travail que je ne pourrais y parvenir. Cependant la préceptrice de mes enfants pourra fort bien s'en charger.

Ainsi me fut confiée la tâche d'instruire à la fois Madeleine de Verchères et la jeune Marie Perré. J'eus beaucoup de plaisir à initier ces deux jeunes filles si vives d'esprit aux mystères de la lecture et de l'écriture.

❖

Il y avait maintenant six ans qu'ils vivaient à Verchères. Leur famille s'était accrue de trois enfants qui vieillissaient fort bien. Ils n'avaient plus qu'à se réjouir du travail de leurs domestiques. Radegonde ne se plaignait jamais de son sort. Il lui arrivait cependant d'émettre parfois un souhait que Marcellin s'efforçait aussitôt d'exaucer de son mieux. Un jour qu'elle avait tenté de faire cuire du pain, elle perdit toute une fournée, ce qui la contraria beaucoup.

— Marcellin, dit-elle, ça n'arriverait pas si nous avions un véritable four à pain.

Il y avait longtemps qu'il songeait à en faire fabriquer un, aussi décida-t-il de lui faire une surprise. Ayant sous la main un fabricant de four à pain en la personne de Jacqucs Desmarais, il profita de l'été pour lui demander d'en réaliser un au fond de l'âtre, ce qui l'obligea à engager un maçon qui ouvrit la brèche nécessaire dans le mur de pierre. Un premier four à pain fut donc disponible à même la maison. Mais il ne s'arrêta pas là, puisqu'il demanda au maçon d'en construire un à l'extérieur, attenant au fournil. Il eut beaucoup de plaisir, tout comme Radegonde et les enfants, à voir cet homme de taille moyenne transporter avec facilité sur son dos les centaines de briques nécessaires à la construction de ce four.

Marcellin était fort curieux. Une fois les briques empilées près du fournil, à côté des pierres qui constitueraient les murs du four, il demanda au maçon :

— De quelle manière vous y prenez-vous pour réaliser votre ouvrage ?

— Monsieur Marcellin, dit-il, vous n'avez pas à vous inquiéter, je connais mon métier.

— Je n'en doute pas un instant, sinon je ne vous aurais pas engagé.

— Dites-moi alors ce qui vous inquiète, car je le sens bien, quelque chose vous tracasse.

— Rien du tout, mais je suis curieux de savoir comment on peut parvenir à se débrouiller pour faire un four de toutes ces briques et ces pierres.

— De la même façon que vous vous démêlez dans vos écritures. Chacun son métier et les vaches du seigneur seront bien gardées. La meilleure façon de savoir comment je m'y prends, monsieur Marcellin, c'est, si vous en avez le temps, de me regarder faire.

Ce que fit Marcellin, à travers ses autres occupations. Avec les enfants, j'allai moi aussi voir le maçon procéder. Je le vis d'abord tracer sur le sol le carré qu'occuperait le four. Il commença ensuite à disposer tout autour les premières pierres du mur qui l'entourerait.

Par la suite, il disposa graduellement les briques à l'intérieur de ce carré, montant au fur et à mesure le four et ses murs extérieurs. Il expliqua que les briques à four devaient être placées d'une certaine façon pour capter et conserver le plus possible de chaleur provenant du foyer qui l'alimenterait par-dessous.

Ce fut un plaisir de voir les enfants s'amuser à l'imiter. Ils coururent jusqu'au fleuve ramasser des pierres avec lesquelles ils tentèrent de bâtir un four. Comme ils n'avaient pas de mortier, ils s'ingénièrent à se servir de glaise pour les faire tenir. Mais, à leur grand désespoir, tout s'effondra dès qu'ils osèrent y toucher. Compatissant, au moyen d'un peu de mortier, le maçon les aida à réussir leur chef-d'œuvre.

Le four, une fois terminé, permit à Radegonde de cuire du vrai bon pain, ce qu'elle ne tarda pas à faire aussitôt qu'il fut en mesure d'être utilisé. Son constructeur le lui fit savoir à sa manière. J'ignorais que les maçons possédaient une façon toute simple de déterminer que leur travail était complété. Avec habileté, il confectionna dans de la glaise un canard aux ailes déployées qu'il fixa sur le toit du four, au-dessus des portes. Il mit à contribution les enfants, qui allèrent chercher Marcellin, Radegonde, Jimmio, Augustine et Marguerite pour qu'ils soient témoins de l'événement. Comme le maçon le leur avait enseigné, ils dirent d'une seule voix : « Tiens, le canard vole, le four est baptisé. » Le maçon en ouvrit la porte sous les applaudissements enthousiastes des enfants.

Je me souviens encore des premiers pains que Radegonde y fit cuire. J'eus l'honneur d'y goûter avec les petits.

— Comment est-il ? s'empressa-t-elle de demander avec de l'anxiété dans la voix.

Les enfants répondirent en chœur qu'il était délicieux.

Marcellin la fit languir un moment en ne disant rien et en répétant des « ouais » et des « hum ! ».

— Mais parle ! dit-elle. Il est bon ou mauvais ?

Il finit par dire :

— C'est le meilleur pain que j'ai goûté de ma vie.

Elle lui sauta au cou. Il fallait voir tout le plaisir qui se pouvait lire dans leurs yeux. Les enfants voulurent en avoir une deuxième part et jamais je ne vis un pain si vite englouti.

Aussi longtemps que le temps le permettait, du printemps à l'automne, Radegonde prit l'habitude d'y cuire le pain, mais aussi les galettes et les tartes. Aujourd'hui que je pense à tout cela, je me dis que si ce pain et tout ce qui fut cuit dans ce four leur parut si bon, c'est d'abord parce que c'était fait avec beaucoup d'amour.

❖

Par certaines journées de beau temps, le plus souvent après la grand-messe du dimanche, Radegonde et Marcellin emmenaient les enfants pique-niquer. C'était toujours la fête. Augustine préparait un grand panier dans lequel elle mettait une miche de pain, deux poulets bien dorés, un peu de fromage, de la confiture et des petits fruits cueillis au cours de la semaine. Les enfants s'amusaient dans le sable, au bord du fleuve, à jouer aux osselets. Puis, souvent, Jimmio arrivait avec la voiture et tout le monde partait pour une visite à Verchères et même parfois jusqu'à Varennes.

Quand, à l'heure du souper, ils étaient de retour, les enfants en avaient toujours long à me raconter sur leur escapade. Ils avaient vu un grand oiseau blanc comme un héron, aussi des vaches rousses et un cochon si gros qu'on ne lui voyait plus les pattes. Parfois, je les accompagnais dans l'une ou l'autre de ces sorties. Leur curiosité s'avérait inassouvissable. Ils voulaient connaître le nom de la moindre chenille et du plus petit oiseau.

Il arrivait que Marcellin les accompagne dehors les soirs sans lune et sans nuage. Ils déposaient une couverture par terre et s'y étendaient pour contempler les étoiles. Marcellin leur apprenait le nom des constellations : la Petite et la Grande Ourse, Orion, les Pléiades. Les enfants pouvaient indiquer où se trouvait l'étoile polaire. C'était l'occasion pour eux de poser toutes sortes de questions sur les mystères du monde. Marcellin y répondait de son mieux et au besoin se faisait aider par Radegonde, qui trouvait toujours réponse à tout.

— Pourquoi il y a des milliers d'étoiles ?

— Parce qu'il y au ciel de la poussière et quand les anges font le ménage, ils n'ont pas d'autre place pour la jeter que dans le firmament.

— Pourquoi les lucioles éclairent?

— Parce qu'elles ne sauraient pas autrement trouver leur chemin dans le noir.

— Pourquoi les oiseaux chantent?

— Parce qu'ils sont heureux.

Les enfants se satisfaisaient de ces réponses parce qu'elles correspondaient à ce qu'ils vivaient au sein de leur famille.

Chapitre 14

Une histoire désolante
et une autre intéressante

Marcellin et Radegonde étaient fort contents du travail de Jimmio et de leurs deux domestiques. Mais voici qu'un jour, Marcellin décida d'engager un homme à tout faire. Leur fermier entretenait bien la terre et la faisait produire, mais ils avaient besoin que quelqu'un s'occupe de leur fournir du bois de chauffage et de voir aux menues réparations et à l'entretien du manoir, ce que Jimmio ne parvenait à faire seul. Il y a toujours quelque chose qui se brise quelque part ou qui a besoin d'être raccommodé. Aussi Marcellin entreprit-il des démarches pour trouver un homme en mesure de leur rendre de tels services. Mais il n'en dénicha pas dans l'immédiat.

Comme il arrive souvent, c'est au moment où on ne cherche plus qu'on trouve. Le mot s'était sans doute passé dans la région : le notaire de Verchères cherchait un journalier. Un beau matin se présenta au manoir un homme d'une quarantaine d'années, assez bien bâti et, en conséquence, quelqu'un qui devait avoir une certaine expérience. On ne s'improvise pas réparateur de clôtures, menuisier ou maçon.

Cet homme avait de la faconde et, comme on dit, vendait bien sa marchandise. Il dit qu'il se nommait Jacques Fruitier et ajouta sans sourciller :

— Vous pouvez me demander tout et n'importe quoi, j'ai touché à tout dans ma vie.

— Vous saurez donc aussi bien réparer le poulailler que creuser des fossés ? lui demanda Marcellin.

— J'ai déjà fait tout ça ailleurs et vous n'aurez pas à vous plaindre de moi.

— Vous pourriez me citer quelqu'un chez qui vous avez travaillé dernièrement ?

— Je pourrais, mais c'est si loin d'ici qu'il vous faudra des jours pour vérifier.

— Vous n'avez jamais travaillé dans la région ?

— Non ! Seulement à Québec, à l'île d'Orléans et sur la côte de Beaupré.

Radegonde, qui avait tendu l'oreille à leurs propos, alla trouver son mari et lui chuchota à l'oreille :

— C'est un baratineur, Marcellin. Méfie-toi !

Interdit, Marcellin ne savait pas trop s'il devait courir le risque de l'engager.

— Vous êtes certain de pouvoir faire l'affaire ?

— Essayez-moi quelques jours, dit l'homme, vous verrez bien.

Il avait visiblement besoin de manger. En l'engageant, Marcellin lui assurait un toit et de la nourriture.

Il offrit de le payer dix sols par jour et de le loger au pavillon de chasse, ce qu'il accepta d'emblée. Marcellin voulait de la sorte, tout en se donnant le temps de l'évaluer, le tenir éloigné du manoir la nuit et le jour. Cela n'empêcherait pas Fruitier de travailler tout de suite aux fossés que Marcellin voulait faire creuser de chaque côté de sa terre. L'engagé mangerait avec les domestiques.

Le nouveau venu fut d'accord en tous points avec cet arrangement et Marcellin se montra satisfait de ses travaux de creusage, à tout le moins lors des premiers jours. Ensuite, il se rendit compte qu'il traînait quelque peu de la patte et trouvait le temps de berlander. Il lui en fit la remarque. L'engagé répondit qu'il se sentait fatigué depuis quelques jours et que ce n'était pas facile de travailler au gros soleil ; en somme, les excuses habituelles de ceux qui s'acagnardissent.

Marcellin ne prêta pas trop d'attention à ce qu'il racontait, mais Radegonde lui mit quelque peu la puce à l'oreille quand elle lui dit :

—Marcellin, je ne sais pas ce qui se passe avec Marguerite depuis quelque temps, mais elle ne fait plus bien son travail. Elle bâille sans arrêt et se promène, l'esprit ailleurs. Elle est fort distraite et depuis quelques jours, elle échappe tout ce qui lui passe par les mains. Elle a même failli casser le pot de chambre…

—Serait-ce dû à ses menstrues ?

—Je ne le pense pas. Il y a certainement autre chose.

Marcellin laissa les choses aller. Puis, un après-midi, il décida d'aller voir où l'engagé était rendu dans ses travaux de creusage, mais il ne le trouva pas sur son lieu de travail. En poussant sa recherche jusque du côté du pavillon de chasse, il le surprit, en retrait des terres du manoir, occupé à pêcher au filet dans le fleuve. Pour justifier son incartade, il dit qu'il comptait leur faire une surprise et leur préparer un plat de poisson comme ils n'en avaient jamais mangé. Marcellin n'était pas naïf au point de le croire. Il comprit qu'il devait écouler quelque part ce poisson à son profit et que s'il osait s'adonner à cette activité en plein jour, il était bien capable d'autres choses la nuit. Cette nuit-là, il se tint de garde près du pavillon et y vit arriver Marguerite. Du coup, il comprit d'où venait leur fatigue à tous les deux. Il les congédia le lendemain.

Ils n'étaient partis que de quelques heures quand Radegonde, tout en émoi, vint trouver Marcellin.

— Notre horloge lanterne a disparu !

Consterné, Marcellin comprit qu'ils se l'étaient fait voler par cet engagé, avec la complicité de Marguerite. Il ne mit guère de temps à se rendre à Montréal signaler ce vol, car il tenait beaucoup à cette horloge qui lui venait de son oncle et qu'ils avaient emportée avec eux de France.

Sa démarche à Montréal ne fut pas vaine, car quelques jours plus tard, il reçut ce billet d'un nommé Faravel, horloger à la Place d'Armes, disant :

Monsieur Perré,

Je suis fort heureux de vous informer qu'un homme est venu chez moi avec l'intention de me vendre une horloge lanterne très belle et très rare. J'avais été prévenu par les autorités d'une pareille éventualité. J'ai mis du temps à en négocier le prix avec lui, pendant que mon serviteur allait prévenir les gendarmes. Le voleur en question est sous les verrous et vous pourrez récupérer votre horloge chez moi. Je l'ai vérifiée et elle fonctionne toujours bien.

Jean Faravel, horloger

Marcellin ne tarda pas à aller chercher son bien, non sans avoir récompensé l'horloger. Une fois à Montréal, il apprit que son engagé, après avoir été mis à la question, avait tout avoué. Il fut condamné à quinze coups de fouet et à repartir en France sur le premier navire. Son nom n'était pas Jacques Fruitier, mais bien Thomas Charet. Quant à Marguerite, en raison de sa complicité dans cette affaire, elle dut purger une peine de prison de deux années sous forme de travail chez les religieuses de mère Bourgeoys.

❖

L'été battait de l'aile. Un midi, le seigneur de Verchères envoya un de ses domestiques prier Marcellin d'aller le voir à son manoir. Le notaire crut que le seigneur Jarret voulait lui confier un travail pressant et demanda tout de suite à Jimmio d'atteler Annette pour se rendre chez les Jarret sans tarder. Quand il le vit arriver, le seigneur s'écria :

— Marcellin, il n'était pas si pressant que tu viennes. Je voulais tout simplement t'inviter à m'accompagner à Québec pour l'arrivée de notre nouveau gouverneur.

Cette invitation plut à Marcellin qui avait toujours voulu assister à l'arrivée et, si l'on veut appeler ça ainsi, l'intronisation d'un nouveau gouverneur, et voilà que l'occasion s'y prêtait. Il répondit avec enthousiasme :

— Vous avez bien fait de m'en prévenir à l'avance, ça me donnera le temps de voir à ce que tout fonctionne au manoir pendant mon absence.

— Il ne faudra pas tarder, cependant. Le navire qui le conduit a fait escale à Percé. Nous aurons tout juste le temps de nous rendre à Québec avant son arrivée.

Ce fut ainsi que Marcellin put, grâce au seigneur de Verchères, assister, parmi les dignitaires, à l'arrivée du gouverneur, le marquis Jacques-René de Brisay de Denonville.

❖

À son retour à Verchères, Marcellin serra Rade-gonde dans ses bras. Quelle chance il avait de l'avoir épousée ! Elle avait tout mené durant son absence comme un pilote conduit son vaisseau à bon port, et c'était si agréable de la voir devant lui, heureuse et toute souriante.

— Tu as fait beau voyage ? lui demanda Radegonde.

— J'ai fait un merveilleux voyage, dit Marcellin, et j'ai surtout pu assister de très près à l'arrivée de notre nouveau gouverneur.

— Quelle sorte d'homme est-il ?

— Mince, élégant et charmant. Il est venu en compagnie du nouvel évêque de Québec, monseigneur de Saint-Vallier. Leur arrivée conjointe a causé quelques maux de tête à l'intendant et à monseigneur de Laval, qu'on appelle désormais "monseigneur l'ancien". Qui devait avoir priorité ? Ce fut le nouveau gouverneur.

— Y a-t-il eu de belles cérémonies ?

— Oui ! Une magnifique réception.

— Oh ! Vite, raconte !

— Nous nous sommes d'abord réunis à la place Royale avec les principaux dignitaires de la ville. Vers huit heures et demie, le gouverneur général est monté dans une chaloupe ornée de draps rouges. Tu aurais dû entendre les coups de canon qui le saluèrent ! Toutes les cloches se mirent à sonner à toute volée, tant celles de l'église de la Basse-Ville que de la Haute-Ville, que celles de la chapelle du Séminaire, de l'Hôtel-Dieu, du Collège des jésuites et des ursulines. Les dignitaires descendirent vers le rivage pour accueillir le gouverneur. Dès qu'il mit pied à terre, l'intendant le reçut et fut le premier à le saluer.

— Et toi ? Où étais-tu ?

— Avec le seigneur de Verchères et quelques autres seigneurs de différentes seigneuries. Il y a eu un discours de l'intendant auquel le gouverneur général a répondu avec beaucoup d'esprit.

— Comme quoi ?

— Il a dit que les bons mots de l'intendant lui allaient droit au cœur et qu'heureusement ce n'était pas des coups de canon, car il en serait mort. Il s'est dit surpris et étonné de la beauté de la ville et fort heureux d'avoir à gouverner un si vaste pays habité, s'il en jugeait par tous ceux qui l'accueillaient avec tant d'enthousiasme, par d'aimables personnes avec qui il passerait sûrement d'agréables moments. Son discours a été salué par une nouvelle salve de coups de canon.

— Ça devait être fort impressionnant…

— Ah oui ! J'en avais la chair de poule. Toute la rue qui monte vers l'église était bordée de soldats armés de fusil ainsi que de tous les bourgeois de la ville avec leur famille. Le gouverneur s'est mis en route, accompagné des notables suivis d'une foule considérable. Devant le gouverneur marchaient les hommes de sa garde, vêtus de bleu et fusil à l'épaule. Quand il est arrivé à la porte de l'église, il a été accueilli par "monseigneur l'ancien" vêtu de ses plus beaux habits de cérémonie, une haute mitre dorée sur la tête et à la main, sa crosse épiscopale en argent.

— Oh ! Que j'aurais aimé voir ça !

— Un jour, je t'y emmènerai, si ce n'est pas pour l'arrivée d'un gouverneur, à tout le moins pour une belle célébration pleine de vie et de couleur. Où en étais-je? Ah oui! Je pense n'avoir jamais vu tant de prêtres et de religieux et religieuses réunis. La plupart des prêtres étaient en surplis et chasubles. L'évêque a fait son discours de bienvenue, après quoi deux prêtres porteurs de cierges allumés se sont approchés, accompagnés d'un troisième qui tenait un crucifix au bout d'une longue hampe. Il l'a fait baiser par le gouverneur et tout le monde est entré dans l'église à la suite de l'évêque et du gouverneur. Pendant qu'ils remontaient l'allée pour se diriger vers le chœur, des chantres ont entonné le *Te Deum*.

— Oh! Comme ça devait être beau!

— C'était grandiose! Le gouverneur portait des habits rouge vif galonnés d'or. Il s'est arrêté à l'entrée du chœur où l'on avait disposé pour lui un fauteuil couvert de velours rouge et un agenouilloir tapissé du même tissu. Il a assisté à la messe à cet endroit. À la fin de la cérémonie, il s'est rendu au château Saint-Louis, suivi de tous les notables qui ont fait la file pour le féliciter. Le seigneur Jarret et moi y sommes allés. Nous lui avons serré la main et souhaité beaucoup de chance et de bonheur en Nouvelle-France. Il nous a dit: "Si les circonstances me le permettent, peut-être qu'un jour je m'arrêterai à Verchères." Nous l'avons quitté sans plus lui dérober de son temps, car il y avait une foule de personnes, et notamment des responsables d'associations religieuses qui désiraient le saluer et le féliciter. Chacun lui faisait ses compliments.

Malheureusement, il semblait fatigué, car il est parti au moment où nous nous mettions à table pour le dîner, composé des meilleurs plats de viande et de poisson des cuisiniers du château.

«Voilà, ma mie, toutes les joies et les bontés de ce voyage. Je n'ai pas manqué, tu comprends bien, de remercier vivement mon ami le seigneur Jarret de m'y avoir invité. Il faudra un jour recommencer et cette fois tu seras de la partie, je te le promets.»

Pendant qu'il parlait, Marcellin avait sorti des cartes de sa gibecière. Radegonde lui demanda:

— Qu'est-ce donc que ces vieilles cartes coupées et écornées?

— Ça, ma mie, c'est de l'argent.

— De l'argent!

— Oui-da! Comme il n'y a pas assez de monnaie en circulation au pays et que le gouverneur ne peut payer la solde des soldats, il a décidé de créer une monnaie de cartes.

— On peut acheter avec?

— Absolument, comme avec des livres et des sols.

Radegonde voulut en connaître la valeur. Marcellin expliqua:

— Une carte complète signée par le gouverneur et l'intendant vaut quatre livres. Une carte coupée de moitié vaut 40 sols et une carte coupée du quart équivaut à 15 sols. C'est la façon ingénieuse qu'ils ont trouvée pour remplacer la monnaie manquante.

Chapitre 15

Un peu de tout

Les jours, les mois et les années se suivaient, forgés de leurs bonnes et mauvaises nouvelles. Cette année 1686 ne fut pas différente des autres. Marcellin commença par rechercher une nouvelle domestique afin de remplacer la pauvre Marguerite qui s'était laissé séduire par ce clampin. Une jeune fille recommandée par madame de Verchères arriva à l'automne. Elle avait un bel air, se nommait Félicité Larchevêque et, quoique déterminée, ne semblait pas faraude. Elle plut tout de suite à Radegonde, ce qui suffit à Marcellin, qui se fiait largement à son jugement.

La mi-juillet éprouva particulièrement les Jarret, car Antoine, leur fils aîné, mourut. Sa disparition marqua beaucoup le seigneur et son épouse. Il est étonnant de constater que si la vie nous disperse, au contraire la mort nous rassemble. Un nombre rarement vu de personnes se retrouvèrent à Verchères au service du jeune Antoine Jarret. Le seigneur de Contrecœur, malgré son grand âge, y fut, tout comme le sieur

Gaultier de Varennes qui sortait peu souvent, car il vivait pratiquement tout le temps aux Trois-Rivières.

❖

Avant que l'hiver s'installe, Marcellin décida de faire chauler les murs extérieurs du manoir. Ce fut l'occasion pour lui d'apprendre comment se faisait la chaux et la manière dont on l'utilisait pour blanchir les maisons. Comme il avait toujours plaisir à le faire, il nous raconta le tout :

—Je me suis rendu avec Renaud aux limites de Boucherville et de la Prairie-de-la-Madeleine. Le chaufournier Edmond Jolicœur y fabriquait de la chaux. Je lui ai demandé comment il procédait pour l'obtenir. "Rien de plus simple, dit-il. Il faut un four et du calcaire." Ce que je savais, bien sûr ! Et devant mon air étonné de sa réponse, il s'est mis à rire. J'ai compris tout de suite que j'avais affaire à un joyeux drille et j'ai insisté pour qu'il m'explique le fonction-nement de son four. Il a repris : "Rien de plus simple, il faut faire chauffer le calcaire." J'entrai dans son jeu : "Avec du bois et du feu, je présume !" Ma réponse le mit encore plus en joie. "Mais pas n'importe quel bois ni n'importe quel feu." "Ah bon ! Mais expliquez-vous, alors."

« "Vous voyez, dit-il, pour construire un four comme celui-ci, il faut creuser le sol et en maçonner l'intérieur avec de la bonne pierre à four, et construire une cheminée cylindrique. On alimente le four en haut par le gueulard. Mais pour le reste, c'est un secret..."

«Ce fut à mon tour de rire. "Un secret, dis-je, de Polichinelle. Tout le monde sait qu'il faut remplir le four de pierre calcaire et de charbon et allumer un bon feu dessous." "Oui, mais il n'y a que les chaufourniers comme moi qui savent maintenir la bonne chaleur constante qui finit par produire de la chaux." "Ah, ça! Je vous le concède. Chacun son métier!" "Vous avez sans doute besoin de chaux, dit-il. Eh bien! J'en ai pas!" De nouveau, il éclata de rire. "Mais vous en aurez bientôt, je suppose. Il m'en faut deux pipes." "La semaine prochaine, même temps, même heure." "J'enverrai mon domestique les chercher. Je vous en dois combien?" "À quatre livres cinq sols la pipe, huit livres et dix sols et nous restons bons amis." Je les lui réglai sur-le-champ.

«Je le prévins. "Ne soyez pas étonné de la couleur de mon domestique." "Pourquoi donc?" "Il est noir." "Un homme noir pour venir chercher de la chaux blanche comme de la farine, ricana-t-il. On aura tout vu!"»

❖

Cette année si malement commencée, comme pour se faire pardonner, se surpassa ensuite en bonnes nouvelles. On aurait dit que la nature voulait faire oublier la perte d'un enfant en le remplaçant par un autre. Avant la fin de l'année, Marie Jarret fut de nouveau en famille. Puis les bonnes nouvelles se suivirent. On nous apprit la nomination d'un premier curé résidant à Contrecœur. À la mi-octobre, les Jarret engagèrent un nouveau domestique nommé Jean Abran et au début de novembre, à la grande joie de tous les habitants de la seigneurie, le seigneur de Verchères et son épouse marièrent Marie-Jeanne, leur fille aînée, à Jean de Douhet, sieur de La Rivière et de L'Étang. Il y avait longtemps que cette cérémonie se préparait, elle eut lieu à Verchères et fut suivie d'une belle noce où la musique et la danse ne firent point défaut. Le seul mauvais son de cloche après cette célébration fut le sermon du nouveau curé de Contrecœur à la grand-messe du dimanche.

— Mes très chers frères et très chères sœurs, dit-il, n'allez surtout pas oublier les préceptes de l'Église et les recommandations de l'apôtre : il n'est point permis de danser. La danse ouvre la porte à tous les péchés. Les chants et la musique qui l'accompagnent ne devraient pas exister. Celle qui mène la danse est comme une génisse sonnant sa clochette à la tête de son troupeau. La danse fait oublier à la femme qu'elle doit être soumise à son mari. Ceux et celles qui dansent ne sont pas dignes de la communion. Je me réserve le droit de ne pas la leur donner.

Fort heureusement, ce dimanche-là, la famille Jarret n'était pas à la messe dite à Contrecœur. Quand

Marcellin rapporta les paroles du curé à son ami, il sourit et dit :

— Dommage que dans la tête de certains, s'amuser équivaut à pécher.

Chapitre 16

Le manoir attaqué

Marcellin se félicitait d'avoir suivi le conseil du seigneur de Contrecœur qui, quelques années auparavant, l'avait incité à renforcer les défenses de son manoir. Au mois de mai, le gouverneur Brisay de Denonville mit sur pied une armée pour envahir le pays des Iroquois et les empêcher de s'agiter sous l'influence des Anglais. Le seigneur de Verchères était demeuré un soldat dans l'âme et, au grand dam de son épouse, il s'engagea dans cette armée.

L'expédition du gouverneur fut une réussite au point de vue militaire, mais en obéissant aux ordres du roi, il commit une grave erreur dont tous furent par la suite les victimes. Lors de son expédition chez les Iroquois, il fit tout près de deux cents prisonniers, hommes et femmes. Et comme nous l'apprit le seigneur de Verchères, il en expédia plus d'une trentaine en France pour les galères du roi. La réplique ne fut pas longue à venir. Les Iroquois, la rage plein le cœur, arrivèrent par le Richelieu.

Ce fut Jimmio qui, grâce aux aboiements de son chien, signala l'arrivée de ces ennemis. Fort heureusement, notre fermier, qui réparait une clôture non loin du fournil, eut le temps de se réfugier au manoir. Marcellin rassembla tout son monde, hommes, femmes et enfants, qui se munirent de fusils. Chacun savait parfaitement ce qu'il avait à faire en pareille éventualité. Les faux fusils apparurent dans les meurtrières. Notre fermier monta dans la tour. Radegonde vint rejoindre Marcellin dans une échauguette. Fanchon s'installa dans une autre avec Jimmio, tandis qu'avec Renaud j'occupais l'autre, alors qu'Augustine et Félicité prenaient soin des petits tout en chargeant les fusils que nous leur tendions. Nous étions prêts à faire face. Marcellin cria :

— Attendez mon ordre pour tirer !

Il escomptait de la sorte surprendre nos ennemis et leur faire croire à une meilleure défense que celle à laquelle ils s'attendaient. Cinq coups de feu simultanés impressionnent davantage que s'ils sont éparpillés. Tous les fusils en surplus furent chargés avant l'assaut. Quand une douzaine d'Iroquois s'approchèrent du manoir en hurlant, Marcellin attendit qu'ils soient à portée et il cria : « Feu ! »

Quatre d'entre eux furent atteints et le bruit des détonations fit hésiter les autres. Chacun de nous s'empara d'un des fusils déjà chargés. Marcellin cria de nouveau : « Feu ! »

Deux autres Iroquois restèrent au sol et la bande se dispersa pour se mettre à l'abri, ce qui nous donna amplement le temps de recharger les armes. Il se passa une bonne demi-heure sans qu'ils réapparaissent, puis six ou sept se risquèrent de nouveau à donner l'assaut et furent reçus de la même manière. Deux autres encore furent touchés. Leurs compagnons les ramenèrent en sûreté. Tout le monde resta à son poste pendant les heures qui suivirent. Les Iroquois ne se présentèrent plus, mais au moment de la brunante, ils attaquèrent encore. Il se produisit soudain de fortes détonations. Des gerbes de feu éclatèrent au-dessus du manoir et le ciel fut tout illuminé.

Pour se venger, les Sauvages avaient mis le feu au fournil avant de disparaître. Mais pourquoi le ciel avait-il été si fortement éclairé de diverses couleurs et comment se faisait-il que les Iroquois n'avaient pas mis le feu aux autres bâtiments ? L'explication nous vint de Marcellin.

Quand il s'était rendu à Québec pour l'intronisation du nouveau gouverneur, Marcellin avait assisté durant la soirée au feu d'artifice qu'un artificier du fort avait organisé en l'honneur du nouveau gouverneur.

— J'ai tellement aimé ce spectacle, dit-il, que je me suis adressé à cet artificier pour savoir s'il n'avait pas des pièces pyrotechniques à me vendre.

— Et il en avait ? s'enquit Radegonde.

— Il m'en a vendu cinq.

— Que tu as rapportées ici ?

— En effet, je les ai entreposées sous l'avant-toit du fournil en vue de faire une surprise aux enfants pour la Saint-Jean. Ce sont ces pièces pyrotechniques qui ont éclaté sous le feu et les Iroquois, je le présume, sont restés si étonnés de ce qui venait de se produire qu'ils n'ont pas demandé leur reste. De la sorte, ils n'ont pas mis le feu à l'étable, à la grange et aux autres dépendances.

Nous nous attendions à les voir réapparaître le lendemain, mais ils ne revinrent pas. Ils avaient eu leur leçon. Pour eux, le manoir était devenu une forteresse imprenable et un endroit habité par des esprits. Quelques jours plus tard, Marcellin engagea deux charpentiers qui s'affairèrent tout de suite à reconstruire le fournil.

❖

Cette attaque iroquoise contribua à resserrer tous les liens entre les gens du manoir. Le bonheur et la vie de chacun étaient mis en danger. Marcellin était très fier de ses enfants qui s'étaient battus vaillamment, ne montrant, à l'instar de leur mère, aucun signe de faiblesse.

Les Iroquois continuèrent à rôder aux alentours. Nous étions toujours sur nos gardes. Marcellin acheta un deuxième chien afin qu'il signale, comme celui de Jimmio, l'approche d'étrangers ou d'ennemis. Au mois de décembre, une triste nouvelle vint nous secouer tous : Jean du Doubet, le mari de Marie-Jeanne Jarret, avait été tué tout près d'ici sur son fief de Marigot. Marcellin ne manqua pas de rappeler que sans les conseils du seigneur de Contrecœur, nous n'aurions jamais pu résister à ces ennemis. Il décida de se rendre à Contrecœur le remercier de nouveau tout en lui faisant part de notre coup d'éclat. C'était un vieux militaire qui admirait tout ce qui touchait la guerre. Radegonde mit Marcellin en garde :

— Remets ça à plus tard ! Te mettre en route pour Contrecœur est trop dangereux.

— Les Iroquois sont loin à présent. L'hiver est proche, ils ne restent jamais si tard dans nos parages.

Malgré les craintes de Radegonde, Marcellin gagna Contrecœur. Le seigneur Pécaudy ne se portait pas bien. Il était fort avancé en âge. Nonobstant ses malaises, il montra de l'intérêt pour ce que Marcellin lui rapporta. Il était surtout fier du conseil qu'il lui avait donné. Ce fut un Marcellin plein de satisfaction qui nous revint de Contrecœur. Mais alors qu'il arrivait à la hauteur du fort de Verchères, il fut surpris par trois Iroquois soudainement apparus sur la route. Il fouetta Annette qui se mit au galop. Ce geste le sauva. Il fut atteint d'une flèche à l'épaule, mais réussit à guider la jument jusqu'au fort où on le fit aussitôt entrer. Des domestiques postés en sentinelles avaient assisté à sa mésaventure. Heureusement, se trouvait au fort le chirurgien Dumas, venu voir la dame de Verchères qui se remettait mal de son dernier accouchement, celui de son fils Jean-Baptiste. Le chirurgien se dépêcha de retirer la flèche fichée dans l'épaule de Marcellin.

Après l'avoir examiné, il lui dit :

— Vous êtes chanceux dans votre malchance. La flèche s'est logée dans les chairs et n'y a pas causé de grands dommages. Une fois que je vous l'aurai extraite, vous guérirez rapidement et vous pourrez conter votre aventure à vos petits-enfants.

Le chirurgien tendit à Marcellin une fiole en lui demandant d'en ingurgiter d'un trait le contenu.

— C'est quoi ?

— Ne vous inquiétez pas, rien qui tue !

Marcellin avala cette mixture faite d'eau-de-vie et de quelques herbes dont il ne put deviner le goût. Peu de temps après, la tête se mit à lui tourner comme lorsqu'on a pris trop de bon vin. Le chirurgien pendant ce temps s'était mis à l'ouvrage. Il tira un bon coup. Marcellin hurla, mais le chirurgien tenait déjà fièrement la flèche dans ses mains. Ce fut tout ce dont Marcellin se souvint de ce soir-là. La douleur lui fit perdre conscience. Quand il revint à lui, il était dans un lit et le petit jour filtrait par les interstices du mur.

— Vous voilà revenu au monde des vivants ? dit une voix qu'il reconnut être celle de la jeune Madelon.

— Je le crois, en effet !

— C'est fort bien ainsi, Fanchon et madame Radegonde dormiront mieux ce soir.

Sa réflexion le fit revenir pour de bon à la réalité.

— Il y a longtemps que je suis ici?

— Non point! D'hier au soir seulement.

— Dans ce cas, il faudrait aller prévenir au manoir.

— C'est déjà fait, puisque Jimmio est venu à la nuit tombée s'informer si on ne vous avait point vu.

Il tenta de se lever, mais la douleur le fit retomber sur le lit.

— Vous l'avez échappé belle, lui dit Madelon. Un peu plus, vous y restiez comme mon beau-frère.

— Les Iroquois ne devraient pourtant plus nous inquiéter alors que nous sommes aux portes de la Noël, dit Marcellin.

— Ils auront sans doute changé leurs habitudes, répondit Madelon.

L'hiver les chassa et ce furent les derniers à paraître cette année-là. Mais leur vengeance n'en était qu'à ses débuts. Les reproches que Marcellin put lire dans les yeux de Radegonde et de Fanchon quand il regagna le manoir lui valurent toutes les leçons du monde. On devrait toujours écouter le cœur de ceux qui nous aiment.

Chapitre 17

Une naissance et un revenant

Malgré la menace constante des Iroquois, la vie continuait à Verchères. Et comment la vie peut-elle se manifester mieux que par la naissance d'un enfant? Marie Perrot, l'épouse du seigneur de Verchères, lui donnait pratiquement un enfant par année. Elle ne manqua pas de le faire en cette année 1688 quand, au milieu de l'été, elle accoucha d'une fille que les Jarret voulurent faire baptiser sous les prénoms de Marie-Marguerite. Ils firent un très grand honneur à Marcellin et Radegonde en leur demandant d'en être le parrain et la marraine. Il ne restait plus qu'à fixer la date de la cérémonie qui se tint au manoir même de la seigneurie, quand le missionnaire annonça sa visite. Il fallait lire le grand bonheur qui se dessina sur le visage de Fanchon quand elle apprit qu'elle serait la porteuse.

❖

Puis Marcellin fut mêlé bien malgré lui à une controverse qui ne laissa pas de le peiner beaucoup. Nous vivons ici dans un très vaste pays où les communications s'avèrent fort difficiles. Pour gagner leur vie, bien des hommes n'hésitent pas à parcourir des centaines et des centaines de lieues dans des conditions parfois fort pénibles. C'est le lot de tous les coureurs des bois. Plusieurs le font par plaisir, surtout ceux qui n'ont pas d'attache et ne laissent personne derrière eux. Mais ce n'est pas la même histoire pour ceux qui sont mariés, ont des enfants et doivent délaisser leur famille pendant sept ou huit mois. Il y a, bien sûr, la possibilité d'être absent moins longtemps en partant pour la traite vers la fin de l'été pour en revenir à l'automne. Mais la plupart préfèrent passer l'hiver sur les territoires de traite et n'en revenir qu'au printemps. Ils ont alors la possibilité de rapporter de meilleures peaux de castor, car ces animaux se revêtent pour ainsi dire d'une double toison pour les mois de froidure.

Presque chaque automne, Marcellin avait à remplir quelques contrats d'engagement pour les pays de traite. Il y avait peu d'habitants à Verchères et aux environs, mais certains accomplissaient chaque année un voyage dans l'Ouest, et le plus souvent à Michillimakinac. Ils venaient le voir pour qu'il dresse le contrat qui les liait pour ces mois d'éloignement, mais qui leur garantissait bien souvent le salaire d'une année et plus de travail.

L'un d'entre eux, Marc Duchesne, avait signé un tel contrat trois années auparavant. Il devait revenir au printemps suivant, mais n'avait pas redonné signe de vie. Son épouse vint voir Marcellin au mois de mai.

— Mon mari est allé à la traite, dit-elle, mais il n'est pas revenu. Vous n'auriez pas eu de ses nouvelles par les autres coureurs des bois avec qui il était parti?

— S'ils sont revenus, dit Marcellin, ils ont du régler leurs affaires à Montréal.

— Pourquoi donc?

— Parce que c'est la meilleure façon de le faire et la plus logique: c'est là que se passent les transactions.

— Comment le savoir?

— Dès que je me rendrai à Montréal, je prendrai information.

À la première occasion, il se rendit à Montréal et mena sa petite enquête sur ces trois hommes. Un coureur des bois qui avait passé l'hiver à Michillimakinac l'assura qu'ils n'y étaient pas venus. C'était fort possible, puisque dans leur contrat, il était écrit qu'ils se rendraient à Michillimakinac ou à tout autre comptoir de traite leur permettant de rapporter des peaux de qualité. Ils pouvaient tout aussi bien s'être arrêtés ailleurs ou encore être allés faire la traite plus haut que le poste de Détroit.

N'étant guère plus avancé dans ses recherches, à son retour à Verchères, Marcellin rencontra la femme Duchesne et lui dit:

— Je n'ai pas pu obtenir d'informations à propos de votre mari ni des deux autres coureurs des bois qui l'accompagnaient.

Il vit se peindre l'inquiétude sur le visage de la femme, qui lui demanda :

— Ils ne sont pas revenus des Pays d'en haut ?

— Personne de ceux qui ont passé l'hiver à Michillimakinac ne les y a vus, ce qui laisse entendre qu'ils sont allés ailleurs. Ça explique sans doute pourquoi ils n'ont pas donné de nouvelles.

Il tentait de la sorte de rassurer cette femme, sachant fort bien tous les dangers encourus par ceux qui prennent les bois chaque année pour des voyages de plus de cinq cents lieues. Il lui promit de demander à ceux qui retourneraient à l'automne à Michillimakinac de se renseigner sur le sort de son mari.

Au printemps suivant, il reçut une lettre d'un de ces hommes disant qu'on lui avait certifié que Marc Duchesne s'était noyé avec ses deux compagnons en montant à la traite. Il communiqua l'information à sa femme. Au cours de l'automne suivant, une autre lettre arriva confirmant la noyade de ce Duchesne. L'hiver n'était pas terminé que sa veuve se remariait à Contrecœur. Et voilà qu'au printemps, Marc Duchesne en personne revint à Verchères. Marcellin eut alors droit à toute une algarade de la part du nouveau mari :

— Un homme comme vous, on appelle ça un imbécile !

— Vous avez vu comme moi les lettres reçues de ces deux coureurs des bois ! C'est à eux que vous devriez vous en prendre, pas à moi !

— Mais c'est vous qui leur avez demandé de faire enquête.

— Qu'est-ce que ça change ? S'ils se sont trompés de personne, ils ne l'auront certainement pas fait exprès.

— Et moi, qu'est-ce que je vais devenir là-dedans ?

— Vous devrez annuler votre contrat de mariage et je ne vous chargerai pas un sol pour le faire.

Il eut beau tenter d'amoindrir ainsi le courroux de l'homme, qui fulminait sur tout ce qui existait, il n'y parvint qu'avec beaucoup de difficultés. Marcellin n'avait voulu que rendre service à une pauvre femme et sa bonté l'avait conduit à devoir vivre ces moments très pénibles.

❖

Puis la vie, une fois de plus, fit son travail, c'est-à-dire celui de mener quelqu'un à sa mort. On nous apprit le décès du seigneur de Contrecœur. Il avait bien mérité de la vie et en avait bien profité aussi. Ses funérailles attirèrent une foule considérable. Il y avait dans l'assistance de nombreux anciens soldats du régiment de Carignan-Salière. Personne ne le dit, mais tout le monde le pensa : sa veuve était sans doute fort soulagée de son départ. Vu son jeune âge, elle ne manquerait certainement pas de prétendants.

❖

Si le travail de notaire n'est jamais de tout repos, parfois il occasionne de belles surprises. Renaud aimait de temps à autre aller fureter dans l'étude de son père. Un matin, il y alla alors qu'un rayon de soleil pénétrant par la fenêtre éclairait le bureau. Son père y avait laissé une liasse de papier. Renaud s'empara d'une feuille et y découvrit, grâce au rayon de lumière, un filigrane. Il demanda à Marcellin :

— Papa, qu'est-ce que c'est ce dessin ?

Renaud venait d'entrer dans un monde particulièrement complexe. Marcellin se demanda comment lui expliquer de façon simple ce phénomène. Il lui dit :

— Si tu veux que je t'apprenne tout ça, il faut d'abord que tu t'assoies et que tu écoutes bien.

Ce qu'il fit avec empressement, tant il était curieux et désireux de tout savoir. Comme Marcellin allait se lancer dans ses explications, Renaud dit :

— Fanchon aimerait peut-être aussi le savoir.

Il n'oubliait jamais sa sœur.

— Sans doute, dit son père. Va la chercher.

Je les accompagnai. Renaud s'empressa de placer une feuille à contre-jour afin de nous faire découvrir le filigrane en question. Fanchon se montra à son tour avide que son père lui explique ce phénomène. Marcellin ne savait toutefois trop par où commencer. Après réflexion, il leur demanda s'ils savaient ce qu'était un symbole. Les voyant hésiter, il leur dit :

—Je suis certain que vous le savez. Si je vous demande de me dessiner quelque chose qui représente l'amour, quel sera votre dessin?

—Un cœur! dit Fanchon.

—Voilà! Le cœur est le symbole de l'amour. Un symbole est donc une façon de représenter une vertu, un sentiment ou quelque chose qu'on ne peut pas reproduire facilement sur papier ou dans le sable. Si je vous demande de dessiner une maison, vous le faites sans difficulté, mais si je vous dis de me dessiner la lumière, l'espérance ou la charité, c'est presque impossible à faire. Aussi, depuis fort longtemps, les hommes représentent la lumière par un symbole qui est le soleil ou encore par un chandelier. Ils ont créé des symboles pour évoquer un peu toutes les choses. Les filigranes sont des dessins symboliques.

Renaud reprit la feuille, la plaça dans la lumière du soleil et le filigrane apparut à travers le papier. Il demanda aussitôt:

—Quels symboles ce filigrane représente-t-il?

—Sans aucun doute des symboles chrétiens. Qu'y vois-tu?

—Deux chandeliers.

—Ce ne sont pas des chandeliers, intervint Fanchon. D'après moi, ce sont des colonnes.

—Y a-t-il quelque chose dessus?

—Trois boules.

—Dans ce cas, ça me semble être des piliers plutôt que des colonnes. Montrez-le moi.

Renaud s'approcha et Marcellin jeta un coup d'œil sur le filigrane.

— Il s'agit en effet, dit-il, de deux piliers représentant la force et la beauté, et qui sont la porte de l'éternité.

Il examina de nouveau le filigrane, mais ne fut pas en mesure de l'expliquer en son entier. On y voyait en son milieu le mot *lux*.

— Ce mot latin signifie lumière.

Ces trois lettres étaient surmontées d'une grappe de raisin.

— Ces raisins, dit-il, ont rapport au royaume de Dieu.

Il fit de son mieux pour leur en donner la signification. Fanchon et Renaud s'amusèrent à découvrir d'autres filigranes dans les feuilles et voulurent savoir pourquoi ils étaient si différents les uns des autres.

— Les filigranes, dit Marcellin, constituaient autrefois un langage secret employé par les gens pour se dire des messages que les autres ne pouvaient pas comprendre. C'était une sorte de code connu d'eux seuls.

Dans les jours qui suivirent, Fanchon et Renaud se constituèrent un code secret en symboles dont ils se servirent pour s'adresser des messages qu'ils traçaient dans le sable de la berge. Ils y passèrent des heures sans discontinuer, se créant leur propre langage. Bien des fois par la suite ces deux-là se parlèrent en symboles. Tout comme Radegonde, j'étais plein d'admiration devant l'intelligence de ces enfants capables de transformer en jeu à peu près tout ce qu'ils apprenaient. Je me dis que vraiment ce que nous perdons de plus précieux en devenant adulte, c'est notre candeur d'enfant.

Chapitre 18

Où il est question d'un massacre

Depuis quelques années, les Iroquois étaient constamment au centre de nos préoccupations. En avril, le mariage de Marie-Jeanne Jarret de Verchères avec Antoine Du Verger, sieur Du Mas du Puy et d'Aubusson, fut pour nous comme une consolation. La pauvre avait perdu son premier mari deux années auparavant, tué par ces mêmes Iroquois. De la voir maintenant heureuse au bras d'un nouvel époux semblait un bon présage.

Mais ce que donne la vie d'une main, elle le reprend souvent de l'autre. Un homme de passage au manoir nous apprit la mort du seigneur René Gaultier de Varennes. Sa disparition peina beaucoup les habitants des Trois-Rivières qui l'avaient en très grande estime, et elle me chagrina particulièrement parce que je le connaissais bien. Mais la vie continue après la mort et les problèmes du quotidien sont là pour nous le rappeler.

❖

Le fermier de Marcellin rencontrait quelques difficultés à bien faire produire la terre. Il vint le trouver un matin en insistant pour l'emmener sur la terre même afin qu'il l'examine avec lui.

— Nous aurons de pauvres récoltes, dit le fermier.

Marcellin lui fit remarquer :

— Nous n'en sommes qu'au début de l'été et nous n'avons pas vu d'Iroquois cette année.

— Ça n'a rien à voir avec eux. Il ne pleut pas assez.

— Il pleuvra bien comme chaque année.

— Je ne le pense pas. Tout dans la nature indique le contraire. Je crains une sécheresse.

— On n'y peut rien, alors ?

— Il est encore temps, pendant qu'il y a de la nourriture en vente au marché, de bien vous approvisionner en prévision de l'hiver. Vous ne pourrez guère compter sur les revenus et la production de vos terres à l'automne. Si j'étais vous, je me rendrais à Montréal voir aux provisions.

Marcellin suivit le conseil du fermier. Le mois d'août commençait à peine quand il décida de se rendre à Montréal. Il y passa la nuit et, tôt le matin, comme il ne dormait plus depuis un moment, il quitta l'auberge pour se diriger vers le marché. Quand il y arriva, il se rendit tout de suite compte que n'y régnait pas l'agitation à laquelle il était habitué. À pareille heure, les autres fois où il y était venu, les habitants se pressaient pour garnir leurs étals de viande et de légumes. Quelque chose, hors de l'ordinaire, s'y passait. Il tendit l'oreille à ce que racontait un homme entouré d'une bonne dizaine de personnes, et ce fut ainsi qu'il apprit la plus triste nouvelle entendue depuis son retour en Nouvelle-France.

— Les Sauvages les ont attaqués cette nuit…

— Ils n'ont pas pu se défendre?

— Allons donc! Une attaque surprise… Plus de mille guerriers contre moins de deux cents personnes endormies, surprises dans leur sommeil.

À ces mots, nous assura Marcellin, son sang ne fit qu'un tour. Il pensait que cette attaque pouvait fort bien avoir eu lieu à Verchères ou à Contrecœur. Il allait s'informer du nom du village dont parlait l'homme quand quelqu'un le précéda :

— Qui vous a conté ça?

— Un de ceux qui ont réussi à fuir. Il paraît qu'ils ont tué les femmes et les enfants, et ont emmené les hommes en captivité.

Baissant le ton, l'homme ajouta :

— C'est une manière de punition pour venger les Sauvages que le gouverneur a envoyés aux galères.

Plusieurs secouèrent la tête en signe de dépit.

— Ils vont venir nous massacrer à notre tour.

— Pas pour le moment, parce que les soldats de la garnison sont à leurs trousses avec plusieurs miliciens.

— Pardi! s'exclama un vieillard. Il y a les Anglais derrière ça, c'est certain. Ils sont toujours à monter les Iroquois contre nous.

— Qu'est-ce qu'on leur a fait, aux Anglais? se plaignit une femme. Ils sont trop peureux pour venir se battre eux autres même?

— N'empêche, déplora l'homme qui avait rapporté la nouvelle, cette fois-ci, ce qu'ils ont fait est terrible. Ils ont brûlé pratiquement toutes les maisons. Il paraît que c'est un vrai champ de désolation. Tout le village y a passé.

Marcellin était impatient d'intervenir et demanda vivement:

— De quel village s'agit-il?

— Ah! Vous ne savez pas? Lachine.

Bien malgré lui, il poussa un soupir de soulagement, parce qu'il ne s'agissait ni de Verchères ni de Contrecœur, comme si les choses sont moins terribles quand personne des nôtres n'y est impliqué. Il fit son marché, mais le cœur n'y était pas. Tous montraient un visage soucieux. Il y en avait même qui tenaient leur fusil en main, au cas où les Iroquois décideraient de revenir.

Marcellin retourna à Verchères sans perdre de temps, craignant à tout moment de voir surgir des fourrés bordant la route quelques-uns de ces Sauvages. Quand il transmit la nouvelle au manoir, puis au fort de Verchères, ce fut la consternation. Des hommes furent tout de suite placés de garde pour la nuit. Une fois de plus, nous fûmes obligés de nous barricader.

L'automne finit par arriver sans que les Iroquois viennent rôder. Mais la prédiction du fermier s'avéra juste. Ces récoltes furent les pires depuis leur arrivée à Verchères.

❖

Pour se prémunir contre les attaques des Iroquois, le seigneur de Verchères vit à mieux structurer la milice. Il voulut en nommer Marcellin le capitaine. Celui-ci refusa, non pas qu'il n'aurait pas aimé remplir ce rôle, mais le manoir était si éloigné du fort qu'il lui aurait été difficile, en cas d'attaque iroquoise, de réunir efficacement les gens pour en assurer la défense. Le seigneur Jarret confia ce poste à un des anciens soldats du régiment de Carignan-Salière. Quant à Marcellin, il veilla à mettre tout en place au manoir pour pouvoir tenir le coup contre une attaque éventuelle. Mais sans doute la leçon de 1687 avait-elle porté, car aucun Iroquois ne réapparut dans nos parages.

Chapitre 19

Inquiétude

Le printemps fut beau. Nous espérions un été à la hauteur de tout ce que nous en attendions. Nous imaginions déjà le foin en veilloches dans les champs. Radegonde avait bien préparé son jardin. Elle se promettait de faire des confitures et voyait déjà tout ce qu'elle pourrait tirer des légumes qu'elle avait plantés. Nous dormions relativement bien, mais tous les jours, Jimmio, surtout, et Renaud se relayaient au guet du haut de la tour.

Ce que nous appréhendions ne se produisit pas autour du manoir, mais eut lieu au fort de Verchères. Le seigneur Jarret était à Québec, appelé là en raison de sa réserve de l'armée. Ce furent les détonations des coups de feu en provenance du fort qui nous signalèrent qu'il y avait du grabuge dans ce coin. Radegonde, sachant que le seigneur Jarret était absent, devint soucieuse et inquiète pour son amie Marie et ses enfants. Marcellin s'efforça de la rassurer :

— Marie n'est pas seule au fort, il y a les domestiques et certainement quelques habitants. Tous ceux des alentours ont dû se réfugier au fort. Ils feront le coup de feu.

— Mais la pauvre, elle est là sans son époux. Qui va diriger les opérations militaires?

— Il y aura bien parmi eux un soldat qui saura le faire.

Il avait beau tenter de la calmer, ses efforts étaient vains et s'ils n'avaient pas eu à se défendre eux-mêmes, je crois qu'elle aurait risqué sa vie pour rejoindre son amie. Il y eut au cours de la journée au moins trois attaques contre le fort, car des coups de feu se firent entendre à trois reprises.

— C'est bon signe, dit Marcellin. Si les Iroquois ont attaqué trois fois, c'est qu'ils ont été repoussés chaque fois.

Inquiète, Radegonde demanda:

— Tu en es sûr?

— Sûr et certain, car si les Iroquois avaient eu le dessus au troisième assaut, la fusillade aurait duré beaucoup plus longtemps.

Comme pour appuyer ses dires, un coup de canon se fit entendre du fort. Marcellin exulta:

— Voilà la meilleure preuve qu'ils ont tenu le coup et qu'il y a même parmi eux un soldat qui sait tirer du canon.

La nuit était proche. En un souffle, elle repoussa le jour. Il nous fallait maintenant être doublement sur nos gardes. Ce qu'ils n'avaient pas réussi à faire au fort, sans doute les Iroquois le tenteraient-ils contre nous à l'aube. Dès les premières clartés du jour, nous étions tous à nos postes dans les échauguettes et à la tour, mais pas un Iroquois ne se montra. Vers les deux heures de l'après-midi, des soldats arrivèrent au manoir. Marcellin alla les recevoir. Leur commandant, le sieur de Rigaudville, se présenta tout en s'informant :

— Tout va bien ici ?

— Tout va !

— Avez-vous eu la visite des Iroquois ?

— Non pas !

— Tant mieux ! Je vois que vous avez transformé votre manoir en forteresse et que les Iroquois n'ont pas osé s'y frotter.

— Ils l'ont fait, il y a deux ans, et nous les avons si bien reçus qu'ils ne sont pas revenus depuis.

— Nous avons été alertés par le coup de canon du fort de Verchères. Nous y étions tôt ce matin. Les Iroquois n'ont pas attendu notre arrivée avant de déguerpir. Madame de Verchères s'inquiétait pour vous. Elle nous a demandé de venir.

— Hier, mon épouse se faisait du mauvais sang pour elle et ses enfants.

— Il ne fallait pas. Elle a pris les choses en main et a mené le combat comme un bon capitaine. Les Iroquois ont été promptement repoussés à chacune de leurs attaques. Elle a profité d'une accalmie pour faire tirer du canon. À Varennes, quelqu'un a tiré un coup à son tour, puis ensuite à Boucherville, si bien que de Montréal nous avons accouru. Espérons que ces barbares finiront par nous laisser en paix!

❖

Si les Anglais nous faisaient attaquer à l'ouest par les Iroquois, eux-mêmes avaient décidé en cette même année de prendre Québec. Tout cela, le seigneur de Verchères nous l'apprit à son retour. La ville n'avait pas été prise, mais ce qui le réjouissait le plus et le remplissait de fierté était la conduite de sa jeune épouse pendant les attaques iroquoises.

Chapitre 20

Au fil des jours

— Pourquoi, se plaignait fréquemment Marcellin, devons-nous toujours être sur le qui-vive sans pouvoir baisser la garde ? Faut-il que les hommes soient méchants pour constamment faire peser sur d'autres leurs menaces de mort ! Nous étions venus en ce pays avec espoir d'y trouver la paix et voilà que notre sort n'est guère plus enviable que celui de nos amis de France toujours aux prises avec la guerre.

Marcellin avait bien raison de déplorer la situation : les Iroquois avaient tué et fait plusieurs prisonniers dans les environs, mais, fort heureusement, ils ne s'approchèrent pas du manoir.

❖

On nous apprit la mort d'André Jarret, le frère du seigneur François Jarret de Verchères. Sur la porte de l'église de Contrecœur et au fort de Verchères, l'huissier afficha la criée de ses biens. Aussitôt, le seigneur

Jarret vint trouver Marcellin qui lui remit la minute d'une obligation de trois cent cinquante livres passée par André Jarret envers lui. Il s'opposa donc à la vente des biens de son frère avant qu'il puisse se rembourser de ce qui lui était dû. Il eut l'assurance que les trois cent cinquante premières livres retirées de la vente lui seraient remises.

Puis, après trois annonces, la criée eut lieu comme prévu. La vente par adjudication de la maison fut faite au dernier et plus haut enchérisseur. Marcellin expliqua à Radegonde comment on procédait en de telles circonstances.

— D'abord, dit-il, deux experts ont été choisis pour évaluer chacun des biens et également la valeur de la maison. Le crieur met ensuite les biens à vendre en fixant un prix de départ. Les gens qui veulent acheter soumettent au fur et à mesure le prix qu'ils sont prêts à payer pour l'objet à vendre.

— As-tu l'intention d'acheter quelque chose ?

— Il y a une commode qui ferait bien l'affaire dans la maison.

— Vas-tu tenter de l'obtenir ?

— Oui, mais à condition que les enchères ne montent pas trop.

— Oh ! J'aimerais bien voir cette commode avant que tu l'achètes.

— Il n'en tient qu'à toi de venir à la vente.

Le matin de l'enchère, Radegonde accompagna Marcellin. Un nombre considérable de personnes, tant de Verchères que des alentours, se trouvaient déjà sur place quand ils arrivèrent. Le crieur se mit peu après à l'ouvrage. À son retour, Radegonde me raconta :

— Il fallait voir avec quelle rapidité il exécutait son travail ! Il parlait si vite que j'avais peine à le comprendre. Mais Marcellin a suivi toute la criée. Il a acheté la commode à fort bon prix. La maison sera vendue après deux autres annonces.

— C'est dommage qu'il en soit ainsi. Sa veuve devra aller habiter ailleurs.

— C'est ce que m'a expliqué Marcellin. Tout doit être vendu afin que les revenus de la vente soient partagés entre la veuve et ses enfants. Il paraît que cette façon de faire cause souvent beaucoup de mécontentement. Tous les enfants reçoivent une part égale, tant ceux qui ne se sont pas occupés de leurs parents que ceux qui en ont pris soin. Marcellin dit que c'est là une façon fort injuste de procéder.

❖

J'eus, en cette année 1691, beaucoup de travail, mais aussi beaucoup de plaisir à initier Marie et Ursule aux différentes sciences autres que la lecture et l'écriture. Marie n'aimait guère les mathématiques et je la trouvais souvent dans la lune. La pauvre Ursule faisait de son mieux pour tout comprendre, mais elle se fatiguait fort vite. Je me souviens, entre autres, d'un soir où Fanchon et Renaud me secondèrent afin de les initier au calcul.

Fanchon aurait été une bonne enseignante tant elle avait le tour de faire voir rapidement les solutions aux problèmes posés. Elle se servait le plus souvent de fruits, telle une pomme qu'elle coupait en morceaux pour expliquer les divisions et les additions.

« Tu es dans la lune ! », disait-elle à Marie quand la petite se laissait distraire par les poules qui caquetaient dehors, ou le chien qui aboyait afin de signaler l'arrivée de quelqu'un au manoir.

Quant à Simon, il était encore trop petit pour s'intéresser au calcul. Il s'amusait avec ses lapins dont les clapiers se trouvaient non loin du fournil. Quand le temps doux le permettait, nous nous transportions tous au fournil. Ça nous changeait du manoir. Radegonde y rangeait les outils pour le jardin, de même que les pots de fleurs, et y préparait ses confitures et ses gelées. Elle se faisait aider de Fanchon pour nettoyer les herbes cueillies au jardin. À la fin de l'été, elles allaient ensemble ramasser les citrouilles dont Radegonde faisait une soupe délicieuse. Elle préparait aussi les épis de blé d'Inde que nous dégustions avec plaisir et savait également en tirer un délicieux potage. Elle faisait cuire un pain si tendre qu'il fondait dans la bouche. Tout le fournil se remplissait de cette bonne odeur de pain cuit.

Marcellin lui disait :

— Ma mie, tu ne donnes pas l'image d'une femme de seigneur.

Elle répondait en souriant :

— Dieu merci, je ne le suis pas non plus ! Je ne suis que l'heureuse épouse d'un notaire qui vit dans un manoir.

Quand l'hiver venait, nous retournions nous réfugier dans le manoir. Les enfants avaient un très grand plaisir à s'y retrouver autour de la grande table de la salle à manger où Marcellin présidait, profitant de tout et de rien pour instruire ses enfants. Quand arrivait le printemps, malgré les domestiques, Radegonde tenait à participer au grand nettoyage du manoir.

— Je ne suis point manchote, disait-elle à Marcellin qui voulait l'en empêcher. Je puis bien aider.

— Mais rien ne t'y oblige, ma mie ! Les domestiques sont là pour ça.

Elle faisait la sourde oreille et dirigeait les travaux rondement, sans jamais se départir de sa bonne humeur.

DEUXIÈME PARTIE

LES ENFANTS
DEVENUS GRANDS

Chapitre 21

Fanchon et Renaud

Depuis plusieurs mois, tant la vie les bousculait, Marcellin et Radegonde n'avaient pas eu l'occasion de se rendre au manoir du seigneur de Verchères, mais voilà qu'ils y avaient été invités, et avec eux toute leur famille. Dans ces circonstances, je les accompagnais afin de voir à ce que les enfants se comportent bien. Les Jarret et eux jouèrent durant une bonne partie de l'après-midi au lansquenet. Les enfants s'amusèrent ensemble comme le savent si bien faire des enfants. Fanchon jasa longuement avec Madelon. Même si elles n'avaient pas le même âge, Fanchon étant de plusieurs années plus âgée que Madelon, leur amitié ne se démentait pas.

Si Marcellin et Radegonde ne se rendaient pas souvent au fort de Verchères, ce n'était pas le cas de Fanchon qui s'y présentait plus d'une fois par semaine. Elle y avait fait la connaissance de Jean de La Mirande, un officier qui s'était amouraché d'elle. Il n'était pas

venu souvent au manoir, mais depuis quelque temps,
ses visites se faisaient beaucoup plus fréquentes.

❖

Les enfants grandissent et comme nous sommes
toujours avec eux, nous ne nous apercevons guère des
changements qui se manifestent en eux. Ce sont les
amis qui ne les ont pas vus depuis longtemps qui nous
les font remarquer. « Comme elle a grandi ! », dit l'un.
« Quelle belle femme elle est devenue ! », dit un autre.
Dans le cas de Fanchon, c'était l'évidence même. Elle
embellissait tous les jours, montrant un visage d'une
rare délicatesse, animé par des yeux dont les reflets
changeaient au gré de la couleur du jour. Fanchon
souriait tout le temps et, surtout, elle chantonnait sans
arrêt ces beaux airs venus de France dont elle jouait
aussi la musique au flûtiau. Un de ceux qu'elle aimait
fredonner s'entendait comme suit :

Hier au matin m'y levay
Allez-vous-en, je m'en iray
Au jardin de mon père entray
Par-dessous un cnte

Il est temps de s'en aller
Et de congé prendre

Au jardin de mon père entray
Allez-vous-en, je m'en iray
Trois fleurs d'amour j'y cueillay
Par-dessous un ente

Trois fleurs d'amour j'y cueillay
Allez-vous-en, je m'en iray
Un beau bouquet j'en feray
Par-dessous un ente

Un beau bouquet je lui feray
Allez-vous-en, je m'en iray
À mon amy l'ay présenté
Par-dessous un ente

Il l'a pris dont je luy en sais gré
Allez-vous-en je m'en iray
D'un baiser m'a remercié
Par-dessous un ente

Il est temps de s'en aller
Et de congé prendre.

Renaud, qui aimait beaucoup sa sœur, ne manquait pas une chance de la tarabuster. Il le faisait sans malice, simplement pour la voir réagir et lui courir après, comme le font si bien un frère et une sœur qui s'aiment. Il lui chantait par exemple :

Il était une sœurette
Qui pétait incessamment
Je lui dis : « Ma mignonnette
Vous êtes pleine de vent. »
« Mon doux ami, me dit-elle,
C'est mon cul qui a la toux. »

Ça, ça, ça, crassous
Ça venez cy, venez ça
Ça, venez donc loger chez nous.

Puis quand elle se fit Jean de La Mirande comme amoureux, il continua ses agaceries en transformant les paroles de la chanson *Jean de Nivelle* :

Jean de Mirande a trois beaux chiens
Il y en a deux qui valent rien
L'autre fuit quand on l'appelle

Jean de Mirande a trois gros chats
L'un prend souris, l'autre, les rats
L'autre mange la chandelle

Jean de Mirande a un valet
S'il n'est pas beau, il n'est pas laid
Il accoste une pucelle
Du beau nom de Fanchon

Hay, hay, hay, avant
Jean de Mirande est un galant.

De les entendre ainsi chanter, Radegonde devenait tout émue, car elle sentait que bientôt ses aînées quitteraient le manoir. Elle les entourait de toutes sortes d'attentions, leur préparant leurs plats préférés.

Ce fut à l'occasion d'un repas que Renaud déclara :

— Je serai soldat pour combattre nos ennemis de toutes les couleurs.

Comme si elle appréhendait déjà tous les dangers qu'il risquait de courir, Radegonde dit :

— Soldat ? Tu n'aimerais pas mieux te faire notaire comme ton père, ou apothicaire ?

— Ce n'est point là ce qui me plairait. Je serai soldat ou rien du tout.

Marcellin intervint :

— Il y a d'autres métiers tout aussi valables : marchand, cartographe ou ingénieur.

— Je n'en doute point, père, mais si vous le voulez bien, je suivrai ce que mon cœur me dit.

— Je ne saurais m'y opposer. Tout ce que je demande de vous, mes enfants, c'est que vous vous efforciez de bien vous instruire. Croyez-moi, c'est la clé de toute réussite.

C'était chaque fois un plaisir de les voir regroupés ainsi autour de la table. Toujours attentive à sa sœur Ursule, la petite Marie montrait déjà des dons pour l'ordre et le travail. Simon n'était encore qu'un enfant que chacun gâtait de son mieux. Fanchon jouait son rôle d'aînée avec beaucoup d'aplomb et de détermination, secondant sa mère avec un plaisir évident et ne manquant jamais d'apprendre tout ce qui lui serait utile comme maîtresse de maison.

❖

Les Iroquois avaient cessé de nous importuner depuis un certain temps, mais voilà qu'ils revinrent rôder dans les parages. Quelle ne fut pas notre inquiétude quand se firent entendre des coups de feu du côté du fort de Verchères ! Fanchon y était en visite. Radegonde se mourait d'angoisse. Marcellin ne perdit pas pour autant son sang-froid, car il fit aussitôt préparer la défense du manoir. Fort heureusement, les Iroquois, après avoir été repoussés du fort de Verchères, se retirèrent sans insister.

Quand Fanchon revint au manoir, elle en avait long à raconter sur ce qui s'était passé au fort :

— Les hommes travaillaient aux champs, non loin du fort. Madelon en était sortie pour puiser de l'eau au fleuve. Nous nous tenions sur nos gardes, nous méfiant sans cesse des Iroquois. J'étais montée en sentinelle sur le rempart, quand j'ai aperçu entre les arbustes un Indien qui s'approchait du fort. J'ai chargé bien vite mon fusil et j'ai vu Madelon qui s'en revenait en marchant vivement comme elle le fait toujours, malgré le seau d'eau qu'elle portait à la main. Je lui ai crié "Gare à toi!" L'Iroquois allait se jeter sur elle. J'ai tiré dans leur direction en prenant bien soin de ne pas toucher Madelon. Surpris, le Sauvage s'est immobilisé, ce qui a permis à Madelon de lui échapper. Elle est entrée dans le fort dont elle avait laissé la porte entrouverte. Elle a refermé aussi vite et, sans perdre un instant, elle a crié : "À vos armes!"

« Il n'y avait en tout que deux hommes dans le fort et ses deux jeunes frères en mesure de porter une arme. J'étais restée sur la palissade. De l'autre côté du fort se tenait un vieux soldat. Je l'ai vu charger son fusil. Madelon nous a rejoints là-haut avec ses jeunes frères qu'elle a mis sur-le-champ à contribution. Ils ont fixé un chapeau de soldat au bout de leur fusil et se sont mis à courir d'un côté et de l'autre de la palissade afin de faire croire que le fort était bien défendu.

« Quelques Iroquois se sont approchés et nous avons déchargé nos armes sur eux, ce qui les a forcé à plus de prudence. Il s'est passé un bon moment, puis ils sont revenus à l'attaque. Mais nous les attendions de pied ferme. Quand ils ont été à portée de fusil, Madelon a crié : "Feu!" Nous étions en tout six à tirer et trois de ces Sauvages ont été atteints, si bien que les autres, étonnés par l'efficacité de notre tir, se sont repliés.

« Madelon en a profité pour demander au vieux soldat resté au fort : "Antoine! Seriez-vous en mesure de tirer du canon?" "Je le suis", lui a-t-il répondu.

"Alors, faites vite. Chargez le canon et tirez un coup !"
Ce qu'il fit.

« Sans doute impressionnés par le bruit du canon, et se rappelant ce qui était survenu deux ans plus tôt quand ils avaient attaqué le fort, les Iroquois ont disparu. La nuit est venue sans qu'ils se montrent de nouveau. Nous pensions bien les revoir à l'aube, mais ils n'ont point paru, et pour cause : alertés par notre coup de canon, des soldats arrivaient de Montréal par le fleuve. Les Iroquois avaient tout bonnement déguerpi... »

Chapitre 22

Un souper de famille

Les plus jeunes avaient beaucoup vieilli depuis que j'étais au service de leurs parents. Marie avait maintenant quatorze ans et Ursule, douze. Quant à Simon, il était âgé de neuf ans. Tout comme ses sœurs, il savait lire, écrire et compter. Nos journées étaient faites à la fois d'étude et de jeux. Toutefois, très souvent, le souper constituait le clou de la journée parce que les enfants aimaient beaucoup écouter les propos de leur père, qui ne manquait pas de leur raconter les faits les plus marquants de sa journée, quand, bien entendu, il s'agissait de choses que leurs jeunes oreilles pouvaient entendre. Radegonde, pour sa part, veillait toujours à rappeler Marcellin à l'ordre quand, sans trop s'en rendre compte, il s'aventurait dans des sujets trop osés pour les petits. Il aimait plus que tout leur rapporter certaines expressions dont, s'ils ne les connaissaient pas, il leur expliquait le sens.

— Qui va me dire, commençait-il, ce que signifie pelleter du vent?

Parfois Fanchon ou Renaud en donnaient le sens. Mais le plus souvent, Marcellin devait expliquer :

— Pelleter du vent signifie parler pour ne rien dire. C'est ce qu'a dit cet après-midi Jean Blouffe à la mère Dubois venue lui faire reproche de je ne sais trop quelle fredaine.

— Ça ressemble étrangement à péter plus haut que le trou, dit Renaud.

Et parce qu'il avait eu le malheur de dire le mot péter, les petits se mirent à rire à qui mieux mieux.

— En voilà une curieuse expression ! intervint Marcellin. J'aimerais bien savoir de quelle province elle sort.

Pince sans rire, Renaud dit :

— Elle ne sort pas d'une province !

Les petits rirent de plus belle. Marcellin ne s'en offusqua pas mais reprit :

— Mais je crois qu'il y a une nuance à apporter, Renaud. Péter plus haut que le trou n'a pas le même sens que pelleter du vent. Cette expression veut dire avoir des prétentions excessives ou, en d'autres mots, vouloir se faire passer pour bien plus que ce qu'on est en réalité.

Sur ce, Radegonde dit :

— Vous connaissez certainement l'expression se rapportant à ce que quelqu'un raconte : c'est cousu de fil blanc.

— Oui, dit Fanchon, ça veut dire que c'est une histoire dont on connaît déjà la fin en l'entendant.

Toujours aussi enjoué, Renaud dit :

— Permettez que j'ajoute mon grain de sel.

— Ajouter son grain de sel, en voilà une belle expression ! dit Marcellin. Ça me rappelle l'histoire que voici. C'était le début de l'automne quand nous étions à Charlesbourg. À Québec, les gens faisaient provision d'un petit poisson qui se laissait facilement pêcher au bord du fleuve. Pour conserver le poisson, vous savez tous comme moi qu'il n'y a que trois façons : le sécher comme de la morue ou le saler comme du hareng ou encore le fumer comme on fait si bien du saumon ou de la truite. Pour conserver facilement ces petits poissons dont j'ai oublié le nom, la plupart des gens les faisaient sécher. Mais voilà qu'il y a toujours quelqu'un qui ne se comporte pas comme les autres. C'était le cas du vieux Jobidon. Il préférait conserver ses poissons dans le sel. Il en parla à l'auberge. Pour lui tirer la pipe, et voilà une expression sur laquelle je reviendrai, celui que nous appelions Le Matou lui dit : "Quelle idée farfelue que de garder de si petits poissons dans le sel ! Il doit être impossible de les dessaler avant de les manger." "Non pas ! s'exclama le père Jobidon. Ils se dessalent comme n'importe quel autre." "Vraiment ? dit Le Chauve. J'aimerais voir ça. Une fois dessalé, il ne doit plus rien rester." La remarque du Chauve fit s'esclaffer tout le monde sauf le père Jobidon qui était sur le point d'éclater. Ce fut alors que Radegonde me mit la puce à l'oreille : "Marcellin, mets ton grain de sel, parce que le père Jobidon est mal luné, et une autre réflexion du Chauve ou du Matou va mettre le feu aux poudres." Il était vrai que le père Jobidon ne semblait pas dans son assiette. J'intervins en disant: "Peu importe la façon de conserver le poisson, l'essentiel c'est qu'il se conserve." Mon intervention calma le jeu.

Au terme de son récit, Marcellin regarda ses enfants et ajouta:

— Nous venons là de passer toute une brochette de belles expressions. Reprenons-les! Se faire tirer la pipe, mettre la puce à l'oreille, mettre son grain de sel, être mal luné, ne pas être dans son assiette, mettre le feu aux poudres et calmer le jeu. Vous pouvez me donner la signification de l'une ou de l'autre?

Renaud se lança:

— Mettre son grain de sel, c'est intervenir dans une conversation pour ajouter son idée ou faire une remarque. Mettre le feu aux poudres, c'est risquer de faire dégénérer une situation.

— Fort bien, dit Marcellin. Et que veulent dire les autres expressions?

— Mettre la puce à l'oreille, dit Fanchon, c'est attirer l'attention sur quelque chose. Ne pas être dans son assiette, c'est être de mauvaise humeur.

— Très bien, les enfants! Il me reste à préciser qu'être mal luné veut dire un peu comme ne pas être dans son assiette, c'est-à-dire être de mauvaise humeur. Enfin, se faire tirer la pipe, c'est se faire taquiner, ce qui ne faisait pas le bonheur du vieux Jobidon.

— Eh bien ! intervint Radegonde, je vais calmer le jeu en vous disant que si vous ne mangez pas vous passerez sous la table.

Sa réflexion les fit bien rire et inutile de dire que tout le monde s'attaqua à son assiette sans plus attendre.

Je me rappelle fort bien ce souper, car ce fut le dernier de Renaud au manoir. Il partit ensuite faire ses études à Québec.

Chapitre 23

Renaud

Malgré son travail, Marcellin s'était toujours inté-ressé aux progrès de ses enfants dans un peu tout ce qu'ils entreprenaient. Il avait envoyé Renaud à Québec, au Collège des jésuites, afin qu'il puisse profiter du meilleur enseignement qui soit et se trouve de la sorte apte à gagner plus tard facilement sa vie. Mais voilà que ses maîtres avaient pris le temps d'informer Marcellin que Renaud ne s'intéressait pas à ses études comme il l'aurait dû. Aussi, Marcellin prit-il l'initiative d'écrire à son fils. Fort heureusement, la correspondance qu'ils ont échangée a été conservée.

Manoir Perré, lundi 3 juillet 1693

Cher fils,

Je me suis laissé dire que vous ne vous intéressez guère à vos études, captivé que vous êtes par le maniement des armes. Seriez-vous à ce point désintéressé de ce qui concerne les sciences et votre avenir ? N'auriez-vous autre chose en tête que les combats ? Nous avons dans la vie besoin d'une foule de connaissances. Il ne faut pas rejeter du revers de la main ces sciences pourtant indispensables qui peuvent paraître répondre moins bien à nos aspirations et à nos désirs. Ce qui doit nous conduire dans la vie, c'est davantage notre esprit que nos sens. Je vous le dis pour que vous sachiez que votre père n'est point indifférent à votre bonheur.

Je sais ce que c'est, que de rêver. Quand, avec votre mère et votre sœur, nous avons dû quitter contre notre gré le sol de Nouvelle-France pour nous retrouver au Havre-de-Grâce, sachez que nous étions profondément contrariés. Nous n'avons jamais cessé de rêver, pendant les cinq années de notre exil, à ce pays de Nouvelle-France. Voilà pourquoi je vous dis que je sais ce que c'est que de rêver et que je ne m'opposerai pas à vos désirs dans la mesure où je les jugerai raisonnables.

Vous savez que vous me manquez ainsi qu'à votre mère, à votre frère et à vos sœurs. Ce sont les aléas de la vie. Il nous faut bien un jour quitter les nôtres pour creuser notre sillon quelque part. Ne manquez pas de réfléchir sérieusement à ce que je vous dis. Derrière ces propos qui peuvent vous paraître sans doute contrariants, c'est votre bonheur que je veux. À votre âge, les enseignements de nos parents ne nous semblent pas à propos. N'oubliez pas pour autant que c'est l'expérience de la vie qui nous fait vous les dicter.

Soyez assuré de notre affection à tous. Votre mère s'unit à moi pour vous souhaiter tout le succès possible et le bonheur qui ne manquent jamais de toucher ceux qui les recherchent avec abnégation.

Votre père, Marcellin Perré

Renaud avait entre autres qualités celle d'être franc. Aussi ne tarda-t-il pas à répondre à son père dans les termes suivants :

Québec, vendredi 25 août 1693

Cher père,

La défense de notre pays me tient beaucoup plus à cœur que ce que possède son sol ou ce qui se trouve dans les astres et les étoiles. Voilà ce qui vous explique mon désintérêt pour certaines sciences. J'aime vivre dans l'instant présent, et toutes mes préoccupations s'y portent. Ne venons-nous pas d'apprendre une affreuse nouvelle concernant la baie James et le fort Sainte-Anne ? Vous savez sans doute que le jésuite Antoine Dalmas, qui était l'aumônier du fort Sainte-Anne depuis deux ans, a été assassiné avec le chirurgien par l'armurier Guillory. Nos ennemis, les Anglais, ont été mis au fait par les Sauvages qu'une très faible garnison tenait le fort. Deux cents d'entre eux sont montés à l'assaut durant la nuit, ce que voyant, le petit groupe de défenseurs a préféré regagner Québec en canot pour venir faire part de la mauvaise nouvelle. Non seulement a-t-on perdu cette partie de notre pays aux mains de nos ennemis, mais ils ont pu s'emparer et du fort et des pelleteries qu'il contenait pour une valeur de cinquante mille écus.

Las de tourner en rond à Québec, j'ai eu l'immense chance de croiser dans les rues de la ville nul autre que le capitaine Pierre Le Moyne d'Iberville. Je me suis adressé à lui en ces termes :

— Monsieur, je meurs d'envie d'être des vôtres.

— Que savez-vous faire ?

— Je ne suis point marin, mais je manie bien les armes. Vous pourrez le vérifier auprès de messire Gadoury, le maître d'armes auprès duquel j'ai appris à m'en servir.

Il m'acceptera parmi ses hommes à condition que je perfectionne mes connaissances dans le maniement des armes auprès d'un maître d'armes de La Rochelle. Il partira cet automne pour ce lieu avec six vaisseaux du roi. Je souhaiterais tellement être à bord de l'un d'eux ! Cet homme m'inspire. Il n'a peur de rien et nous promet qu'à ses côtés nous aurons maintes fois à nous servir de nos armes. Il se propose, dès le printemps prochain, de revenir de France pour partir dans une expédition contre nos ennemis. S'il n'en tient qu'à moi, j'en serai. Même si je ne suis point encore majeur, je vous prie de m'accorder votre autorisation de faire ce voyage. Il viendra combler un de mes plus chers désirs.

Transmettez mes respects et mon affection à notre chère et bonne mère ainsi qu'à mon frère et mes sœurs.

Votre fils affectueux, Renaud

Marcellin prit le temps de bien peser ses mots pour répondre à Renaud. Même s'il était quelque peu contrarié par la tournure que prenait la vie de son fils, il lui donna tout de même la permission de réaliser son rêve, conscient que la vie se chargerait éventuellement de le rappeler à l'ordre. Il en profita pour lui donner une des leçons fondamentales de la vie.

Manoir Perré, mercredi 20 septembre 1693

Cher fils,

Votre lettre a le mérite de nous informer clairement de vos intentions. Votre mère et moi nous ne nous opposons pas à votre dessein de faire le voyage en France. C'est avant tout votre bonheur que nous recherchons. Ne négligez pas pour autant de vous instruire de tout ce qui peut vous être utile dans cette vie que vous semblez vouloir choisir.

Vous comptez peut-être sur nous pour défrayer les coûts de votre passage en France. Sachez qu'il nous ferait plaisir de vous accommoder. Toutefois, nous pensons préférable de vous voir vous débrouiller vous-même pour en assumer les frais, puisque c'est votre désir profond de

réaliser ce rêve. Quand quelque chose nous tient profon-
dément à cœur, nous trouvons toujours le moyen de
l'accomplir. Ce sera pour vous une bonne occasion d'expé-
rimenter par vous-même un des aspects fondamentaux
de toute vie : gagner nous-mêmes le fruit de nos rêves.

Nous vous souhaitons donc d'exaucer ce désir qui vous
est si cher et nos pensées vous accompagnent tout au long
des démarches qui vous permettront d'accomplir ce
voyage. Nous espérons avoir le plaisir de votre visite
avant ce grand départ.

Avec mon affection et celle de tous les vôtres,

Votre père, Marcellin Perré

Voilà comment Renaud commença sa vie aventureuse à la suite de monsieur d'Iberville. S'il avait pu
lire toute l'inquiétude que son choix de vie apportait
à ses parents, peut-être aurait-il opté pour une autre
façon de la mener. Mais tant Marcellin que Radegonde
se firent souvent cette réflexion : s'il est heureux ainsi,
qu'il mène son destin comme il l'entend.

Chapitre 24

Mariage

Nous nous attendions bien à voir arriver Renaud pour le mariage de sa sœur, mais comme il nous l'apprit par une lettre, il était rendu en France. Fanchon épousa Jean de La Mirande au manoir, le missionnaire nous faisant la faveur de venir y bénir cette union.

Les semaines qui précédèrent les noces furent fébriles. Radegonde tenait à ce que sa fille se souvienne à jamais de ce jour particulier. Elle mit tout le monde à contribution. Je fus chargé des invitations, Jimmio se vit confier la tâche du grand ménage, cependant qu'Augustine s'occupait de préparer le repas de noces et que les enfants, aidés de Félicité, cueillaient des fleurs pour en faire des bouquets. Nous espérions tous que le temps serait beau afin que le repas se tienne en plein air. Mais il fallait aussi nous préparer à ce que tout se passe à l'intérieur, en cas de pluie.

La veille des noces, durant le souper, Marcellin demanda :

— Fera-t-il beau ?

Radegonde intervint pour dire :

— Un homme est venu du fort de Verchères porter du vin que les Jarret, nos invités, offrent pour la noce. Il prétend bien connaître les caprices de la nature et dit pouvoir prédire le temps qu'il fera les trois prochains jours. Il assure que ce sera une belle journée ensoleillée.

— Tant mieux ! s'exclama une Fanchon radieuse.

Marcellin esquissa un sourire et confia :

— J'allais conseiller de suspendre un chapelet à la branche d'un saule, mais ce sera inutile.

— Est-ce bien utile, de toute façon ? dit Fanchon.

— Peut-être as-tu raison, ma fille, ce sont là des superstitions qui selon moi n'ont guère fait leurs preuves.

Le lendemain, comme prévu, le soleil était de la partie. Les invités vinrent de Verchères et de Contrecœur. Le prêtre se présenta au manoir au petit matin. Le futur époux, qui n'avait pas de parenté au pays, arriva tout bonnement en compagnie d'un ami, soldat comme lui. Le prêtre, qui me semblait fort nerveux, fut des plus expéditifs ; il bénit les futurs époux et les unit par les liens du mariage sans plus s'attarder dans une longue cérémonie avant de nous quitter sans participer au repas. Marcellin nous fit la surprise de deux musiciens qui jouèrent fort bien des airs de danse, et lui et Radegonde nous démontrèrent qu'ils n'avaient pas perdu, malgré toutes ces années, leur habileté à danser.

La noce fut bien belle, mais nous sentions derrière tous ces rires et ces célébrations une certaine tristesse. Il manquait quelqu'un d'important, ce cher Renaud qui avait quitté le manoir depuis près d'un an. Marcellin et Radegonde ne le laissaient pas trop paraître, mais ils étaient également peinés de voir partir leur aînée. Ils avaient tenu à offrir le pavillon de chasse aux nouveaux mariés pour leur nuit de noces, mais le nouvel époux fit valoir son droit de choisir l'endroit où se déroulerait cette première nuit.

L'après-midi n'était pas encore complété que Fanchon fit ses adieux. Elle allait vivre à Montréal, où était appelé son mari, et c'était là qu'ils avaient choisi de terminer cette journée. Après leur départ, les invités se retirèrent un à un, et un long silence enveloppa alors le manoir. Tout le monde était songeur. Nous savions tous que le départ de Fanchon allait creuser un vide au manoir, et un vide d'autant plus grand qu'il s'ajoutait à l'absence de Renaud.

Au départ de sa fille aînée, Marcellin ne put s'empêcher de dire, en regardant s'éloigner la voiture sur la route de Varennes :

— Ainsi va la vie !

Radegonde s'approcha, entourée des petits. Elle dit tout simplement d'une voix émue :

— Oui, bien ! Mais elle continue…

❖

Le départ de Fanchon fut cependant quelque peu contrebalancé par une surprise de taille. En effet, au moment où elle s'y attendait le moins en raison de son âge, Radegonde fut en famille. Elle en prévint Marcellin :

— Une de partie, un ou une autre de retrouvée, dit-elle.

— Que me dis-tu là ? s'étonna Marcellin.

— Je dis bien ce que tu as entendu.

— Tu attends un enfant ?

Radegonde le regarda d'un air espiègle.

— Comme tu dis ! Dans sept mois, il devrait être là.

Marcellin sauta de joie et la tint longuement dans ses bras. Les enfants se demandaient bien ce qui pouvait causer tant d'émoi. Radegonde leur dit :

— Dans quelques mois, les Sauvages vont passer vous apporter un petit frère ou une petite sœur.

— Les Sauvages, vraiment ? s'exclama Marie d'un air narquois avant de partir d'un grand rire triomphant.

Radegonde la regarda en hochant la tête, se demandant comment sa fille avait bien pu percer les secrets de la vie.

❖

Sept mois plus tard, elle donnait naissance à un fils prénommé Clément. Il naquit quelque temps avant que son père nous quitte pour se rendre en France. Radegonde se consola du départ de Marcellin à l'idée qu'il avait pu voir son enfant nouveau-né, lequel occuperait dans sa vie une grande place au fil des mois à venir. Fort heureusement, les Iroquois avaient cessé leurs menaces et nous ne craignions plus de les voir surgir à tout moment.

Chapitre 25

Une absence coûteuse

Je n'ai guère de difficultés à me rappeler les faits les plus marquants de cette année 1695. Au cours de l'été précédent, Marcellin avait reçu une lettre de France dont il ne tarda pas à rapporter la teneur à Radegonde. Son ami, le notaire à qui il avait loué la maison héritée de son oncle Laterreur, le prévenait que l'édifice se détériorait à vue d'œil et qu'il ne pourrait plus y loger à moins de réparations majeures. Il demandait à Marcellin de quelle façon il devait se comporter pour remédier à la situation. Marcellin décida de passer en France par le dernier navire venu à l'automne pour régler lui-même le problème. Il avait la ferme intention de vendre la maison et de finaliser du même coup la succession de son oncle.

—Je ne serai absent que quelques mois, dit-il à Radegonde. Je prendrai le premier navire qui quittera la France pour Québec au mois d'avril.

—C'est toi qui sais le mieux à quoi t'en tenir, répondit-elle.

Elle ne voulait pas laisser paraître son inquiétude, elle qui connaissait trop bien les dangers qui guettaient toute personne montant à bord d'un navire traversant l'Atlantique. Chacun de ces voyages réclamait sa part de victimes chez les passagers, soit par une maladie due à la malnutrition, ou encore par la contamination de l'eau potable ou de la nourriture, sinon par une fluxion de poitrine à cause d'un coup de froid. Il y avait toujours également la possibilité d'un naufrage ou encore la prise du navire par des ennemis.

Radegonde pensait à tous ces risques, mais elle eut le courage de lui dire :

— Ne sois pas inquiet, je verrai à ce que tout ici fonctionne bien. Jimmio saura bien faire les provisions comme à l'accoutumée.

— Je vais engager un nouvel homme à tout faire qui s'occupera du reste avec notre fermier.

Les hommes à tout faire ne couraient pas les rues et Marcellin eut de la difficulté à en trouver un, qu'il finit par dénicher du côté de Varennes. Le gaillard s'amena tout de suite au manoir, se mettant au travail avec tant d'ardeur que Marcellin put partir l'esprit tranquille.

Mais quand le maître de maison laisse la place libre, ne serait-ce que pour un temps, d'autres veulent s'y introduire. Cet homme à tout faire se fit de plus en plus insistant auprès de Radegonde pour réaliser des tâches qu'elle ne voulait pas lui confier.

— Jimmin, disait-elle, peut fort bien s'en occuper, il le fait depuis plusieurs années.

— Je ne veux pas le faire à sa place, protestait l'homme, j'offre simplement mes services pour que monsieur Marcellin n'ait rien à redire à son retour.

Tous les prétextes lui étaient bons pour venir trouver Radegonde. Je m'en rendis bien compte. Il se montrait d'une grande sollicitude auprès des enfants, leur fabriquant des objets de bois et leur faisant constamment de petits cadeaux. Je trouvais que c'était trop. Radegonde, qui ne voit que le beau côté des choses, me disait que cet homme avait bon cœur.

Les mois d'octobre et novembre se passèrent sans histoire. Puis avec l'arrivée des grands froids, l'homme, qui couchait au pavillon de chasse, insista pour avoir un lit au manoir.

— Les autres domestiques ont bien leur chambre au manoir. Pourquoi faut-il que je gèle dans un endroit mal chauffé ?

Il n'avait pas tout à fait tort, car il était bien difficile de chauffer convenablement le pavillon de chasse. L'homme finit par convaincre Radegonde, qui lui trouva une place dans une des chambres du manoir. Mais voilà qu'un soir de décembre, alors que je m'apprêtais à me coucher, j'entendis un bruit de pas à l'étage. Je pensai que ça pouvait être un des enfants qui s'était levé et j'allai voir. Ce fut alors que j'entendis une plainte étouffée qui me mena droit à la chambre des maîtres, où devait se passer quelque chose d'insolite. J'ouvris la porte pour me rendre compte que l'homme à tout faire tentait de violer Radegonde, qui se débattait de toutes ses forces. Il lui avait plaqué une main sur la bouche pour l'empêcher de crier. Je ne fis ni un ni deux. Je me saisis du pot de chambre au pied du lit et le lui cassai sur la tête. Nos cris éveillèrent Simon qui se précipita à notre secours, et Marie apparut à son tour. Pendant que nous maîtrisions l'homme, elle alla quérir Jimmio qui partit en vitesse chercher de l'aide du côté du fort et revint avec deux soldats, lesquels conduisirent l'agresseur à Verchères sous bonne garde. Il serait jugé pour son méfait à Montréal.

Radegonde resta longtemps bouleversée de ce qui lui était arrivé et se consolait du fait que Marcellin n'apprendrait la chose que quelques mois plus tard.

❖

Il y avait longtemps que Renaud n'avait pas donné de ses nouvelles. Il ignorait que son père était en France. Comme il l'avait fait l'année précédente, il lui écrivit pour lui faire part des derniers épisodes de sa vie. La lettre étant adressée à Marcellin, Radegonde ne voulait pas la décacheter. Je finis par la persuader que si Marcellin était là, c'est ce qu'il lui aurait dit de faire. La pauvre se morfondait d'en connaître le contenu. Elle fut heureuse d'apprendre que son fils allait bien et qu'il se trouvait dans la Baie-du-Nord, ce qui lui permettait d'espérer le revoir bientôt quand il passerait à Québec. Mais son attente fut vaine.

❖

Si cette lettre de Renaud causa une vive joie à Radegonde qui s'inquiétait tous les jours pour le sort de son fils, ce bonheur fut redoublé par une visite de Fanchon venue annoncer qu'elle était enceinte.

La chère Fanchon était devenue une belle et grande femme impeccablement vêtue, à la posture bien droite. Elle était vive et parlait beaucoup avec ses mains, souriait sans cesse et discourait d'une voix douce.

— Mère, vous ne pouvez pas savoir tout le bonheur que j'ai de porter un enfant !

— Si, ma fille, je le sais. Tu oublies peut-être que je t'ai portée ainsi que tes frères et tes sœurs. Cette joie, je viens de la connaître encore. Te figures-tu que l'enfant que tu attends aura un oncle presque de son âge ?

— Voilà qui est vrai, dit Fanchon, je n'y avais vraiment pas pensé. Comme c'est curieux ! Changement de propos, mère, je vous avouerai que j'ai de la difficulté à m'habituer à Montréal.

— Pourquoi donc ?

— La vie n'est pas du tout comme ici. Les journées me semblent plus longues à vivre.

— Tu ne chanteras plus sur le même ton quand ton enfant sera né. Tu peux te fier à ta mère là-dessus !

— Pour lors, ajouta Fanchon, ma vie est passablement monotone. Mon époux, et je ne peux pas l'en blâmer, passe le plus clair de son temps à la garnison. Nous ne nous voyons que le soir et encore, quand il n'est pas appelé pour la tournée du couvre-feu.

Pauvre Fanchon ! Elle n'osait pas le dire, mais nous devinions qu'elle s'ennuyait beaucoup de Verchères.

❖

Puis Marcellin revint de France, satisfait d'avoir pu régler définitivement toutes les affaires qu'il avait à y traiter. Il nous entretint quelque peu de ce voyage qui s'était bien déroulé, mais qu'il avait visiblement trouvé fort long.

— La maison a été réparée et vendue.

— Fort bien, dit Radegonde. Et au Havre, les choses ont-elles changé ?

— Le Havre reste toujours Le Havre. La ville m'a paru plus sale et plus médiocre que jamais. Il est vrai qu'entre cette ville et moi, ce ne fut jamais le grand amour.

— Auras-tu pu y faire tout ce que tu voulais ?

— Oui ! Et je n'y mettrai certes plus les pieds.

Ayant pris beaucoup de retard dans son travail, il se remit à l'ouvrage avec cette énergie qu'il savait déployer en tout ce qu'il entreprenait. La vie rangée menée au manoir reprit ses droits.

Chapitre 26

Où il est question des enfants

Simon aurait eu de la difficulté dans l'armée puisqu'il fallait tenir le fusil de la main droite et il était plus habile de la gauche. J'eus beaucoup de misère à lui apprendre à écrire avec sa main droite. Nous étions obligés de lui attacher la main gauche pour l'empêcher de s'en servir. Comme le fit remarquer Marcellin, le sens de l'écriture est de gauche à droite. Quand quelqu'un écrit de la main gauche, sa main touche aux mots qu'il vient d'écrire. L'encre étant encore humide, il se trouve à barbouiller toute la page. Mais Simon avait trouvé le moyen d'écrire de la main gauche, plaçant la feuille de travers et écrivant de bas en haut. Malgré tout, Marcellin exigea qu'il écrive de la main droite.

C'est curieux de constater, quand on y pense, comment les enfants qui se servent en premier lieu de leur main gauche sont méprisés. Ne dit-on pas, quand quelqu'un commet une bêtise, qu'il est gauche et aussi, quand quelqu'un se lève de mauvaise humeur, qu'il se lève du pied gauche ? Enfin on ne dit jamais de quelqu'un qui vient en aide à un autre qu'il est son bras gauche, mais bien son bras droit. Je pense aussi que si les gauchers sont mal-aimés, ça vient beaucoup du fait que dans la Bible il est écrit que quand Dieu séparera les bons des méchants, il placera les bons à sa droite et les méchants à sa gauche.

Ce pauvre Simon fut donc obligé d'apprendre à se servir de sa main droite et, quand il sut tirer du fusil, la première chose qu'il déclara fut :

— Jamais je ne me ferai soldat comme mon frère Renaud.

— Tu feras quoi, alors ?

— Je ne le sais point encore, mais je m'en doute. Quand j'en serai certain, vous serez les premiers à le savoir.

Simon était ainsi : renfermé et mystérieux. Il prenait des décisions sur lesquelles il ne revenait pas. C'était un bien étrange enfant.

❖

Un midi, un voyageur venant de Montréal s'arrêta au manoir. À Radegonde, qui alla lui répondre, il dit :

— C'est bien le manoir Perré ?

— Vous y êtes.

— Ah, faites excuse ! Votre fille vous ressemble comme deux gouttes d'eau.

— Fanchon ?

— Françoise, qu'elle m'a dit qu'elle s'appelle. Elle est en famille et m'a prié de vous dire qu'elle est bien prête à mettre bas.

Radegonde ne put réprimer un sourire. Fanchon n'avait certainement pas employé cette expression.

— Je suppose qu'elle me réclame ?

— C'est en plein ça et au plus coupant.

— Merci beaucoup de me prévenir.

— Y a pas de quoi, mais c'est fait.

Radegonde le remercia et lui offrit de s'arrêter deux minutes le temps de prendre au moins un verre d'eau, à moins, dit-elle, « que vous ne préféreriez un petit calvados ? » Il ricana et déclina l'offre ainsi :

— Un calvados, pis deux, pis trois. Ho là ! Qui conduirait la voiture ?

Et, même s'il n'avait pas bu, il reprit la route de bien bonne humeur.

Radegonde ne perdit pas de temps.

— Ma fille a besoin de sa mère, dit-elle.

Jimmio attela Annette, et ils se mirent en route pour Montréal.

❖

Quand Jimmio revint de Montréal le même soir, il demanda à parler à monsieur Marcellin, ce qu'il faisait rarement.

— Annette malade ! Malade !

Marcellin le suivit jusqu'à l'étable. La pauvre bête était mourante. Elle avait vaillamment fait le trajet jusqu'à Montréal, aller et retour, mais elle y avait laissé ses dernières forces.

Marcellin dit à Jimmio :

— Il faudrait prévenir Azarias. Il saura bien nous dire ce qu'elle a.

Malgré la noirceur, Jimmio se mit en route pour le fort. Il en revint en compagnie d'Azarias. Cet homme connaissait les bêtes qu'il soignait partout aux alentours. Il examina la pauvre Annette et secoua la tête.

— Elle se meurt de vieillesse, dit-il, il n'y a plus rien à espérer. Si vous ne voulez pas la laisser souffrir, il faudra vous résoudre à l'abattre.

Jimmio passa la nuit auprès d'elle.

Chapitre 27

Un anniversaire

L'accouchement de Fanchon se passa bien. Radegonde trouva le moyen de faire prévenir qu'il s'agissait d'un garçon et que Marcellin devait la rejoindre à Montréal parce que Fanchon et son mari tenaient à ce qu'ils soient parrain et marraine du nouveau-né. L'enfant fut baptisé Marcellin.

Pour le baptême, Marcellin se rendit à Montréal en compagnie de Jimmio. Pour tirer la charrette, ils empruntèrent le cheval de notre fermier puisque Annette ne tenait plus sur ses pattes. Ils revinrent de Montréal avec une jeune pouliche qui nous semblait bien vaillante. Marcellin demanda aux enfants de lui trouver un nom. Ils en proposèrent toutes sortes comme Adèle, Magnia, Vénus, Jacotte, Musine, Nanouk. C'est Marie qui remporta la palme en suggérant Pégase.

— Pégase, dit Simon, ça me rappelle quelque chose. N'est-ce pas là le nom que les Grecs donnaient à un cheval ailé ?

— Exactement, approuva Marie. Je l'ai retenu des leçons de notre préceptrice.

Et voilà que cette simple pouliche héritait du prestigieux nom de Pégase.

Quelques jours plus tard, pour ne pas peiner les enfants, Marcellin demanda à notre fermier de s'occuper de faire disparaître Annette. Il le fit tôt le matin sans que personne en soit témoin. Pégase occupa l'enclos d'Annette et les enfants se firent tout bonnement à l'idée de ne plus y voir leur vieille jument.

❖

La cuisine n'avait guère de secrets pour Augustine. Radegonde aimait la seconder dans la préparation des repas, mais Augustine avait aussi sa fierté. De connivence avec Marcellin, elle parvint, je ne sais trop de quelle façon, à préparer un repas spécial pour l'anniversaire de Radegonde.

De mon côté, je mis les enfants à contribution en leur faisant écrire chacun un petit poème pour leur mère. Marcellin, qui ne jetait rien, les avait conservés. C'est émouvant de revivre cette journée en relisant ces petits textes tant d'années après.

Simon, qui n'avait alors que treize ans, avait écrit :

Une mère c'est comme un ruisseau
Qui ne trouve jamais de repos
Il coule toute la journée

Comme s'il n'était pas Juligual
Maman je vous aime
C'est ça mon poème

Ursule, pour sa part, s'était surpassée avec ce poème touchant :

Chère mère,

Vous avez une blessure au cœur
Parce que notre chère sœur
Et aussi notre grand frère aîné
Sont partis bien loin de la maisonnée
Mais vous ne le laissez point paraître
Parce que votre amour pour nous
Remplit d'attention tout votre être
Et est bien plus grand que tout
Merci maman d'être ce que vous êtes
Nous vous le disons pour votre fête

Quant à Marie, la rêveuse, elle nous avait tous surpris avec celui-ci :

Comme une fleur notre tendre et chère mère
Met dans la maison du parfum et de la couleur
Sans elle que deviendrait notre père
De la perdre quelle serait notre douleur

Maman nous vous aimons plus que tout
Vous êtes la joie de nos jours et notre vie
Nos amies nous le disent avec envie
Il n'y a pas de mère plus fine que vous

Ces poèmes émurent beaucoup Radegonde, mais elle fut davantage bouleversée par la visite surprise que nous fit Fanchon avec son petit Marcellin. Elle arriva tout juste pour le souper en compagnie des Jarret, apportant avec elle sa joie de vivre. Sa seule présence sembla ranimer le manoir tout entier.

Augustine s'était surpassée pour nous offrir un de ses merveilleux repas. Je me rappelle plus particulièrement que les conversations, ce soir-là, tournèrent autour des bonnes soirées du temps passé. Fanchon évoquait avec plaisir ses souvenirs et les de Verchères, Madelon en tête, ne manquèrent point de rappeler les épisodes qui avaient marqué la défense de leur fort.

Pour souligner cet anniversaire, Marcellin avait préparé une surprise. Il lut une lettre de Renaud reçue quelques jours auparavant. Cette lettre, je l'ai sous les yeux. Renaud y racontait comment, après avoir séjourné tout l'hiver au fort Bourbon, ils avaient attendu avec impatience l'arrivée de France des navires de ravitaillement. Ils avaient eu la mauvaise surprise de voir plutôt paraître des vaisseaux anglais. Après avoir vaillamment combattu, ils avaient été contraints de se rendre. Selon les termes et les ententes de leur reddition, les Anglais devaient les conduire avec tous leurs biens en France. Ne tenant pas parole, les Anglais les avaient constitués prisonniers à Londres où Renaud était depuis. Il avait pu remettre sa lettre à un officier français venu négocier les conditions de leur libération. Il se portait bien.

Le simple fait de savoir son fils toujours vivant avait permis à Radegonde de goûter pleinement cette journée d'anniversaire. Rarement avons-nous eu au manoir, au fil de toutes ces années, une si belle et si agréable journée de fête. Il me semble que je nous revois encore, tous autour de la table, profitant du meilleur de ce que la vie peut donner.

Chapitre 28

Les plaisirs des belles saisons

Le printemps de cette année 1698 nous gâta. En ce pays, nous ne savons jamais à quoi nous attendre d'une année à l'autre. Cette fois, le printemps nous gratifia précocement de ses chaleurs. Marcellin insista pour que son fermier entaille des érables et, pour la première fois, les enfants purent participer au ramassage de l'eau d'érable et à la production du sirop. Il y eut également de la tire sur la neige et, malgré de nouvelles journées plus froides, le printemps devint synonyme de fête, et cela d'autant plus que Radegonde, qui adorait passer les mois de chaleur au fournil, se fit aider de Jimmio et des enfants pour y transporter tout ce dont la famille avait besoin pour vivre à cet endroit. Nous y étions plus près de la nature. Les enfants couchaient tous dans la même pièce. Nous pouvions profiter de beaucoup plus de lumière et vivre presque toujours en plein air. En compagnie de Jimmio et de notre fermier, les enfants adoraient s'occuper des bêtes. Le fermier leur montra comment traire les vaches. Marie devint vite la championne en ce domaine.

Les enfants s'amusèrent beaucoup à observer des hirondelles bâtir leurs nids sous les combles du fournil. Puis Radegonde décida de faire cuire ses premiers pains de l'année au four du fournil. C'était un plaisir de profiter tous les jours des merveilleux arômes du pain doré. Comme il était de tradition, les enfants se firent une joie d'accompagner Jimmio à Verchères pour porter aux Jarret un pain de la première fournée. Ils en revinrent avec un pot de confiture de prunes offert par Marie Perrot.

Le printemps nous fit ensuite le cadeau de ses fleurs et de la bonne senteur des lilas. À l'ombre du fournil, Marcellin avait fait construire la laiterie. Les enfants y apportaient le lait et Radegonde elle-même s'y installait pour le couler, l'écrémer et extraire le beurre de la crème. Elle remplissait des contenants de terre cuite afin de laisser la crème monter à la surface. Puis Simon, qui adorait faire tourner la baratte, s'installait et passait de longues minutes à tirer de la crème le beurre si précieux pour la famille. Les enfants se récompensaient de leurs travaux en dégustant de larges tartines de pain, beurrées épais et couvertes de confiture.

De retour d'une promenade le long du fleuve, les enfants revinrent tous avec un bouquet pour leur mère. Ils avaient cueilli quelques fleurs printanières et orné leurs bouquets de chatons provenant des saules. Simon, quant à lui, avait profité de la montée de la sève dans les saules pour se fabriquer un sifflet. Il était parvenu à enlever l'écorce sans la briser et l'avait glissée hors de la branche. Après avoir encoché son bout de branche nue aux endroits désirés, il avait remis l'écorce à sa place. En soufflant dans cet instrument de fortune, il en tirait le son aigu d'un sifflet.

L'automne précédent, un homme s'était arrêté au manoir pour proposer à Marcellin d'installer une ruche d'abeilles, lui promettant qu'à la fin de l'été, il viendrait lui montrer comment en tirer du miel. Ce fut tout un émoi quand les enfants, en ce début de printemps, virent cet homme arriver avec ses abeilles. Ils ne pouvaient comprendre comment il faisait pour n'être pas piqué. L'automne venu, ils furent émerveillés de le voir tirer de la ruche le miel dont ils se régalèrent au cours de l'hiver.

Puis l'été nous combla de ses fruits. Cette saison semblait tout permettre. Je n'avais guère de mal à occuper les enfants. Une journée, ils allaient à la pêche, le lendemain ils cueillaient des fraises des champs, puis ils aidaient Radegonde au jardin et se rendaient au fleuve où ils se baignaient quand ils ne partaient pas en barque en compagnie de Jimmio pour une excursion dans les îles avoisinantes. Ils en rapportaient des œufs de cane et nous racontaient les péripéties de leur expédition. Je me souviens encore du récit de Marie :

— Simon a bien failli se faire mordre par une outarde.

— Comment ça ?

Simon intervint:

— Elle était sur son nid.

Marie protesta vivement:

— Maman, c'est moi qui avais commencé à raconter!

— Laisse-la finir, dit Radegonde.

— Simon a voulu lui prendre des œufs. La mère est devenue si méchante qu'elle a foncé sur lui. Il a eu juste le temps de se tasser pour éviter qu'elle le morde.

— Elle m'a un peu pincé un doigt, précisa Simon en montrant à sa mère une égratignure au bout d'un de ses doigts.

— C'était une bonne mère, en conclut Radegonde. Elle défendait bien sa famille.

— Si bien, ajouta Marie, que nous n'avons pas d'œuf d'outarde.

Simon soupira:

— Deux auraient suffi pour faire une omelette.

— Et les canards? questionna Radegonde.

— Ceux-là s'envolent dès que nous nous approchons de leur nid et nous n'avons qu'à nous servir.

Les jours de pluie, réfugiés au fournil, les enfants dessinaient ou lisaient. Ils inventaient aussi des saynètes qu'ils jouaient devant leur père, le soir, après le souper.

Durant le mois de juillet, les enfants se firent un plaisir de ramasser des fraises des champs, et ensuite des framboises et des mûres. Ils en engloutissaient une bonne part en les arrosant parfois de crème, et

Radegonde et notre bonne Augustine utilisaient le reste pour préparer des confitures dont les parfums embaumaient tout le fournil.

Mais l'événement majeur de cet été, ce fut Simon qui nous le raconta au retour d'une expédition à la cueillette de framboises :

— Nous cherchions un endroit nouveau où nous pensions trouver des framboises en abondance.

— Et vous l'avez trouvé ?

— Oui, le long d'un boisé. Mais nous n'y étions pas seuls. Il y avait là un invité indésirable qui nous a fait bien courir.

— Qui donc ?

— Un ours !

— Un ours ! Mon Dieu !

— Nous avons laissé là tous nos récipients et nous avons couru jusqu'ici.

— Quand je vous ai vu arriver tout en émoi, dit Radegonde, j'ai bien compris que quelque chose d'anormal venait de se passer.

— Il était assis dans les framboisiers et il se régalait. Il nous a donné une belle frousse. Désormais, je n'irai plus à la cueillette des framboises sans mon fusil.

— Il faut croire, en conclut Radegonde, que nous ne sommes pas les seuls à aimer les framboises...

❖

À la fin de cet été, nous reçûmes une lettre de Renaud, mais datant de la fin de l'été précédent. Il l'avait écrite du fort Bourbon. Au terme de son emprisonnement en Angleterre, il était retourné en France avant d'en repartir, avec le sieur d'Iberville, pour la Baie-du-Nord où ils avaient repris le fort aux Anglais et où ils demeuraient depuis.

Chapitre 29

La famille dispersée

Il me semblait, tant nous ne voyons pas les années passer, qu'il n'y avait pas si longtemps, Simon était encore tout petit et voilà que c'était maintenant à son tour de nous quitter pour ses études à Québec. Marcellin tenait à ce que chacun de ses garçons puisse faire des études supérieures et accéder à tout ce qui peut permettre à un homme de se bien débrouiller dans la vie.

Jimmio attela Pégase, et Simon nous fit ses adieux sans broncher, comme un petit homme. Je suis certaine qu'il avait le cœur aussi gros que nous, mais il ne le laissait pas paraître. Clément, qui collait toujours à son grand frère, fut de nous tous le plus affecté par ce départ. Marie tenta bien de lui changer les idées par des jeux, mais l'enfant ne cessait pas de demander quand Simon reviendrait.

— C'est bien dommage, déplora Radegonde, que nous n'ayons pas, plus près de nous, un endroit où nos enfants pourraient étudier sans que nous les perdions de vue pendant des mois.

— Nous ne sommes pas en France ni dans une grande ville, reprit Marcellin. Au Havre, il nous aurait tout autant fallu l'envoyer étudier ailleurs, à Rouen ou à Paris.

— Sans doute, mais ici, il me semble que c'est encore plus loin tant il n'est point facile de leur rendre visite.

Marcellin renchérit :

— Je t'avais promis, dit-il, de t'emmener à Québec. Eh bien ! Nous profiterons d'une fête quelconque qui s'y tiendra et nous irons en même temps voir Simon. Peut-être également aurons-nous la chance que Renaud s'y trouve.

Leurs fils absents demeuraient constamment dans les pensées de Marcellin et Radegonde. Il n'était pas rare de les entendre parler en particulier de Renaud.

— Celui-là, disait sa mère en secouant la tête, il ne faut pas compter le revoir avant longtemps. Tu sais aussi bien que moi comme il a le voyage dans le sang. Dieu sait où il se trouve par les temps qui courent, avec ce d'Iberville qui ne tient pas en place !

— Ils ont au moins à cœur de nous garder de nos ennemis. Sans doute nous fera-t-il encore le récit de ses déplacements et de ses prouesses. Je ne suis pas peu fier de lui.

Marcellin ne pouvait si bien dire, car quelques jours plus tard arriva une lettre de Renaud. Elle avait été écrite au fort Bourbon, dans la Baie-du-Nord, mais Renaud, comme il le racontait, était de nouveau en route pour la France.

❖

Quand le temps était beau et que le travail lui permettait un répit, Radegonde se rendait fréquemment au bord de la rivière. Marcellin y avait fait installer un banc où elle s'assoyait pour se détendre tout en admirant le fleuve. Elle était toujours fort impressionnée d'y voir passer des barques aux voiles gonflées et elle les suivait du regard jusqu'à ce qu'elles disparaissent de sa vue. Quand elle revenait au manoir, elle ne manquait jamais de dire :

— Ils sont bien chanceux de pouvoir se promener ainsi sur l'eau. Ça leur permet de voir du pays.

À quoi Marcellin répondait immanquablement :

— On peut voir aussi du pays par terre, ma mie.

— Oui, je sais, là où il y a des routes. Mais la plus belle et la plus grande n'est-elle pas le fleuve ?

— Bien sûr ! Le fleuve et les rivières permettent de bien nombreux voyages.

Au lendemain d'un entretien de ce genre, comme s'il avait tout à coup le goût d'aller voir ailleurs, Marcellin décida de se rendre à Québec. À Radegonde qui lui demandait ce qu'il comptait y faire, il répondit :

— J'ai des marchandises à acheter.

— Tu pourrais tout aussi bien te les procurer à Montréal.

— Mais si jamais je ne les trouve pas, à qui vais-je demander de me les faire venir ? Tandis qu'à Québec j'ai toujours mon ami Aramy.

— Combien de temps crois-tu être parti ?

— Environ deux semaines, si tout va comme prévu et que les vents, tant pour aller que revenir, sont favorables.

Il s'embarqua pour Québec sur un voilier de passage et en revint tout ragaillardi, heureux et fort satisfait de son voyage.

— Tu as eu tes marchandises ? s'enquit Radegonde.

— Je les aurai d'ici l'automne.

Ce que Marcellin ne disait pas, c'est qu'il s'était en fait rendu à l'Île-aux-Grues, où il avait rencontré son ami Marceau et passé avec lui un marché pour la construction d'une barque de trente-cinq pieds de longueur. Quel ne fut pas l'étonnement de Radegonde quand Marceau vint accoster sa barque près du manoir, traînant en remorque celle qu'il avait construite pour Marcellin !

Radegonde fut enchantée de revoir cet homme qu'elle appréciait. Marcellin était au village. Radegonde, croyant le charpentier de navire en route pour Montréal, le pria de ne pas partir avant le retour de Marcellin. Son étonnement fut encore plus grand quand Marceau lui apprit qu'il venait livrer l'embarcation commandée par Marcellin.

— Marcellin ne m'en avait pas soufflé mot.

— Et pour cause! Il m'a dit: "Je veux faire une surprise à Radegonde."

— Il l'a fait construire pour moi?

— À ce qu'il m'a dit.

Cette barque servit par la suite à voyager pour des achats divers, de Verchères à Montréal. Marcellin engagea le maître de barque Ignace Gauvreau pour la conduire. À maintes reprises par la suite, il nous mena en compagnie de Radegonde et des enfants nous promener sur le fleuve tant du côté de Montréal que de Sorel.

❖

Simon à Québec, Renaud en France et Fanchon à Montréal, voilà que la famille était bien dispersée. Radegonde pouvait toujours se consoler en ayant auprès d'elle ses filles Marie et Ursule, de même que le petit Clément qui, tranquillement, faisait sa place dans la maison. Il leur fit d'ailleurs vivre des émotions fortes quand il chuta en bas de la voiture conduite par Jimmio. Mais, fort heureusement, il y eut plus de peur que de mal et cette année qui marquait le tournant vers un autre siècle se passa sans plus de mauvaises surprises.

Chapitre 30

Du jeu de la mort et de la vie

En cette première année du nouveau siècle, Marcellin tint à remplir une promesse qu'il avait faite à Radegonde et profita du carnaval qui se tenait à Québec pour l'y emmener. Nous étions alors au milieu de l'hiver. Ils partirent en carriole, nous laissant à Félicité et moi la garde des plus petits. J'étais bien aise de voir Radegonde toute rayonnante de joie, anticipant le plaisir de revoir Simon à Québec et de se remplir les yeux de tout ce que pouvait leur offrir le carnaval. Comme elle me le raconta à son retour, les choses ne se déroulèrent pas tout à fait comme l'aurait souhaité Marcellin. Quant à elle, d'avoir eu la chance de revoir son fils l'avait comblée.

— Tu sais, Nicole, l'homme propose et Dieu dispose. C'est bien ce qui nous est arrivé à Québec.

— Quoi donc ?

— Il y avait bien des bannières disposées pour le carnaval et aussi des monuments faits de neige. Nous pensions pouvoir profiter de toutes les célébrations

qui se préparaient. Il devait y avoir des courses de traî-
neaux à chiens de même que des courses en raquettes.
Il y avait aussi de prévus un concours de souque à la
corde et un autre de tours de force. Mais rien de tout
cela n'a eu lieu.

— Comment ça ?

— Il paraît que monseigneur de Saint-Vallier,
l'évêque de Québec, sous prétexte que le carnaval se
déroule durant le carême et que les gens se permettent
de manger de la viande, s'y est opposé avec tellement
de véhémence que monsieur le gouverneur a été obligé
d'annuler l'événement. Nous avons été bien marris de
ne pouvoir y assister. Mais nous avons toutefois pu
passer plusieurs heures en compagnie de Simon.
Notre petit homme est beaucoup plus sérieux que son
frère aîné. Il étudie bien et s'intéresse beaucoup à la
géographie. Lui aussi a le voyage dans le sang parce
qu'il dit qu'il se fera ingénieur et cartographe pour
dessiner les cartes des endroits du monde où il ira. En
voilà un autre qui s'envolera au loin et que nous ne
reverrons que de temps à autre, si jamais nous le
revoyons.

— Il ne faut pas penser ainsi, dis-je, mieux vaut
croire que nos enfants sauront revenir souvent à la
maison.

Je crois que c'était la déception d'avoir manqué les
fêtes du carnaval qui rendait Radegonde si mélan-
colique, elle qui d'ordinaire voyait toujours la vie si
belle. Je lui demandai s'ils avaient fait d'autres choses

à Québec. Son visage s'illumina quand elle évoqua leur visite au Passage, à Charlesbourg.

—Nous avons eu le bonheur de causer avec Le Matou et Le Chauve. Ils nous ont donné des nouvelles du charpentier Marceau. Nous avons été fort heureux d'apprendre qu'il s'était arrêté à Charlesbourg en revenant de chez nous et qu'ils avaient parlé en bien de nous à nos amis. Quant au meunier Faye, il fait tourner le moulin de Grondines.

Puis elle se tut un moment et son visage se rembrunit. Elle murmura :

—Nous avons aussi appris le décès de sa femme Honorine, ce qui nous a beaucoup attristés. Après tout, elle était la marraine de Fanchon.

Vu leur peine, je mis du temps à leur annoncer que pendant leur absence, un de leurs grands amis nous avait également quittés. J'en avisai d'abord Radegonde.

—Ici aussi, dis-je, une mauvaise nouvelle nous afflige.

—Quoi donc ?

—Le seigneur de Verchères est décédé.

Elle porta aussitôt la main à sa bouche comme quelqu'un qui ne veut pas croire ce qu'elle entend, et elle devint si pâle que je dus lui faire sentir des eaux fortes pour qu'elle reprenne ses couleurs. Elle voulut tout de suite se rendre auprès de son amie Marie. Quand Marcellin en fut avisé à son tour, il demanda à Jimmio d'atteler la jument à la carriole et ils se rendirent sur-le-champ au fort de Verchères.

❖

Avant même le retour de Marcellin et Radegonde au manoir, Fanchon y arriva de Montréal. Il fallait voir le visage de ses parents passer de la peine à la joie quand, de retour du fort de Verchères, ils s'aperçurent de la présence de leur fille. La belle Fanchon leur procura beaucoup de bonheur en leur annonçant qu'elle serait de nouveau mère. Elle était déjà grosse de quatre mois et avait préféré venir leur apprendre cette bonne nouvelle de vive voix. Elle séjourna quelques jours au manoir et le petit Marcellin fut gâté de belle façon par ses tantes. Quant aux grands-parents, c'est connu, ils ne savent rien refuser à leurs petits-enfants. Le jeune Marcellin put profiter largement de leurs bons soins.

Moi, dans tout ça, j'étais tellement heureuse de voir comment la simple visite de leur fille aînée pouvait faire plaisir à ses parents que je ne manquai pas de le faire remarquer à Fanchon. Elle promit de revenir plus fréquemment. Mais souvent la vie ne se montre pas aussi attentive à nos bonheurs que nous le souhaiterions.

Fanchon donna naissance à un autre fils au cours de l'été. Marcellin et Radegonde se rendirent à Montréal pour le baptême de Guillaume.

Chapitre 31

Un mot de Fanchon

Si, du côté de Québec, on se plaignait du piètre rendement des terres, ce qui était cause d'une certaine disette, nous n'avions pas à Verchères à déplorer de mauvaises récoltes. Les jours filaient sans malheur et au manoir, Radegonde pouvait de plus en plus compter sur l'aide de sa fille Marie, qui était devenue en quelque sorte son bras droit. Elle imitait sa mère en tout, et c'était plaisir de la voir s'occuper avec sollicitude de sa sœur Ursule. La jeune infirme n'était pas dépourvue de vivacité d'esprit, mais son corps ne lui donnait pas autant de satisfactions. Elle attrapait tous les maux, si bien qu'elle demandait beaucoup de soins que ne manquait pas de lui prodiguer Marie. Radegonde me disait souvent en parlant d'elle : «Heureusement que je l'ai!»

❖

Quant à Fauchon, elle ne manquait pas d'écrire régulièrement à ses parents, comme en fait foi le mot qui suit. Radegonde lui en était reconnaissante, comme elle me l'a maintes fois souligné. Chaque lettre de sa fille aînée était un réel cadeau pour elle. Celle-ci, par contre, la laissa bien songeuse.

Montréal, 6 juin 1701

Chers père et mère,

Ce petit mot pour vous informer des dernières nouvelles nous concernant.

Ici tout va bien. Les enfants grandissent à vue d'œil. Vous devriez voir mon petit Marcellin comme il sait s'amuser de tout et de rien, et notre Guillaume qui va bientôt nous surprendre en marchant.
Je me rends compte tout à coup que si je vous parle de cela, au fond, c'est afin de repousser le plus loin possible une nouvelle qui, si elle réjouit Jean, me laisse plutôt peinée. Il est question qu'il soit appelé à passer en France avant l'automne. Il aura à y guerroyer, ce qui m'apeure, et nous devrons, les enfants et moi, le suivre là où il ira, ce qui me chagrine quelque peu, puisque je me faisais petit à petit à la vie que nous menons ici. Je devrai laisser toutes mes amies et m'éloigner de vous que j'aime tant. Tout cela pour dire que le bonheur des uns fait souvent le malheur des autres.

Je vous tiendrai informés de ce qui arrivera et je ne partirai point, si cela doit advenir, sans aller passer quelques jours avec vous tous au manoir.

Votre Fanchon

❖

Quand, à la mi-août, Fanchon arriva avec ses enfants, Radegonde comprit tout de suite que leur fille venait les informer de son départ imminent pour la France. Celle-ci passa quelques jours au manoir, s'efforçant de paraître heureuse, mais sa bonne humeur ne trompait personne. À l'heure de son départ, il se fit parmi nous un silence qui parlait plus que tout.

❖

D'esprit plus indépendant, Simon donnait peu de ses nouvelles. Il fit une visite surprise au manoir au cours du mois d'août. Je m'en souviens encore fort bien. Il était devenu un jeune homme fort sérieux qui parlait lentement, en choisissant bien ses mots, et savait expliquer clairement en quoi consistaient ses études. Il était reconnaissant à ses parents de lui permettre d'étudier sans avoir à se préoccuper de travailler afin de payer son logement et sa nourriture. À son dernier souper au manoir, il dit à ses parents :

—Il y a maintenant près de deux ans que grâce à votre générosité, je peux étudier à Québec. Je n'oublie pas que ce sera grâce à vous si un jour je réalise mon rêve qui est de devenir cartographe. Je tenais à vous le dire de vive voix. Vous me pardonnerez de ne pas écrire plus souvent, mais mon travail m'accapare tellement que je ne suis guère enclin à le faire.

—Nous le comprenons fort bien, dit Marcellin. Ce qui importe, c'est que nous ayons ta visite de temps à autre comme tu le fais.

—Je m'efforcerai tant que je serai au pays de venir régulièrement au manoir.

—Aurais-tu l'intention de partir au loin toi aussi ? s'inquiéta Radegonde.

—Mère, j'ai ici de bons professeurs, mais je crois bien qu'il me faudra songer à me rendre en France parfaire mes études. De plus, j'irai là où je pourrai cartographier des endroits encore mal connus. Ainsi, peut-être me retrouverai-je où va Renaud. Ce serait bien agréable d'être quelque part en sa compagnie. Je suis heureux d'avoir pu lire les lettres qu'il vous a expédiées. Je vais, pour ma part, faire mon possible pour vous tenir informés de mes intentions. Je mesure l'importance qu'il y a d'écrire à ceux qui nous aiment.

Pendant que Simon parlait, je regardais ses parents, en admiration devant leur enfant qui les impressionnait par son aplomb et son assurance tranquille.

Marcellin ne manqua pas d'ailleurs de dire à Radegonde
après qu'il fut parti :

— Celui-là, ma mie, nous n'avons pas à nous
inquiéter pour son avenir, tant il sait où il va.

Chapitre 32

Épidémie et nouvelles

Chaque année, avec l'arrivée des navires, nous nous demandions s'il ne se déclarerait pas une épidémie mortelle apportée par l'un ou l'autre des passagers. Fort heureusement, nous habitions loin de Québec, ce qui, sans nous garantir d'éviter la contagion, nous protégeait tout de même de ces épidémies subites qui en quelques jours ou quelques semaines entraînaient des dizaines de morts.

Cette année 1702 fut particulièrement marquante à ce sujet. Une épidémie de petite vérole se déclara à Québec après l'arrivée d'un chef de la mission du Sault. Ce Sauvage, malade, fut hospitalisé dans une famille et on constata rapidement que son corps se couvrait de pustules. Porteur de la petite vérole, il en mourut et après lui les gens chez qui il avait habité. Sa maladie se répandit rapidement un peu partout dans la colonie, mais surtout à Québec et dans les environs. Nous restions enfermés au manoir, n'osant y accueillir quiconque par crainte d'être contaminés. On nous apprit au bout de quelques mois qu'il y avait des centaines de personnes qui en étaient mortes à Québec et dans la région. Il paraît qu'on n'y sonnait même plus le glas tant il y avait de morts.

Marcellin fut prévenu de la sorte du décès de certaines personnes qu'il connaissait : Charles et Nicolas Rageot, les greffiers de la prévôté de Québec, et de quelques seigneurs qu'il avait rencontrés : Pierre-Jacques de Joybert, seigneur de Soulange, Philippe-Olivier Morel, seigneur de La Durantaye, et également Alexandre Berthier de Vilmur.

❖

Par chance, Marcellin et Radegonde pouvaient se féliciter d'une chose : deux de leurs enfants, Renaud et Fanchon, se trouvaient loin de ce fléau. Ils se morfondirent toutefois pour la santé de Simon qui, fort heureusement, fut épargné par cette maladie. Une lettre que Fanchon leur fit parvenir avant le déclenchement de cette épidémie ne manqua cependant pas de leur causer quelque souci :

Québec, 7 septembre 1702

Chers père et mère,

C'est moi, votre Fanchon, qui vous écrit avant notre départ pour la France. Nous sommes arrivés hier à

Québec pour nous embarquer dans un jour ou deux à destination de La Rochelle sur le navire Le Griffon. *Quand j'ai su le nom du vaisseau, je me suis dit qu'il nous porterait chance. Un griffon n'est-il pas un aigle avec un derrière de lion et des oreilles de cheval ? Il a la réputation d'être un sauveteur.*

Nous avons eu le bonheur de souper en compagnie de Simon, qui me semble beaucoup à son affaire. Il veut devenir ingénieur cartographe et il fait tout pour y parvenir. C'est un garçon sérieux dont vous avez bien raison d'être fiers. C'est déjà un homme qui parle avec beaucoup d'aplomb et d'enthousiasme. Il nous a longuement entretenus de ce qui sera son gagne-pain. Ses propos furent fort appréciés de Jean qui a souhaité à savoir de quelle manière on s'y prend pour mesurer les distances et les hauteurs. Simon a tout expliqué, mais je n'en ai rien retenu tellement j'avais l'esprit ailleurs et le cœur triste de vous quitter ainsi que notre beau pays. Je me demande ce que je deviendrai en France. Les enfants ne se rendent vraiment pas compte de tout ce grand changement. Pourvu que nous leur assurions la sécurité, ils sont heureux comme doivent l'être des enfants.

Je pars en ne sachant pas combien de temps nous serons éloignés. Tout ce que je souhaite, c'est de revenir le plus tôt possible au pays. Sans doute que Jean sera là-bas pour quelques années, mais même si c'est très loin, je ferai tout ce que je peux pour vous venir voir avec les enfants. Je ne veux surtout pas que leurs grands-parents soient des étrangers pour eux.

Dès que je serai rendue là-bas, je vous ferai savoir comment me joindre et je ne manquerai pas de vous écrire souvent en espérant que vous recevrez toutes les lettres que je vous enverrai. Je n'oublie pas que je vous dois tout et que vous avez été pour moi les meilleurs parents souhaités. Je vous embrasse avant que mes larmes ne brouillent mon écriture.

Votre Fanchon

Je me rappelle fort bien toute l'émotion ressentie par Radegonde à la lecture de cette lettre. Fanchon était pour elle et Marcellin la préférée, sans doute parce qu'elle était née ici avant la grande épreuve qui les avait contraints de regagner la France. C'était leur aînée et, pour eux, elle représentait toute leur vie jusque-là. De la voir partir si loin leur fendait le cœur. Tout ce qu'ils désiraient, c'était la savoir heureuse et ils sentaient bien que cet éloignement était un fardeau pour elle.

❖

Quelques jours à peine après la réception de cette lettre de Fanchon leur parvint une nouvelle missive, celle-ci de Renaud. Il y racontait les dernières péripéties de sa vie, fort mouvementée, puisqu'il se trouvait dès lors en Louisiane, toujours avec le commandant d'Iberville. Il rapportait une nouvelle qui toucha vivement Marcellin; parmi les hommes en garnison à Biloxi se trouvait un nommé La Musique, qui jouait du violon comme pas un. Renaud avait fait sa connaissance et ce La Musique lui avait dit qu'il connaissait bien la Nouvelle-France pour y être allé autrefois.

❖

Il y a des années comme ça où toutes les nouvelles semblent bonnes. Marie Perrot apprit à Marcellin qu'elle avait donné à même sa seigneurie, près de l'enclos qui servait de cimetière où reposait le sieur Jarret, un morceau de terre pour la construction d'une chapelle.

En apprenant cette nouvelle, Marcellin se hâta de se rendre sur place. Il tenait à parler à la seigneuresse afin de s'assurer que le contrat qui serait passé le soit avec un entrepreneur fiable. «Au besoin, disait-il, je ferai venir de Québec le sieur Larivière.» Marie Perrot le reçut avec plaisir et lui dit:

— Malheureusement, je n'ai pas les sommes nécessaires pour couvrir les frais de construction.

— Vous n'aurez pas à le faire! s'écria Marcellin. Je me charge de réunir tous les habitants de la seigneurie et nous verrons à l'érection de cette chapelle.

Deux semaines plus tard, muni d'un plan pour une chapelle d'une cinquantaine de pieds de longueur par vingt de largeur, Marcellin réunit au fort de Verchères tous les habitants de la seigneurie et leur dit:

—Mes amis, vous serez heureux d'apprendre, comme je le fus, que notre seigneuresse a donné à l'Église le terrain nécessaire pour la construction d'une chapelle. C'est à nous maintenant de relever nos manches pour que nous puissions disposer le plus tôt possible de cet édifice qui nous permettra d'accueillir un prêtre tous les dimanches, ce qui nous évitera désormais de courir à Contrecœur.

Un homme qui paraissait quelque peu septique demanda :

—Qu'attendez-vous de nous ?

—Vous savez tous, répondit Marcellin, que lorsqu'un malheur frappe l'un d'entre nous, nous faisons une corvée pour lui redonner un toit. Ce que je vous demande aujourd'hui, c'est la corvée pour donner un toit au bon Dieu.

Les hommes voulurent savoir à quoi les engagerait cette corvée. Quand Marcellin leur fit voir le plan de la chapelle, la plupart se rebiffèrent :

— Elle sera trop grande !

—Trop grande ? Allons donc ! C'est bien ce que nous pouvons construire de plus petit pour le bon Dieu.

Après discussion, ils passèrent au vote et refusèrent de s'engager pour cette construction. Marcellin fut désolé d'apprendre ce refus à Marie Perrot.

—Il faut croire, dit-il, que le fruit n'est pas mûr…

Chapitre 33

Visite de Simon
et nouvelles de Fanchon

Le printemps nous réjouissait de ses meilleures journées de douceur quand s'amena au manoir nul autre que Simon. Il avait bien vieilli et était devenu savant dans la profession qu'il voulait poursuivre. Marcellin se montra fort intéressé à son travail.

— Ainsi, tu dessines des cartes de lieux qui n'ont pas encore été visités ?

— Oui et non ! Souvent ces lieux, comme le fleuve, les lacs et les rivières, ont vu passer bien des voyageurs, mais l'hydrographie n'en a pas été faite et par conséquent, les cartes qui en existent sont très incomplètes.

— Si je comprends bien, ton travail consiste donc avant tout à établir l'hydrographie de la contrée avant d'en dessiner la carte ?

— Exactement. J'établis la topographie des lieux. J'en dessine les reliefs afin que soient bien définis, par exemple, le contour d'un lac, les berges d'une rivière ou celles du fleuve, de telle sorte que les voyageurs puissent savoir d'avance où se trouvent les obstacles, comme les hauts-fonds, qu'ils doivent contourner.

— C'est un travail fort utile, le félicita Marcellin.

— Il l'est quand tout est fait avec exactitude, mais pour y parvenir, il faut avoir en main les bons instruments, et c'est ce qui nous manque le plus ici.

— Je présume, en conclut Marcellin, que les cartographes sont mieux outillés en France.

— Vous savez, père, qu'un menuisier a beau être excellent, s'il n'a pas en main les bons outils de travail, il ne peut pas parvenir à fabriquer avec autant de perfection les meubles qu'il désire réaliser. Il en va de même pour moi présentement. Je ne suis pas entièrement satisfait des cartes que je dessine parce que mes instruments de mesure sont trop anciens. Si je veux un jour être content de ce que je fais, il me faudra vraisemblablement aller travailler en France.

Ainsi, Simon préparait le terrain. Lui aussi risquait de nous quitter pour d'autres cieux. Radegonde, comme elle me le dit après son départ, avait des pincements au cœur simplement à songer qu'il irait gagner sa vie au loin.

Au cours du souper, alors que nous étions tous autour de la table à l'écouter raconter ce qu'était sa vie, il nous parla d'un phénomène étrange qui s'était passé à la fin de l'été à Québec. Des milliers et des milliers d'oiseaux appelés des tourtres ou des tourterelles s'étaient abattues dans les champs.

— Elles arrivaient en voiliers de plusieurs centaines, dit Simon, si bien que le ciel en était obscurci.

— Il y en avait autant que ça?

— Je dirais des centaines de milliers. Nous pensions qu'il allait cesser d'en arriver, mais c'était un défilé sans fin. Tous les champs autour de la ville en étaient couverts. Pour protéger leurs récoltes que les tourtres dévoraient avec grand appétit, les habitants en tuaient par dizaines à coups de bâton. D'un seul coup de feu, ils pouvaient en abattre facilement une douzaine. Elles étaient bonnes à manger, mais causaient dans les récoltes des dommages irréparables.

— Est-ce qu'elles sont demeurées là longtemps?

— Quelques jours, mais vous auriez dû voir comment elles étaient voraces.

— Quand avez-vous fini par vous en débarrasser?

— Après plusieurs jours, elles s'envolèrent vers le sud, formant des voiliers si compacts qu'elles cachaient le soleil comme les nuées par un jour de pluie. Il paraît que les gens de la rive sud du fleuve, du côté de la seigneurie de Lotbinière, en virent passer pendant des heures.

Après nous avoir ainsi entretenus de ce phéno-mène, Simon parla de nouveau de son travail et nous informa qu'il avait écrit en France au sieur Franquelin, qui avait été cartographe ici pendant vingt ans, du temps du gouverneur Frontenac. Le sieur Franquelin lui avait répondu qu'il gagnerait beaucoup à se rendre en France travailler avec lui. Simon nous dit qu'il étudiait sérieusement la possibilité de faire le voyage, une fois terminé un travail qu'il avait commencé du côté de Charlevoix. Parlant du sieur Franquelin, il nous raconta le grand malheur subi par cet homme. En effet, rappelé en France en 1692, il y passa avec son fils aîné. Il était marié à Élisabeth Aubert. Il demanda au roi l'aide nécessaire pour rapatrier sa famille. Son épouse, huit de ses enfants et leurs deux servantes montèrent à bord du *Corossol* à Québec pour se rendre en France au mois de novembre suivant. Le navire fit naufrage près de Sept-Îles et Franquelin perdit ainsi toute sa famille, à l'exception de ceux qui n'étaient pas du voyage, soit deux de ses filles déjà mariées et son fils aîné qui l'avait accompagné en France.

❖

Cette visite de Simon, bien qu'elle laissât présager son départ pour la France, fit grand bien à ses parents. Elle fut suivie, quelques semaines plus tard, par une lettre de Fanchon.

Annecy, 3 avril 1703

Chers père et mère,

Je vous espère en bonne santé comme nous le sommes ici. Les enfants grandissent bien en ce pays de France où nous habitons du côté de la Savoie. Je serais bien heureuse de ce que nous donne la vie si nous n'étions pas si loin de vous et si Jean faisait un métier où les dangers s'avèrent moindres. Chaque fois qu'il nous quitte, le cœur me serre, car j'appréhende le moment où il ne reviendra pas. Il est appelé parfois à combattre pendant plusieurs jours. J'aime mieux ne pas le savoir, car je ne vis plus. Quand il vient en congé, il parle peu des dangers qu'il court, mais je ne suis pas dupe. Quand l'amour m'est tombé dessus, je ne m'interrogeais pas sur ce qui allait se produire. Je ne m'inquiétais pas du métier de mon futur époux. C'est maintenant que je m'éveille à tout cela.

Je me suis fait quelques amies à Annecy et nous nous promenons avec les enfants tout près du lac du même nom. L'endroit est splendide et entouré de hautes montagnes. Jean, qui nous quitte pour de longues périodes, me manque beaucoup ainsi qu'aux petits. La vie ici est bien différente de notre vie de Verchères. Je m'y fais tranquillement, mais rien, je le sais, ne saura remplacer notre vie si agréable au bord du grand fleuve. Je me sens déracinée et j'aspire à ce moment où j'aurai le bonheur de vous revoir tous.

Gardez-vous en bonne santé, pour qu'un jour j'aie le grand bonheur de vous serrer de nouveau dans mes bras.

*Votre fille Fanchon qui pense à vous
sans discontinuer*

Chapitre 34

Un décès, une fraude et une lettre

Pendant que les aînés de la famille, tous au loin, faisaient de temps à autre parvenir de leurs nouvelles, les plus jeunes grandissaient bien, sauf Ursule dont la santé se mit à décliner sans que le chirurgien appelé à son chevet puisse déterminer de quoi elle souffrait. Elle avait une toux continue.

À Radegonde qui s'inquiétait de plus en plus de la santé de sa fille, le médecin ne sut que répondre. Après avoir reniflé avec attention les urines de la petite, il dit:

— Elle souffre d'une dégénérescence générale attribuable sans doute à cette toux.

— Que peut-on faire pour la soulager et la guérir?

— Qu'on lui renouvelle les sangs par des saignées et qu'elle prenne beaucoup de repos au soleil et à la chaleur. Je ne vois rien d'autre…

Au bout de quelques jours, la toux empira et elle se mit à cracher du sang. Pressé d'intervenir, le chirurgien déclara:

— On ne peut rien contre le sang, il marque le début de la fin.

Malgré toute l'attention et les bons soins de Radegonde, la petite s'éteignit doucement au début de l'été. Faute de chapelle à Verchères, ses funérailles eurent lieu au manoir. Elle fut la première à reposer auprès du seigneur du lieu, dans l'enclos donné par Marie Perrot pour le cimetière. Marcellin en profita pour y acheter un lot pour sa famille.

❖

La mort de sa sœur affecta profondément Marie. Elle se languissait au manoir, ce qui peinait grandement Radegonde. Elle s'en ouvrit à Marcellin en disant :

— Notre Marie aurait peut-être besoin d'un changement d'air.

— Mais où l'envoyer ? demanda Marcellin. Elle n'a pratiquement jamais quitté le manoir si ce n'est pour se rendre chez les Jarret. L'éloigner de nous pourrait tout aussi bien empirer son cas. Ce que je vois de mieux, c'est de la tenir toujours occupée.

Ce fut ainsi qu'on me confia la tâche d'intéresser Marie à tout ce qui pourrait la distraire. Elle n'avait jamais été passionnée par le calcul et je n'étais pas parvenue, malgré tous mes efforts, à la captiver pour cette science. Mais voilà que me vint une idée qui s'avéra fort utile pour la faire se pencher sérieusement sur cette matière. Je lui montrai le livre de raison où sa mère inscrivait fidèlement les dépenses quotidiennes. Elle comprit de la sorte l'importance de tenir à jour les comptes de famille.

— C'est la seule façon, lui dis-je, de savoir où nous en sommes dans nos revenus et nos dépenses, ce qui nous permet de voir à l'entretien de nos biens et à nous assurer de ne rien manquer à l'avenir.

— Vraiment? dit-elle, un peu septique.

Pour mieux la convaincre, je lui montrai le livre de comptes que je tenais pour mes menues dépenses et je lui dis :

— Si vous désirez, un jour à la suite de votre mère, prendre en charge le bon fonctionnement du manoir, vous devrez être en mesure de savoir bien calculer.

Ce fut ainsi que je parvins à la distraire peu à peu de sa peine. Elle se rapprocha davantage de sa mère qui lui confia quelques responsabilités dans le bon entretien du manoir et je sus, dès lors, que le manoir resterait dans la famille tant que vivrait Marie.

❖

Marcellin fut au cours de cette année-là mêlé bien malgré lui à un sérieux problème de justice. Il avait succédé au seigneur Jarret comme juge seigneurial et les gens l'appréciaient pour ses jugements justes, qui portaient le plus souvent sur des délits mineurs.

Le gouverneur Vaudreuil et l'intendant Beauharnois avaient émis de la monnaie de cartes. Quand, dans une transaction, on échangeait ce genre de monnaie pour des écus sonnants, on détruisait les cartes utilisées dans l'échange. Mais ces cartes, qui provenaient de simples jeux de cartes, pouvaient être aisément falsifiées. Ce fut à ce méfait que s'employa un habitant de Verchères. Dans une transaction concernant une terre, il présenta des cartes fausses. Il fallait avoir l'œil exercé pour s'en rendre compte. Cependant Marcellin découvrit le subterfuge et prétexta une erreur au contrat qu'il avait rédigé pour retarder la transaction. Entre-temps, il contacta les gendarmes qui se présentèrent chez l'habitant en question.

Lors du procès qui s'ensuivit, Marcellin fut appelé à témoigner. Quand il revint au manoir, il s'empressa de raconter à Radegonde comment les choses s'étaient passées.

— Te souviens-tu, ma mie, de mon procès du temps où nous vivions à Charlesbourg ?

— Comment aurais-je pu l'oublier ?

— Je n'avais jamais remis les pieds dans un tribunal de haute instance depuis cette affaire. Toute la mémoire m'est revenue d'un coup quand j'y fus. Et moi, qui ai maintenant à rendre justice pour des causes de rien du tout, je me suis demandé si j'aurais été capable de juger des causes de cet ordre, bien que, dans ce cas, il fût évident qu'il s'agissait de fausses cartes.

— Et tu l'aurais pu ?

— Je l'ignore, parce que l'accusé, même s'il a été condamné, n'a pas cessé de plaider son innocence, disant que ces fausses cartes, il les avait eues lors d'une obligation et qu'il n'en était aucunement l'auteur. Je m'en suis presque voulu de l'avoir dénoncé.

— Dans la vie, conclut Radegonde, la vérité est ce qui est le plus difficile à connaître.

❖

Le temps passait, et Marcellin et Radegonde étaient parfois des mois, sinon des années, sans nouvelle de Renaud. Ils s'inquiétaient sans cesse en se demandant si, un jour, ils n'apprendraient pas son trépas. Aussi, chaque fois qu'une lettre leur parvenait, ils hésitaient avant de la décacheter, se demandant s'ils auraient le plaisir d'apprendre de bonnes nouvelles ou la peine de découvrir l'inéluctable.

En cette année 1704 leur parvint une lettre déjà vieille de deux ans dans laquelle Renaud écrivait qu'il se trouvait à La Havane avec idée de s'embarquer sur un vaisseau qui faisait la chasse aux Anglais. Sa mère ne vivait plus quand elle apprenait pareille décision de son fils.

Chapitre 35

Un beau mélange

Radegonde cherchait de quoi lire. Elle demanda à Marcellin s'il n'avait pas dans sa bibliothèque un livre qu'elle n'aurait point encore lu. Il lui en donna un tout petit en disant :

— Tu te souviens quand, à Charlesbourg, j'entendis la voix qui causa ma perte ?

— Oh ! Je m'en souviens comme si c'était d'hier.

— Eh bien ! Le livre que voici est celui que je lisais à ce moment-là.

Radegonde le prit du bout des doigts comme s'il se fut agi d'un objet brûlant.

— Tu l'as conservé, dit Radegonde. Je l'ignorais.

— Il est de monsieur de La Fontaine, précisa Marcellin. Les leçons qu'on y trouve sont si justes qu'il m'arrive encore de lire une fable ou l'autre uniquement pour ce qu'elle nous rappelle.

Radegonde prit le livre, l'ouvrit au hasard et se lança dans la lecture de la première fable qui lui tomba sous les yeux. C'était celle du *Conseil tenu par les rats*. Elle y releva surtout la phrase : « Honteux comme un renard qu'une poule aurait pris. » Et cette morale : « La Cour en conseillers foisonne, est-il besoin d'exécuter, l'on ne rencontre plus personne. »

— Il n'y a rien de plus vrai que la morale de la fable que je viens de lire, dit-elle à Marcellin.

— Laquelle donc ?

— Il y a bien des personnes pour conseiller mais si peu pour exécuter.

Marcellin la regarda, un sourire en coin.

— Où veux-tu en venir ? demanda-t-il.

— Combien de fois n'avons-nous pas entendu des gens déplorer le fait que nous n'avons pas de chapelle à Verchères ? Quand il s'agit de dire, les gens sont là. Mais qu'attendent-ils pour en commencer la construction qui nous vaudrait un curé sur place ?

— Ma mie, il ne faut pas désespérer, Marie Perrot a donné l'espace de terre qu'il faut pour ériger une chapelle et un presbytère, sans compter l'enclos du cimetière. Pour lors, les habitants se contentent de se rendre à la messe à Contrecœur, mais ils finiront bien par se regrouper et demander l'érection d'une chapelle. Il est grand temps que cela se fasse. Pour plusieurs, se rendre tous les dimanches pour la grand-messe à Contrecœur devient pratiquement une corvée. Peut-on les en blâmer ? Quand il fut question de la construire, certains habitants disaient qu'ils n'auraient pas les moyens de l'ériger. Mais aujourd'hui, en revenant à la charge, sans doute réussirions-nous à les convaincre...

❖

Jusque-là, les lettres qui leur parvenaient étaient apportées au hasard des déplacements de l'un ou l'autre habitant à Québec. Souvent l'un d'entre eux, rarement le même, après être allé s'enquérir s'il y avait une ou des lettres pour lui, était chargé de rapporter celles de ses voisins.

Mais voici qu'en cette année 1705, une lettre qui leur était destinée leur fut livrée par un dénommé Pierre da Silva, un petit homme vif qui semblait toujours se déplacer sur la pointe des pieds lorsqu'il marchait. À Marcellin qui le remerciait, il répondit :

— Je veux bien accepter vos remerciements, monsieur Perré, mais je n'ai guère de mérite.

— Pourquoi donc ?

— Parce que je viens d'être nommé expressément pour distribuer les lettres arrivées à Québec jusqu'aux Trois-Rivières et Montréal.

— Qu'est-ce donc alors qui nous vaut votre visite à Verchères ?

— Un nombre fort grand de lettres pour une seule seigneurie. J'ai donc voulu voir la place et j'y suis venu sur ma route de retour vers Québec, puisque ça ne m'occasionnait pas un grand détour. J'en profite, vous savez, pour me familiariser avec ces coins du pays qui me sont moins bien connus.

— Est-ce à dire que désormais nous recevrons toujours notre courrier de vos mains ?

— Non point ! Mais sachez, ajouta-t-il en bombant le torse, que les lettres que vous recevrez auront toutes transité par moi.

Celle qu'il leur apportait venait de France. Marcellin dit tout de go à Radegonde :

— Tu seras heureuse, ma mie, car j'y reconnais l'écriture de Fanchon.

Le facteur parti, Marcellin la décacheta et en commença la lecture à haute voix :

La Rochelle, 25 avril 1705

Chers père et mère,

Je suis présentement à La Rochelle avec mes enfants. Pour expédier cette lettre, je profite du premier vaisseau en partance pour Québec. J'y serais montée avec les enfants si nous avions pu, mais c'est d'abord et avant tout un vaisseau marchand, Le Lion d'or, *et les places pour les passagers y sont quasi inexistantes.*

Un autre vaisseau, L'Étoile de mer, *fera voile vers Québec d'ici deux semaines et j'y ai retenu nos places. Nous rentrons définitivement chez nous puisque je suis veuve. Jean a été tué, il y a un mois et demi, lors d'une manœuvre militaire du côté de l'Italie. La joie que j'ai de revenir au pays compense quelque peu toute la peine que nous avons eue, les enfants pour la perte de leur père et moi pour celle d'un mari que j'aimais, mais avec qui, tout bien considéré, j'ai passé peu de temps, tellement il était constamment accaparé par ses missions militaires.*

Nous devrions être à Québec, si Dieu et les vents le veulent bien, vers la fin du mois de juin. Puis-je solliciter votre aide en me garantissant ainsi qu'à vos petits-enfants l'hospitalité de votre manoir, le seul endroit où je me suis vraiment toujours sentie chez moi? J'aurai bien besoin de votre sollicitude pour me redonner le goût de vivre après la dure épreuve que je viens de passer.

J'ai grande hâte de vous revoir tous puisque je vous porte toujours en mon cœur.

Votre Fanchon

❖

Comme elle l'avait laissé entendre, Fanchon débarqua à Québec à la fin de juin. Voyant la fin du mois arriver, Marcellin s'y était rendu à bord d'un voilier parti de Montréal, où Jimmio l'avait conduit. Sur le quai de débarquement à Québec, il put accueillir sa fille et ses petits-enfants, et ce fut encore en barque qu'ils gagnèrent Verchères.

Depuis des semaines, Radegonde, aidée de Marie, se démenait pour accueillir son aînée avec toute la chaleur et tout l'amour que peut contenir le cœur d'une mère qui n'a pas vu son enfant depuis cinq ans et qui n'a encore jamais pu gâter ses petits-enfants.

De tous, c'était Clément qui se montrait le plus impressionné par l'arrivée imminente de sa grande sœur, mais surtout par la venue de ses deux neveux avec lesquels il se promettait beaucoup de plaisir.

Quand enfin ils arrivèrent en compagnie de Marcellin, il nous sembla que le manoir se remit tout à coup à vivre. Fanchon, nous étions en mesure de nous en rendre compte, avait toujours été avec sa mère l'âme même de cette maison. Elle était si émue de se retrouver parmi nous qu'elle fut incapable de retenir ses larmes. Mais nous savions tous qu'elles étaient faites de plus de joie que de peine.

Les jours qui suivirent son arrivée virent défiler au manoir beaucoup de monde dont Marie Perrot, venue en compagnie de Madelon, qui fit promettre à Fanchon une visite d'au moins une semaine chez elle en lui disant :

— Nous aurons bien besoin de tous ces jours pour reprendre le temps perdu et surtout pour évoquer tout ce temps passé chacune sous d'autres cieux.

— Une semaine, protesta Fanchon, je le voudrais bien, mais contrairement à toi, j'ai des enfants et ils ne laisseront pas partir leur mère si longtemps.

— Tu n'auras alors qu'à les emmener, n'est-ce pas, mère ? Il y a bien assez de place au manoir pour vous tous. Nous préparerons un grand banquet auquel nous convierons tes parents qui, comme mère le dit souvent, se font beaucoup trop rares.

Madelon, qui voulait visiblement reprendre sa place auprès de son amie, ne manqua pas d'ajouter que ce serait sans doute la dernière occasion de célébrer ensemble à Verchères, car elle quitterait bientôt les lieux. Intriguée, Fanchon lui demanda :

— Comment, Madelon, tu vas nous quitter à ton tour ?

— Pardi, oui ! Qui prend mari prend pays !

— Tu vas te marier ?

— Bien sûr !

— Et qui est l'heureux élu ?

— Ça, tu ne le sauras que quand tu tiendras ta promesse de me venir voir et je défends à tes parents, s'ils ne te l'ont point encore dit, de te révéler le nom de celui qui a pris mon cœur.

❖

Il y avait deux semaines que Fanchon était au manoir quand elle se rendit avec ses enfants chez les Jarret. La fête fut grandiose. Pour le repas, il y avait des pièces montées dignes des châteaux de France, et la Madelon était à ce point fière et volubile que si sa mère ne l'eut retenue, elle aurait tiré du canon à la seule évocation du passé.

Elle apprit à Fanchon qu'elle allait épouser, au cours du mois de septembre de l'année qui venait, nul autre que Pierre-Thomas Tarieu de La Naudière, seigneur de La Pérade.

❖

L'année ne devait pas se terminer sans la réception d'une lettre de Renaud. Elle était courte, mais résumait bien ses activités des deux dernières années. Il avait parfaitement suivi son idée et était monté à bord d'un navire commandé par un corsaire du nom de Morpain qui prenait en chasse les navires ennemis.

Chapitre 36

Les enfants, le curé,
un mariage et une visite

Fanchon revenue, on eût dit que le manoir entier s'était remis à vivre. Radegonde entourait sa fille de toute son affection. Elles passaient des heures ensemble, souvent en compagnie de Marie, à s'occuper de tout ce qui met de la vie dans une maison. Elles se permettaient de jouer aux cartes et venaient souvent me chercher comme quatrième partenaire. Fanchon n'avait de cesse de me dire comme elle était heureuse que son père m'ait fait la faveur de me garder, même si je n'avais plus à m'occuper que des études de Clément. Celui-ci se montrait quelque peu récalcitrant, trop intéressé qu'il était par tout sauf par s'asseoir pour étudier sérieusement. Mais comme il était fort intelligent, il ne mettait guère de temps à saisir tout ce qu'il lui importait de savoir afin de se destiner à la profession que son père désirait lui voir embrasser, celle de chirurgien.

Je n'osais pas avouer à Marcellin que Clément n'avait aucun désir de devenir chirurgien, pas plus que notaire ou soldat. Il disait souvent que, comme son frère Simon, il parcourrait le monde, non pas pour en dresser la carte, mais bien pour voir ce qui se passait ailleurs, et qu'un jour peut-être il ferait le récit de ses pérégrinations. Mais je le trouvais si peu enclin à s'asseoir pour travailler que je ne voyais pas comment il parviendrait à écrire ses mémoires.

De son côté, Simon ne donnait guère de nouvelles. Nous le savions toujours à Québec. Il se promettait constamment de venir au manoir, mais il y avait chaque fois un empêchement quelconque. Il travaillait ferme à cartographier les berges du fleuve. Marcellin espérait toujours que son travail le mènerait à Verchères. Nous eûmes de ses nouvelles par Pierre Gaultier de Varennes, un ami qu'il s'était fait à Québec, car les deux n'avaient pas eu l'occasion de se connaître lorsqu'ils se voisinaient, étant plus jeunes.

❖

Nous allions à la messe à Contrecœur les dimanches où le missionnaire ne venait pas à Verchères. Radegonde avait exprimé le souhait de voir une chapelle se construire à Verchères. Je comprenais facilement pourquoi, elle qui fréquentait l'église avec plaisir et se montrait désolée de ne pas avoir de curé chez nous. Celui de Contrecœur était un homme passablement aigri qui ne manquait jamais, chaque dimanche, de pester contre ses paroissiens.

Un dimanche en particulier, il se surpassa, s'en prenant ouvertement à ceux qui se permettaient de s'insulter et de chuchoter à l'intérieur de l'église, qu'ils quittaient discrètement avant le prône pour aller fumer, et qui dérangeaient même les retardataires désireux de pénétrer dans l'église. Il fit lecture d'une ordonnance de l'intendant Raudot auprès de qui il avait porté plainte. Il y était écrit que désormais, ceux qui viendraient à la messe en boisson et ceux qui sortiraient pour fumer au moment du sermon seraient condamnés à dix livres d'amende. Cette ordonnance eut pour effet de considérablement diminuer la fréquentation de l'église le dimanche. Les gens, surtout ceux qui venaient de loin, ne se laissaient pas facilement ordonner des choses contraires à leurs intérêts.

❖

Comme elle l'avait promis lors du retour de Fanchon au manoir, Madeleine Jarret de Verchères nous fit parvenir des invitations à son mariage, requérant même la présence de Fanchon comme dame d'honneur.

Les Tarieu de La Naudière descendaient d'une famille noble de France. Le père, Thomas Tarieu, décédé en 1678, était arrivé au pays treize ans plus tôt comme enseigne de la compagnie du sieur de Saint-Ours au régiment de Carignan-Salière.

Pierre-Thomas s'amena à Verchères en grand équipage. Sa mère venait de lui céder leur seigneurie de La Pérade. La noce fut grandiose. Radegonde se permit même de seconder son amie Marie dans la préparation du banquet qui suivit le mariage célébré à la chapelle de Verchères. Les festivités se prolongèrent au fort et au manoir des Jarret par une belle journée du début de septembre.

Fanchon en revint tout émue, se remémorant sans doute son propre mariage, mais également parce qu'elle y avait fait la connaissance d'un bel invité, le lieutenant François Pélissier, qui s'en retourna à Montréal après les noces, mais qu'elle se promit de revoir.

❖

Ces journées de festivités furent encore plus complètes quand Renaud apparut un midi au manoir, favorisant ainsi une nouvelle occasion de libations. Il y avait si longtemps qu'il n'y avait pas mis les pieds ! Il était tellement en verve et racontait si bellement ce qu'il avait vécu que chacun lui laissait la parole, écoutant religieusement le récit de ses exploits. Je voyais Marcellin quelque peu contrarié parfois d'entendre ce que son fils disait, non pas parce qu'il n'en était pas fier, mais bien parce qu'il aurait voulu épargner à

Radegonde le récit de scènes où visiblement leur fils avait risqué sa vie. Mais Renaud était bien vivant parmi eux et, comme autrefois, il ne manquait pas de taquiner Fanchon, toujours sa cible de prédilection. Elle savait cependant se défendre, comme cette fois où Renaud lui dit :

— Grande sœur, ça ne te rappelle pas la fois où je t'avais enfarinée des pieds à la tête ? Tu avais l'air d'un fantôme !

— Et j'en étais si furieuse que tu avais pris tes jambes à ton coup quand je t'avais menacé du fusil...

— Oh ! J'avais grandement raison de le faire puisque je connaissais alors tes exploits au fort de Verchères.

— Quels exploits ? Un coup de feu placé au bon endroit, au bon moment ?

— Non point ! Ne faisais-tu pas tourner la tête de tous les beaux soldats du fort ?

— Ah, ça ! C'est du passé.

— Et le présent, alors ? Je me suis laissé dire qu'un certain François n'est pas indifférent à ta présence. Je trouverai bien une chanson qui vantera ses exploits.

— Tu peux toujours essayer. Tes chansons ne me touchent point.

— Vraiment ? Il me semblait qu'autrefois elles t'affligeaient si bien que tu me courais après pour me faire taire.

— Ah ! C'était il y a bien longtemps !

Sans crier gare, Renaud se mit à lui chanter l'air suivant :

Ah vous dirais-je maman
À quoi nous passons le temps
Avec mon ami François
Sachez bien que lui et moi
Avons inventé un jeu
Auquel nous jouons tous deux.

Aussitôt, la lionne en Fanchon s'éveilla. Elle se saisit d'un bâton et fit si bien danser Renaud, occupé à esquiver ses coups, que toute la maisonnée se pâma de rire. D'un coup, le passé avait un instant refait surface. Les plus jeunes, que tout cela amusait, ne pouvaient se figurer tous ces bons moments d'autrefois, du temps où Fanchon et Renaud se taquinaient à qui mieux mieux. Je voyais s'embuer les yeux de Radegonde et se dessiner, derrière les sourires de Marcellin, la nostalgie cumulée de ces années de bonheur enfuies.

Renaud passa deux semaines au manoir, puis les jambes commencèrent à le démanger. Il ne tenait plus en place. Son ami Pierre Jarret, venu lui aussi séjourner quelque temps au fort et au manoir de Verchères, vint bientôt le rejoindre.

— Toute bonne chose a une fin, dit Marcellin. Je vois bien que de nouveau vous vous préparez à courir guerroyer.

— C'est notre métier, monsieur Perré, dit Pierre Jarret. Il ne faut pas nous en blâmer. Nous avons cela dans le sang comme d'autres ont la mer, ou la terre.

Il en faut beaucoup comme nous pour faire respecter nos biens et notre territoire.

Le lendemain, ils partaient tous les deux, là où les appelait leur destin.

Chapitre 37

Un départ, le ménage et une lettre

À peine Marcellin et Radegonde s'étaient-ils réjouis de la venue de Renaud qu'ils eurent à se désoler du départ de Simon. En effet, il vint au manoir pour annoncer qu'il passait en France travailler avec le sieur Franquelin. Son ami Pierre Gaultier de Varennes, engagé dans les troupes de la marine, serait du même voyage que lui.

Même si Radegonde était fort peinée de voir un autre de ses enfants s'éloigner pour une période indéterminée, elle s'efforça de son mieux de masquer son chagrin. Elle fit préparer pour son repas d'adieu, j'en suis persuadée, une des plus belles tables du pays.

❖

Avec les années, nous accumulons un tas de choses qui à la longue ne servent à rien et seraient fort utiles à des gens moins bien nantis. Le feu détruisit la maison d'un habitant de Verchères. Fort heureusement personne ne périt dans les flammes puisque tout le monde se trouvait alors à la messe du dimanche. Devant la désolation de ces gens, Radegonde accepta de se départir d'à peu près tout ce qui ne servait plus dans le grenier.

Aidée de Marie et de Félicité, elles descendirent du grenier une commode, une table, quelques chaises et également quelques hardes qui n'allaient plus aux enfants. Jimmio fut réquisitionné pour se rendre porter ces biens à la famille éprouvée. Il les trouva au fort, temporairement logés par Marie Perrot. Les meubles furent entreposés et grâce à la générosité des habitants de Verchères, ces gens étaient déjà presque mieux pourvus qu'avant l'incendie. Ils n'avaient cependant plus de maison. Toutefois, une corvée fut prévue et deux semaines plus tard, ils pouvaient s'établir sous un toit neuf, sur leur propre terre.

❖

L'année ne se termina pas sans que Marcellin reçoive une nouvelle lettre de Renaud. C'était chaque fois le même cérémonial. Marcellin réunissait toute la famille dans la grande salle et lisait religieusement les lettres reçues de son fils aîné. Il était pour lors à Port-Royal, en Acadie, toujours en chasse de vaisseaux anglais, mais il se proposait de revenir à Québec pour ensuite repartir combattre en Nouvelle-Angleterre.

❖

La lettre de Renaud nous était à peine parvenue qu'il nous fit la surprise de se présenter en personne au manoir. De nouveau, tout le monde se passionna à l'écoute du récit de ses prouesses. Cette fois, il annonça qu'il cessait sa vie de corsaire pour combattre les deux pieds bien sur terre :

— Savez-vous, père, que depuis le traité de Montréal en 1701, les territoires de Nouvelle-Angleterre nous sont ouverts ? Les Iroquois n'interviennent plus dans nos différends avec les habitants de ces lieux. Voilà pourquoi nous ne manquons point de leur rappeler notre existence.

Marcellin protesta :

— À quoi bon toutes ces escarmouches ?

— À garder nos ennemis sur le qui-vive. Quand ils ne se sentent pas menacés, ils deviennent arrogants. Vous avez sans doute entendu parler de leurs expéditions contre nos alliés en Acadie.

— Non point.

— Ils ont massacré un village entier de pauvres Sauvages, au seul titre qu'ils étaient nos alliés. Ils ont aussi tué le missionnaire qui s'y trouvait. De tels actes ne peuvent demeurer impunis. Voilà pourquoi Pierre et moi serons de la prochaine expédition en Nouvelle-Angleterre. Nous devons faire payer leur insolence à ces barbares.

Comme pour appuyer les dires de Renaud, voilà que Pierre Jarret, venu visiter sa mère à Verchères, arriva au manoir. Renaud l'avait invité à partager nos agapes. Il entra bien vite dans la conversation pour seconder les dires de son ami Renaud à propos de la Nouvelle-Angleterre.

—Je ne sais, dit Marcellin, si nous devons nous réjouir de vous voir risquer ainsi votre vie pour une cause qui me semble perdue d'avance. Il y a, en Nouvelle-Angleterre, des dizaines de milliers d'habitants de plus qu'en Nouvelle-France. Comment pensez-vous en venir à bout? La loi du nombre finit toujours par l'emporter, quoi que l'on fasse ou que l'on tente.

—Mais, monsieur Perré, par nos interventions, nous nous efforçons de repousser le plus loin possible une telle échéance.

—Je ne vous en blâme pas, mais je me demande toujours si votre action est utile et si une cause aussi désespérée mérite qu'on y risque sa vie.

—Vous avez sans doute raison de vous inquiéter, père, mais c'est notre lot et le genre de vie que nous avons choisi. Nous faisons de notre mieux et sans doute la paix dont nous jouissons sur les bords du Saint-Laurent nous est-elle attribuable, sinon en tout du moins en partie.

Les deux amis partirent pour Québec le lendemain. Renaud promit d'écrire dès qu'il en aurait l'occasion. Pierre Jarret, pour sa part, dit qu'on les reverrait tous les deux dans un an et qu'ils en auraient sans doute long à raconter sur l'expédition à laquelle ils s'apprêtaient à se joindre.

Une fois de plus, Radegonde, tout comme Fanchon, furent bien émues de voir s'éloigner Renaud. Mais la vie est ainsi faite d'arrivées et de départs. Elles n'eurent d'autre choix que de se résigner à le voir quitter le manoir, en se demandant si elles auraient l'occasion de le revoir vivant.

Chapitre 38

Un peu de tout

Renaud avait taquiné sa sœur au sujet d'un certain François. Ce dernier devait devenir son beau-frère, car quelques mois à peine après le départ de son frère, Fanchon épousa en deuxièmes noces à Verchères, le 18 mai 1708, son beau lieutenant François Pélissier. Elle s'était bien jurée après la mort de Jean de ne plus jamais unir sa destinée à celle d'un militaire, mais l'amour l'emporta sur sa volonté.

Une fois de plus, le manoir se remplit de musique. Les danses succédèrent aux danses et les noces battirent leur plein une bonne partie de la soirée pour se terminer à minuit, avec les dernières notes de musique. Fanchon alla de nouveau vivre à Montréal avec ses deux enfants et le manoir se vida de ses invités. Après leur départ, s'installa un silence qui rappela à Marcellin et Radegonde à quel point le temps filait et que tous les deux ne rajeunissaient pas, même s'ils ne cessaient de se démener à rendre constamment leur vie meilleure.

— Souhaitons, dit Radegonde après le départ de leur fille, que la vie lui soit cette fois plus favorable.

— Il faut l'espérer pour elle, dit Marcellin, elle le mérite bien. Mais qui épouse un soldat s'expose à de mauvaises surprises.

Et une fois de plus, ils ajoutèrent, tous les deux résignés :

— Si elle est heureuse ainsi !

❖

Au mitan du mois de mai, peu de jours avant le mariage de Fanchon, était parvenue à Verchères la nouvelle du décès de monseigneur François Montmorency de Laval, premier évêque de Québec. Même si Radegonde n'était pas superstitieuse, elle toucha du bois en disant :

— La mort ne vient jamais seule.

Étonné, Marcellin demanda :

— Que veux-tu dire ?

— Tu n'as jamais remarqué qu'il suffit qu'on nous annonce le décès de quelqu'un pour qu'un autre survienne ?

— Peut-être bien, ma mie, mais est-ce à dire qu'il en est toujours ainsi ?

— Moi je le crois, dit-elle en portant la main à son cœur.

— Allons, lui reprocha Marcellin. Ne pense plus à cela. Bien souvent, la vie également supplante la mort.

Il ne pouvait mieux dire, car deux mois plus tard, Fanchon leur apprenait qu'elle était enceinte.

❖

Marcellin fut bien soulagé quand, à la fin du mois d'août 1708, Pierre Robineau de Bécancour, le grand voyer en personne, se présenta à Verchères. Il y avait fort longtemps qu'il souhaitait sa venue afin d'expliquer aux habitants leurs obligations en rapport à l'entretien de la route qui mène d'un côté vers Contrecœur et de l'autre vers Varennes, en traversant la seigneurie sur une lieue et demie.

Il se rendit rencontrer le grand voyer et, en sa compagnie et celle de Louis Guertin, capitaine de milice, ils parcoururent le chemin. Marcellin fut chargé de dresser la liste de tous les travaux à réaliser pour rendre la route praticable et bien entretenue. Il y avait deux ruisseaux à traverser au-dessus de chacun desquels devait être construit un pont. Le grand voyer dit :

— Vous devrez voir à ce que ces ponts soient bâtis par corvées auxquelles devront participer tous les habitants.

— Et s'il y a des récalcitrants ?

— Vous devrez leur faire comprendre que le chemin du roi appartient à tout un chacun et qu'en conséquence, ils doivent travailler à l'érection des ponts sur lesquels eux ou leurs enfants seront bien obligés de passer un jour ou l'autre.

— Et s'ils ne veulent point se plier à cette demande ?

— Ils seront passibles d'une amende de vingt-cinq livres applicable aux pauvres de la paroisse et remises par le marguillier en charge. Les habitants doivent comprendre qu'en tout temps ils ont à entretenir le bout de chemin passant sur leur terre en enlevant les cailloux, en coupant les bois des hautes futaies qui nuisent au passage, en faisant disparaître les taillis, les nids de poule et les panses de bœuf. Ceux qui embarrasseront le chemin en y mettant barrières ou clôtures seront également passibles de vingt-cinq livres d'amende.

Forts de ce procès-verbal, Marcellin et Louis Guertin, à qui avait été confiée la tâche de voir à ce que ces travaux se fassent, rencontrèrent un à un les habitants de la seigneurie pour leur faire part des directives du grand voyer. À la fin de l'automne, les ponts avaient été construits et un beau chemin de vingt-quatre pieds de largeur traversait la seigneurie d'un bout à l'autre, et donnait accès avec beaucoup plus de facilité aux seigneuries avoisinantes de Varennes et Contrecœur.

❖

Ils espéraient des nouvelles de Simon, mais ce fut Renaud qui se manifesta le premier, annonçant à son père que son ami Pierre Jarret avait péri en Nouvelle-Angleterre. Si l'occasion lui était donnée de passer à Verchères, il le ferait volontiers.

Au terme de la lecture de cette lettre, Radegonde dit:

— Pauvre Renaud, il a perdu son meilleur ami. Voilà ce que je pressentais depuis plusieurs mois. J'espère que ça lui servira de leçon. Il ignore même que sa sœur qu'il aime tant est remariée. Pauvre enfant! Mon doux, qu'il ferait bien de revenir vivre au manoir!

Marcellin ne pouvait que déplorer la situation.

— Nous n'y pouvons rien, ma mie. Je me demande parfois si j'ai bien fait de lui faire apprendre à tirer du fusil.

— Il le fallait, Marcellin, pour nous défendre contre les Iroquois.

— Hélas oui! Mais à quoi aura servi la mort de ce pauvre Pierre?

— À briser le cœur de sa mère. Vite, Marcellin, il faut que j'aille voir mon amie Marie.

Chapitre 39

Une naissance

Au manoir, la routine était toujours un peu la même. Chacun remplissait sa tâche dans la plus grande quiétude. Tout le monde avait vieilli et tout semblait désormais se faire au ralenti. Le manoir s'anima toutefois singulièrement quand Fanchon y arriva avec ses deux fils. Marcellin et Radegonde crurent alors qu'elle venait leur rendre visite avant son accouchement.

Heureuse de pouvoir profiter de quelques bons moments avec sa fille, Radegonde s'inquiéta d'abord de la santé de sa Fanchon.

— Ce voyage ne t'a pas trop fatiguée ?

— Pas du tout. Je porte un bon bébé et il est bien accroché.

— Tu ne sais pas à quel point ta visite nous fait plaisir.

— Si c'est un grand plaisir pour vous, c'en est également un pour moi, d'autant plus que je serai parmi vous pour un bon moment.

— Vraiment ?

—François est en voyage du côté de l'Ouest. Il a été envoyé là-bas pour l'inspection des forts. Si vous n'y voyez pas d'inconvénient, mère, j'accoucherai ici. Je crois qu'il n'y a pas meilleure place au monde pour le faire.

Émue, Radegonde se tut un moment avant de dire :

—Ma fille, ta décision nous honore. Nous allons bien prendre soin de toi et de tes enfants.

Ce fut ainsi que tout le manoir se remit encore une fois à vivre. Je fus réquisitionnée pour m'occuper du jeune Marcellin et de Guillaume. La sage-femme fut prévenue que nous irions la chercher à Verchères dès les premiers signes d'une délivrance imminente. Puis le manoir entier fut en attente de cette jeune vie qui allait bientôt se manifester. Marcellin et Radegonde veillaient jalousement sur leur fille. Quelques heures avant qu'elle accouche, en même temps qu'il allait chercher l'accoucheuse à Verchères, Jimmio laissa les aînés de Fanchon au manoir des Jarret. Marie était heureuse de leur rendre ce service et ses jeunes enfants ne demandaient pas mieux que d'avoir de la compagnie. Quand, le lendemain, Jimmio alla au fort chercher les enfants, ils lui demandèrent si les Sauvages étaient passés leur laisser un petit frère ou une petite sœur. « Vous verrez », leur dit Jimmio.

Il fallait voir dans les yeux des petits tout leur plaisir quand ils découvrirent dans les bras de leur mère une petite fille prénommée Élise.

✤

Il y avait si longtemps que Simon n'avait pas donné de ses nouvelles que ses parents se désespéraient de savoir ce qu'il devenait. Une lettre enfin vint mettre un terme à leurs inquiétudes. S'il était doué pour le dessin, Simon n'avait guère fait de progrès en écriture à en juger par sa lettre.

Paris, 22 mai 1709

Chers parents,

J'espère que vous allez bien. Moi ma santé est bonne. Ici la vie est intéressante. Je travaille avec le sieur Franquelin qui est un excellent professeur. Il a dessiné des dizaines et des dizaines de cartes tant au Canada qu'en Louisiane, ainsi qu'en France. Monsieur Vauban lui demande beaucoup de travail de topographie et je le seconde. Je me plais grandement dans ce que je fais. J'espère que vous vous portez bien ainsi que tous les membres de la famille. Je vous écrirai de nouveau quand le temps et mon travail me le permettront.

Votre fils qui ne vous oublie pas, Simon

P.S. Vous pouvez toujours m'écrire à l'adresse suivante : Simon Perré à l'attention de Jean-Baptiste Franquelin, cartographe du roi, Paris.

❖

Cette année faste en nouvelles de leurs enfants ne pouvait guère mieux se terminer, car Renaud arriva sans prévenir au manoir et sa venue eut l'effet souhaité. Il fut entouré de l'attention et de l'affection de tout le monde. Même Jimmio faisait des efforts pour lui adresser la parole. Monsieur Renaud prenait beaucoup de place au manoir. Il s'entretint longtemps avec ses parents de sa vie de soldat. Fidèle à son habitude, il raconta en long et en large ses aventures, oubliant toutefois, pour épargner sa mère, les occasions où il avait failli y laisser la vie. Il ne put cependant se dérober aux questions touchant la disparition de son ami Pierre.

Un heureux hasard voulut qu'il vînt séjourner au manoir en même temps que Fanchon. Il ne manqua pas de la taquiner, comme il l'avait toujours fait. Cette fois, ce fut à son embonpoint qu'il s'en prit.

—Voyons, ma sœur, j'avais gardé de toi l'image d'une femme svelte et te voilà grosse comme une tour.

— C'est bien normal puisque je viens d'accoucher !

—Je le sais bien, ma sœur, mais il me semble qu'une femme qui vient de mettre au monde perd rapidement ses rondeurs.

— Qu'as-tu contre les rondeurs ?

—Rien, quand elles sont proportionnées à la personne qui les porte.

Comme toujours, Fanchon entra dans son jeu.

— Et toi, t'es-tu regardé? Un brin sur rien. Tu es si mince que nos ennemis ne risquent pas de t'atteindre.

— Mince, moi? Tu n'exagères pas un petit peu?

— C'est ainsi que je te vois. Il t'en manque, j'en ai de trop, nous pourrions faire un échange.

— Jamais! Des plans pour que je m'empoisonne!

— Et puis, si tu m'aimes ainsi, reste fluet à l'image de ton esprit: petite tête, petit cerveau.

— Et toi, gros derrière, gros bon sens, je suppose?

— Tout juste, mon oiseau. À quand ton prochain envol?

— Très bientôt, grande sœur, histoire d'être loin de ton cœur.

— Mais près de moi en pensée à chercher ce que tu me diras pour m'embêter à notre prochaine rencontre...

— Ce que je te dirai?

— Sans doute une poignée de bêtises.

— Non point, ma sœur, plein de mots doux venant du cœur.

Après cette joute, comme deux escrimeurs amis, ils se regardèrent et se mirent à rire. Ces deux-là s'aimaient vraiment.

❖

Marcellin tenta bien de retenir Renaud auprès d'eux, lui offrant d'agir comme régisseur du manoir et de ses terres, mais son aîné n'avait pas la tête de cet emploi. On ne pouvait pas l'asseoir longtemps au même endroit. Aussi, après quelques jours où il avait réjoui tout le monde par sa présence, regagna-t-il Québec avec en tête toujours la même idée : se retrouver là où il pourrait être le plus utile à sa patrie.

TROISIÈME PARTIE

LA VIE SUIT SON COURS

Chapitre 40

Année difficile

Il y a des années où la nature ne collabore pas : ce fut le cas en 1710. Il y eut de grandes gelées au mois de mai. Puis durant l'été sévit une invasion de chenilles, qui mangèrent en grande partie le lin et le blé. Les habitants, qui dépendent totalement du rendement de leur terre pour vivre, étaient découragés. Ils pensaient déjà aux difficultés qu'ils auraient à nourrir leur famille, le printemps venu. Marcellin réunit un groupe des principaux habitants afin de trouver des façons de survivre à ces mauvaises récoltes. Les champs ne produisirent même pas les rations nécessaires en foin.

L'hiver qui suivit ne fut pas mieux que l'été, car tout le pays fut aux prises avec les fièvres malignes qu'on appelle la maladie de Siam. On ne sait par quoi est causée cette fièvre jaune. Et comme on n'en connaît pas l'origine, il est impossible de la soigner efficacement. D'aucuns disaient qu'il fallait faire des saignées et des purges, mais tout cela s'avérait bien inutile. Certains prétendaient que la maladie était apportée par l'eau que l'on boit. Marcellin fit protéger le puits avec un couvercle et seul Jimmio fut autorisé à y puiser de l'eau.

Le chirurgien de Contrecœur, le sieur Belhumeur, en route pour Montréal, s'arrêta au manoir. Marcellin lui demanda son avis à propos de ces fièvres. Si ma mémoire est fidèle, il répondit :

— Une année de mauvaises récoltes est toujours suivie par une année de maladie. Les gens manquent de bonne nourriture. La meilleure façon de ne pas être atteint par les fièvres est de manger abondamment.

— Mais encore faut-il avoir de quoi manger, répliqua Marcellin.

— Quand le pain manque, il faut manger autre chose, comme de la viande de gibier. C'est peut-être ça que les gens oublient de faire.

Quand Marie fut subitement atteinte de fièvre, Marcellin envoya chercher au fort de Verchères la dénommée Pirote. Elle connaissait certaines herbes guérisseuses. Elle examina longuement Marie puis, hochant la tête, elle dit :

— Il faut lui donner une tisane faite d'aiguilles de pruche ou d'épinette blanche.

— Où peut-on en trouver ?

— Dans les bois des environs.

Marcellin me dit :

— Nicole, vous allez l'accompagner au plus tôt et nous revenir avec de ces aiguilles.

Ce que je fis. Je suivis la vieille femme qui marcha droit vers le bord du fleuve et se dirigea vers un arbre qu'elle me dit être une pruche. Là, je cueillis des aiguilles en sa compagnie. Puis, de retour au manoir, elle indiqua à Augustine comment les faire chauffer pour en tirer une tisane. Elle en fit boire à Marie et ce que le chirurgien n'avait pas réussi par des saignées, cette tisane le fit à merveille, car dès le lendemain, Marie se portait mieux et deux jours plus tard, elle n'avait plus de fièvre.

❖

Peu de temps après cette épidémie, fut solennellement érigée la paroisse Saint-François-Xavier-de-Verchères. Une chapelle avait été construite et les habitants avaient demandé par écrit à l'évêque de nous envoyer un curé. Radegonde fut fort heureuse de voir enfin son vœu exaucé. Tout juste après cette érection un curé fut nommé en paroisse à Verchères. C'était un jeune prêtre pas trop déluré qui éprouva beaucoup de mal à regrouper tous ses paroissiens à la messe du dimanche. Certains ne s'y présentaient tout bonnement pas. On en soupçonnait d'autres de travailler pendant les vêpres. Notre jeune curé se démenait pour fustiger les coupables, mais encore fallait-il qu'il les trouve et, pour cela, personne ne lui venait en aide.

Dans une paroisse, la chose est bien connue, tout le monde sait ce que fait son voisin. Mais allez demander à quelqu'un de dire à quoi s'occupait son voisin tel ou tel dimanche et vous n'obtiendrez que des réponses qui n'en sont pas. Les gens semblent perdre la mémoire dès que le curé leur demande une information touchant un voisin ou un ami. Mais qu'un chien aboie trop fort le soir ou qu'une vache se retrouve dans le champ d'un autre, Marcellin voyait tout de suite arriver au manoir un ou plusieurs individus pour se plaindre et entamer un procès.

❖

Marcellin se plaisait bien dans son rôle de juge de la seigneurie et les gens le trouvaient juste. Ils lui soumettaient toutes sortes de cas, tant les hommes ont tendance à vouloir contourner la loi dès qu'elle les embête. Ainsi, un jour, un habitant, dont je tairai le nom, se présenta au manoir.

— Monsieur le juge, dit-il, je désire ouvrir un cabaret.

— Rien de plus facile, dit Marcellin. Avez-vous un certificat de monsieur le curé attestant que vous menez une bonne vie et que vous avez de bonnes mœurs ?

— Non point !

— Pourquoi donc ?

— Je me suis rendu rencontrer le curé pour en obtenir un.

— Pourquoi alors n'en avez-vous pas ?

— Pour la bonne et simple raison qu'il n'a pas voulu m'en donner un.

— Il y a bien une raison à cela ?

— Il m'en veut parce que je suis sorti fumer dimanche durant la messe. Il dit que ça va contre les bonnes mœurs.

— Comptez-vous chanceux de ne pas avoir écopé d'une amende.

— N'y a-t-il pas quelque chose à faire pour obtenir ce certificat ?

— Connaissez-vous un autre curé qui vous le donnerait ?

— Oui, mais il me dit qu'il me faut l'obtenir du curé de notre paroisse. Mais voilà, c'est un entêté de la pire espèce. Si ce n'était pas un curé, je dirais qu'il a une tête de cochon.

— Je ne vois pas ce que je pourrais faire pour vous.

— Vous pourriez beaucoup !

— Comment ?

— En m'écrivant un certificat.

— Mais voyons ! Je ne suis pas autorisé à le faire.

— Vous qui écrivez bien, vous pourriez imiter l'écriture du curé.

En prononçant ces paroles, l'homme présenta à Marcellin un montant de dix livres tournois. Marcellin pâlit et s'indigna :

— Jamais, vous m'entendez, jamais je n'imiterai l'écriture de qui que ce soit et surtout, jamais au grand jamais, on ne m'achètera pour le faire. Sortez d'ici avant que je vous fasse arrêter pour tentative de corruption d'un officier de justice !

L'homme ne se le fit pas dire deux fois et il prit le large.

❖

Marcellin avait tout tenté pour retenir Renaud auprès d'eux lors de sa dernière visite. Mais Renaud avait trop bourlingué pour rester longtemps sans bouger. Au manoir, il aurait bien vite tourné en rond. Aussi avait-il regagné Québec sans trop savoir dans quelle aventure il se lancerait. Marcellin se demandait bien ce qu'il était devenu depuis. Il obtint sa réponse dans une lettre où Renaud disait être parti en Acadie où il comptait accompagner un certain Rodrigue, à la fois marchand et corsaire.

Chapitre 41

Phénomènes célestes

Les soirs d'été, quand il n'y avait pas trop de moustiques, nous aimions veiller dehors en observant les étoiles. À un certain endroit du ciel, elles étaient si nombreuses qu'elles semblaient former un chemin blanc de lumière. Nous restions là de longues minutes sans parler, enveloppés de grands silences que venaient parfois troubler les plaintes d'un oiseau et aussi, au loin, les hurlements répétés des loups. Quand il ventait, nous nous mettions à l'abri près du manoir et nous écoutions le bruit des vagues sur les berges du fleuve.

Un soir que nous étions tous – Marcellin, Radegonde, Augustine, Félicité, Marie, Clément et moi – à veiller tout en regardant la lune surgir à l'horizon comme un gros fruit orange, Radegonde, toute frémissante, nous dit :

— Regardez là-bas au-dessus du fleuve !

— Quoi donc ?

— Regardez !

Fort heureusement Jimmio était resté dans sa chambre : peureux comme il était, il n'aurait pas pu voir sans vouloir mourir ce que nous avons tous vu. Il y avait dans le ciel d'immenses rayons lumineux au-dessus de l'horizon. Ils se compénétraient pour n'en faire qu'un, puis se multipliaient, disparaissaient et réapparaissaient à une très grande vitesse. Ils étaient verts, mais aussi orange, et dansaient dans le ciel tels des lucioles géantes.

Ce phénomène dura de longues minutes. Nous étions tous figés sans pouvoir parler. Nous avions l'impression qu'il s'agissait de la danse de fantômes lumineux. Ils se déplaçaient, s'évanouissaient et ressurgissaient au-dessus du fleuve. Nous étions morts de peur. Pourtant, leur danse était extraordinaire et rarement avions-nous vu quelque chose d'aussi beau.

Combien de temps sommes-nous restés ainsi à les regarder ? Je ne saurais le dire, mais au fur et à mesure que la lune monta dans le ciel, ces lumières pâlirent et finirent par disparaître ainsi qu'elles étaient apparues, comme si, tout à coup, quelqu'un eut refermé une immense porte qui, pour un temps, aurait laissé filtrer ces étranges faisceaux.

Nous ne fûmes pas les seuls à assister à ce phénomène. Le lendemain, des gens de Verchères nous dirent qu'ils avaient vu ces lumières. Un vieil homme, depuis longtemps au pays, nous avisa qu'il avait déjà vu le même phénomène quelquefois quand il était à la traite des fourrures, dans le Nord. Marcellin promit de s'informer à quoi tout cela était dû. Nous avions bien hâte d'en savoir plus à ce sujet. Il demanda à ses amis les plus savants de Verchères et de Contrecœur, qui lui dirent qu'il s'agissait des reflets du soleil couchant sur la surface des grandes glaces du Nord. Toutefois, un coureur des bois, habitué au Grand Nord, lui dit :

— Nous savons que le ciel est comme un immense couvert posé sur la terre. Les Sauvages du Nord disent que dans ce couvercle il y a de grands trous par lesquels les esprits des morts, dans leur marche vers le paradis, passent en tenant d'immenses torches pour s'éclairer. Ce sont les flammes de ces torches qui produisent ces grands feux de couleur. Il paraît que souvent, les esprits poursuivent les vivants avec leurs torches. Les Sauvages du Nord, quand ils se promènent sur la glace avec leurs chiens et que les esprits veulent les prendre, coupent une oreille à un de leurs chiens et la laissent saigner, ce qui éloigne les esprits.

Un autre soir que nous venions tout juste de finir de souper, Clément était sorti devant le manoir. Il rentra en vitesse, blême comme la plus pure des farines, et dit :

— Il y a des boules de feu dans le ciel !

Marcellin se saisit d'un fusil et sortit, pendant que nous restions à l'abri dans le manoir. Au bout de quelques minutes, Marcellin revint et nous dit :

— Clément disait vrai, il y avait dans le ciel au-dessus du fleuve trois boules lumineuses. Elles se déplaçaient brusquement pour réapparaître presque aussitôt ailleurs autour du manoir. J'avais l'impression qu'il y avait là-dedans quelqu'un qui nous observait. Puis, tout a disparu brusquement comme des lampes qu'on éteint.

Personne n'a jamais pu nous expliquer ce phénomène de corps célestes lumineux.

❖

Pendant que nous étions captivés par ces manifestations du ciel, une bien plus grande menace pesait sur nous. Marcellin nous l'apprit, un jour qu'il s'était rendu à Verchères. Il profita du souper, comme il le faisait souvent, pour nous en informer.

— Savez-vous, dit-il, que nous avons été bien près de devenir une colonie anglaise?

— D'où tiens-tu cette information? demanda Radegonde.

— D'un capitaine rencontré aujourd'hui au fort de Verchères. Il paraît que les Anglais sont entrés dans le fleuve avec une armada de quatre-vingt-dix navires sur lesquels on comptait pas moins de douze mille marins et soldats. Ils venaient assiéger Québec. Pendant ce temps, une armée de trois mille soldats anglais et de sept cents Iroquois devait attaquer Montréal. Monsieur le gouverneur Vaudreuil fut averti que ces navires étaient rendus à quatre-vingts lieues de Québec quand de grands vents du nord-est s'élevèrent, couvrant le fleuve de brume. Au moins sept des plus gros navires de la flotte anglaise ont été rejetés sur l'Île-aux-Œufs. Près d'un millier de soldats se sont noyés.

«Devant pareil malheur, le commandant de l'armée anglaise a donné l'ordre de regagner Boston. En route, son navire amiral a explosé. Il y avait quatre cents hommes à bord. À Québec, on a chanté le *Te Deum* et l'église de la Basse-Ville, qui s'appelait Notre-Dame-de-la-Victoire, a été rebaptisée Notre-Dame-des-Victoires.

— Qui a rapporté tout ça?

— Le capitaine d'un navire français, *Le Héros*, qui est parvenu à se faufiler à travers la flotte anglaise sans être inquiété.

— Ça ne peut qu'être un miracle du ciel, dit Radegonde.

— Tu as raison, ma mie. Il s'agit là d'un vrai miracle.

❖

S'ils ne pouvaient se réjouir que rarement de la visite de leurs fils, Marcellin et Radegonde avaient toutefois grand plaisir à voir arriver Fanchon. Elle ne manquait pas de le faire une ou deux fois par année et, chaque fois, par sa seule présence, elle animait tout le manoir. Radegonde la regardait se promener la tête haute, fière et sûre d'elle-même, et ne manquait pas de se dire qu'elle ferait une magnifique châtelaine.

Puis, quand Fanchon nous quittait, Radegonde me disait:

— Qu'est-ce qu'elle a en elle qui lui fait occuper autant de place ?

Marcellin également était plein d'admiration pour sa fille. Il retrouvait en elle quelque chose de lui, et à Radegonde qui répétait souvent : « Remercions le ciel de nous avoir donné une si bonne et si belle fille », il ne manquait de répondre : « Remercions-nous tout de même un peu ! »

❖

Fidèle à ses habitudes, Renaud, toujours aussi attaché à sa famille, écrivait régulièrement. Sa dernière lettre venait de Plaisance et il parlait de son retour prochain à Québec et d'une visite possible à Verchères.

Chapitre 42

Un départ et une tâche nouvelle

La vie est un perpétuel recommencement. En voyant Clément partir à son tour pour Québec, nous avions tous revécu les départs de ses frères Renaud et Simon et de sa sœur Fanchon. Le manoir nous paraissait désert. Il ne résonnait plus de leurs cris, de leurs plaisanteries et de leurs rires, et cela nous manquait.

Des enfants de Marcellin et Radegonde, seule Marie était toujours là. Elle s'entendait si bien avec sa mère que c'était un plaisir de les voir ensemble. Elle ne parlait pas de se marier, toute vouée qu'elle était à seconder sa mère et son père dans le bon fonctionnement du manoir. Elle s'occupait en particulier de suivre de près le rendement de la terre, du jardin et des récoltes. Marcellin et Radegonde ne cessaient de dire qu'elle serait leur bâton de vieillesse.

Une fois de plus, Radegonde s'inquiétait pour un de ses enfants, se demandant ce que deviendrait Clément. À dix-huit ans, il n'avait pas encore trouvé sa voie. Marcellin aurait bien voulu le voir chirurgien, mais le pauvre Clément, tout en s'efforçant de ne point déplaire à son père, ne présentait aucun intérêt marqué pour cette profession. Le notariat aussi le rebutait. Il allait étudier à Québec comme ses frères, mais il avait choisi de le faire au Séminaire plutôt que chez les jésuites. L'avenir nous démontrerait que les inquiétudes de Radegonde étaient hélas fondées.

❖

Jadis, le seigneur de Verchères avait demandé à Marcellin de se charger de la milice et d'en être le capitaine. Marcellin avait dû décliner l'offre, prétextant qu'il habitait si loin du fort qu'il ne pourrait y rassembler les miliciens dans un délai raisonnable, advenant une attaque des Iroquois. Mais maintenant que cette menace était chose du passé, il y avait lieu de croire que si des ennemis voulaient s'attaquer à nous, leur présence serait signalée longtemps d'avance. Aussi, à la demande des autorités de Verchères, Marcellin accepta de devenir capitaine de la milice. Il rassura Radegonde en ces termes :

— Tu sais à quel point je n'aime pas les fusils. Mais, parfois, il vaut mieux en avoir et savoir s'en servir. Souhaitons que cette éventualité ne se présente jamais.

— Mais c'est quoi, un capitaine de milice ?

— Il est l'homme chargé de réunir tous les habitants dans un endroit précis au cas où nous serions attaqués par des ennemis.

— Et tu les réunirais où ?

— Au fort de Verchères. C'est l'endroit le mieux organisé pour se défendre.

— Et nous, alors ?

— Vous feriez comme tout le monde. Vous viendriez vous réfugier au fort.

— Et le manoir ?

— Il resterait sans défense. Il vaut mieux gagner l'endroit le plus sûr que de s'interroger sur la couleur des fusils ennemis.

Quelques jours plus tard, Marcellin faisait sonner le tocsin et réunissait tous les habitants de Verchères pour les répartir en compagnies, chacune sous les ordres d'un lieutenant.

— Si jamais, dit-il, vous entendez de nouveau le tocsin, vous devez apporter munitions, provisions et fusils et venir vous mettre à l'abri dans le fort.

Certains récalcitrants protestèrent contre cette mesure :

— Nous ne laisserons pas notre habitation sans défense !

Marcellin leur objecta :

— Je serais le premier à vouloir protéger mon bien. Mais il vaut mieux sortir vivant d'une attaque ennemie qu'être tué dans sa propre demeure avec toute sa famille.

Ses paroles semblèrent calmer les ardeurs des protestataires.

— Ainsi, ajouta Marcellin, nous pourrons nous défendre mieux parce que plus nombreux contre toute attaque ennemie. C'est la seule façon d'en sortir tous vivants.

❖

La chère Fanchon ne passait guère une année sans nous combler d'une visite. Il arrivait parfois que Radegonde se rende à Montréal afin de profiter du bonheur d'être avec sa fille et ses petits-enfants. Mais Fanchon aimait bien aussi venir passer une semaine ou deux au manoir. Elle avait eu Élise et voilà qu'elle s'apprêtait de nouveau à donner naissance. Aussi, quand elle arriva au manoir, Radegonde pensa qu'elle ferait comme la dernière fois et profiterait de son séjour pour accoucher, bien entourée de tous les siens.

Pourtant, cette fois, Fanchon repartit au bout de quelques jours. Elle ne le dit pas, mais tous devinèrent que son mari n'appréciait guère la voir loin de Montréal. Elle donna le jour quelques semaines plus tard à une autre fille baptisée Marie-Ève.

❖

Un jour qu'il revenait du fort de Verchères, Marcellin dit à Radegonde :

— Le croirais-tu, ma mie, j'ai appris ce matin, par la bouche d'un recenseur de passage au fort, et j'ai pris le soin de le noter, qu'il n'y aurait que dix-huit mille quatre cents habitants dans toute la Nouvelle-France. J'ai peine à le croire.

Tirant de son pourpoint un bout de papier, il enchaîna :

— Il y aurait, paraît-il, deux mille sept cent quatre-vingt-six hommes et deux mille cinq cent quarante-huit femmes, six mille sept cent seize garçons et six mille trois cent trente filles.

— C'est quand même passablement de monde, dit Radegonde.

— Sur un territoire comme le nôtre, ma mie, c'est une goutte dans l'océan. Mais ce n'est pas cela qui me désole le plus.

— Quoi donc ?

— Il y a en Nouvelle-Angleterre, paraît-il, trois cent cinquante mille personnes ! Tu te rends compte, ma mie ? Vingt fois plus que nous ! Comment peut-on penser leur échapper indéfiniment ? Ils finiront par nous envahir et notre pays sera perdu.

— J'ai de la difficulté à me faire à l'idée, remarqua Radegonde, que c'est toi qui parles ainsi. Il me semble que tu as toujours cru en l'avenir de notre pays.

— J'y crois toujours.

— Alors, oublions ces chiffres et profitons du bonheur de vivre ici et en paix.

— Ah ! Tu as bien raison, oublions les chiffres. Mais n'empêche…

Chapitre 43

Où est passé Clément ?

— Quatre de nos enfants vivent loin de nous, se désolait souvent Radegonde. Il me semble que ce serait normal que nous recevions de leurs nouvelles chaque année.

Sans le dire ouvertement, elle se plaignait de la sorte de Simon qui n'écrivait presque jamais, et également de Clément qui semblait les avoir complètement oubliés.

La remarque de Radegonde fit réagir Marcellin.

— Tu as raison, ma mie, ce n'est pas normal en effet que Clément ne nous donne pas signe de vie. Je vais me rendre à Québec. J'en aurai le cœur net. Les prêtres du Séminaire sauront bien me dire ce qui se passe avec lui.

De Verchères, il monta sur une barque qui mit cinq jours à faire le trajet. Dès qu'il fut rendu, il se dirigea droit au Séminaire. Au portier qui vint lui répondre, il expliqua la raison de sa venue.

— Nous ne pouvons pas déranger nos élèves au gré des caprices de leurs parents.

— Dans ce cas, en attendant que mon fils puisse me voir, envoyez-moi un prêtre qui saura m'informer à son sujet.

Le portier partit puis revint avec un jeune ecclésiastique à qui Marcellin, après s'être présenté, expliqua les raisons de sa démarche :

— Vous avez été bien inspiré de venir, cher monsieur Perré, car votre fils a depuis longtemps quitté le Séminaire.

— Clément n'est plus ici ?

— Il y est resté à peine un mois.

— Où peut-il être alors ?

— Dieu seul le sait.

Marcellin allait partir quand le jeune abbé le retint.

— Venez vous sustenter, dit-il. On réfléchit mieux le ventre plein. En bavardant ensemble, nous trouverons peut-être une façon de retracer votre fils, si tant est qu'il est toujours à Québec.

Marcellin suivit le jeune prêtre. Ils s'attablèrent dans un réfectoire déjà occupé par d'autres ecclésiastiques. Plutôt que d'aborder avec Marcellin la question qui le préoccupait, le jeune abbé sortit un carnet de sa soutane et s'ouvrit de son contenu à Marcellin.

— Vous êtes un homme instruit, dit-il. Vous saurez sans doute me dire ce que vous pensez de mes griffonnages.

Et sans plus de préambule, il lui lut des extraits de son carnet au hasard :

De tout ce que tu lis
Une partie est raisonnable
Une autre partie est passable
La plus considérable aussi
te paraîtra bien misérable

J'aviserai avec vous
que tous les poètes sont fous,
mais sachant ce que vous êtes
tous les fous ne sont pas poètes

Des livres, lecteur avisé
Le bon te doit être admirable
Le médiocre, être louable
Et le mauvais, être exécuté.

Ne laissant pas le temps à Marcellin de revenir de son étonnement, il dit :

— Tout ce que j'écris n'est pas nécessairement de moi. J'aime noter parfois en passant des phrases qui me frappent. Ainsi, les épitaphes suivantes :

Ci-gît mon frère Étienne
S'il y est bien qu'il s'y tienne
Ci-gît ma femme, oh qu'elle est bien
Pour son repos et pour le mien.

Marcellin ne savait plus trop quoi penser. Cet abbé original, du nom de Chasle, le laissait fort perplexe. Il l'interrompit en disant :

— Monsieur l'abbé, ce que vous écrivez est fort intéressant, mais peut-être avez-vous oublié la raison de ma venue ici ?

— Non point. Votre fils, vous saurez bien le retrouver en vous adressant aux gendarmes, puisque, si j'en juge par son comportement quand il était parmi nous, il doit bien avoir eu affaire à eux.

— Quel comportement ?

— C'est une tête forte, vous savez. Il a laissé entendre qu'entre nos murs, il se sentait en prison. Voilà pourquoi il nous a quittés sans demander son reste.

— Avez-vous au moins une idée où il peut être allé ?

— Pas du tout !

— Quelqu'un du Séminaire aurait pu me faire prévenir de sa défection.

— On aura jugé qu'il était assez vieux pour le faire lui-même.

C'est tout ce que Marcellin put obtenir de sa rencontre avec ce prêtre. Suivant toutefois son conseil, il décida de s'adresser aux gendarmes. Ces derniers n'avaient jamais entendu parler de Clément Perré.

— Vous savez, des quidams, il en passe des centaines et des centaines par année à Québec. S'ils n'enfreignent aucune loi, nous n'avons pas l'occasion de les connaître.

Marcellin revint à la charge :

— Comment puis-je le retrouver ?

— Informez-vous au marché. Votre fils mange comme tout le monde, il doit bien y acheter quelque chose.

L'enquête que Marcellin mena au marché le lendemain n'aboutit à rien. Une marchande de légumes lui dit :

— Des jeunes hommes comme celui que vous me décrivez, il en passe des dizaines par jour.

Il eut beau s'informer auprès du boucher, du vendeur de poisson et même du boulanger, personne ne se souvenait d'avoir vu un jeune homme répondant au signalement de Clément.

— Peut-être a-t-il décidé de passer dans les îles ? supposa un matelot. On ne sait pas ce qui peut trotter dans la tête d'un jeune homme qui cherche à gagner sa croûte. Il donnera bien signe de vie à quelques détours, à moins qu'il n'ait tout simplement gagné Montréal ou qu'il ne se soit engagé pour la traite.

Comme pour se rassurer lui-même, Marcellin dit :

— La traite ! Ce n'est guère son genre.

— C'est tout de même ça de gagné, ajouta son interlocuteur. Si j'étais vous, je jetterais un coup d'œil du côté des prisons.

— Je l'ai fait. Il n'y est pas. Pardi ! Il doit bien habiter quelque part.

— Ah, ça ! Mais il y a bien des endroits dans cette ville où on peut loger.

Après avoir fait sans succès le tour des auberges de la Basse-Ville, et alors qu'il se proposait de faire de même pour la Haute-Ville, Marcellin se rendit compte que ses démarches étaient futiles. Ne pouvant se faire à l'idée de cogner à chaque porte, il se dit que son fils finirait bien par donner signe de vie. La mort dans l'âme, il monta à bord de la première embarcation en route pour Montréal.

De retour à Verchères, il apprit avec stupéfaction que Clément avait écrit.

Québec, 18 mai 1713

Chers père et mère,

Vous serez sans doute malheureux d'apprendre que je n'ai pas pu me faire à mes études au Séminaire de Québec. J'ai quitté l'endroit peu de temps après y avoir séjourné. Par contre, vous serez plus heureux de savoir que n'ayant plus un sol vaillant, je me suis fait à l'idée de travailler quelque temps comme commis aux écritures chez le notaire Dubreuil de Québec. De là, j'ai été engagé pour un emploi similaire, mais plus rémunérateur, auprès du secrétaire de l'intendant.

Vous aurez appris l'incendie du palais et la mort du secrétaire. L'intendant a eu recours à mes services pour la sauvegarde des archives. C'est à cela que je travaille depuis. Il n'est pas dit que j'y passerai ma vie, parce que je trouve que ce genre de travail me garde trop captif. Mais pour lors, c'est ce que je fais.

Je trouverai sans doute un moment pour faire un saut à Verchères. J'aurai alors l'occasion de vous parler plus longuement de ce qu'a été ma vie depuis mon départ.

Je vous espère tous en santé et je suis votre fils très affectionné,

Clément

À la suite de cette lecture, Marcellin resta longtemps songeur.

— Ma mie, dit-il, je l'ai cherché partout et le hasard n'a pas voulu qu'on se croise. Jamais je n'aurais pensé qu'il puisse gagner sa vie en tant que commis aux écritures chez l'intendant. C'est bien le dernier endroit où je l'aurais cherché.

— Voilà qui démontre, dit Radegonde, que nous connaissons bien mal nos enfants.

— L'essentiel, renchérit Marcellin, c'est qu'il ait enfin daigné se rappeler notre existence…

Chapitre 44

Un incident cocasse

Depuis que Marcelllin était capitaine de milice, il n'avait jamais eu à déplorer le moindre incident. Mais voilà qu'un beau jour, le tocsin se fit entendre et tout le monde se précipita vers le fort. Les voitures se suivaient à la queue leu leu sur la route et tous ces gens entraient au fort dans un grand désordre.

Dès qu'il y fut, Marcellin les répartit par compagnies, puis il voulut savoir qui avait sonné le tocsin. On lui amena un pauvre hère connu de tout le monde du village sous le nom de Paquiot. Marcellin lui demanda :

— C'est toi qui as sonné la cloche ?

— Oui-da !

— Pourquoi donc ?

— Parce que les Sauvages sont venus.

— Où ça ?

Il montra sa tête.

Ce fut tout ce que Marcellin parvint à lui tirer. Il était complètement confus. Certains voulurent s'en prendre à lui, si bien que Marcellin dut intervenir pour le garder de la vindicte populaire.

— Allons donc ! Vous ne voyez pas dans quel état il est ?

— Il n'avait pas à sonner !

— Un enfant aurait pu le faire.

— Pourquoi donc ?

— Parce que celui qui s'est servi de la cloche la dernière fois a oublié de ranger la corde hors de la portée des enfants.

— Paquiot n'est pas un enfant.

— C'est tout comme.

— Mais le bedeau, lui, n'en est pas un.

Tous les yeux se tournèrent aussitôt dans la direction du bedeau, qui avait l'air piteux. Marcellin sentit l'obligation d'imposer son point de vue avant que les choses ne dégénèrent :

— Est-ce qu'il y en a seulement un de vous qui n'a jamais oublié quelque chose ?

— Anselme a déjà oublié ses pichous dans le lit, dit une femme.

— Nicolas a rangé sa pipe dans la boîte à pain, dit une autre.

— Et toi, lança son mari, où as-tu versé le lait du bébé ?

Avant qu'elle ne puisse poursuivre, quelqu'un cria :

— Dans ta grande gueule !

Le rire l'emporta sur la colère et ce qui aurait pu tourner au jus de vinaigre finit dans une grande cascade de rires.

❖

Cette année 1713 fut marquée par un grand événement: l'annonce d'un traité de paix intervenu entre la France et l'Angleterre. Tout le monde au manoir se réjouissait beaucoup de la tournure des choses jusqu'au moment où Marcellin nous lut une lettre de Renaud qui, lui, n'était guère content des conditions de cette paix. Il se trouvait pour lors à Québec et se plaignait du fait que, par ce traité de paix, la France ait cédé à l'Angleterre l'Acadie et la baie d'Hudson. Il se proposait de venir à Verchères, mais il était retenu à Québec parce que l'un de ses amis devait se marier et il lui fallait témoigner en sa faveur comme quoi il n'était pas déjà marié ailleurs. Dès que cette formalité serait réglée, Renaud promettait de revenir au manoir.

❖

Par ailleurs, il y avait fort longtemps que Simon n'avait pas donné signe de vie. Selon son habitude, il expédia une lettre très courte qui fit quand même bien plaisir à ses parents.

Paris, 4 mai 1713

Chers père et mère,

Les jours passent si vite que je ne trouve pas le temps d'écrire. Il est vrai aussi que je ne suis pas souvent à Paris. Le sieur Franquelin, que je seconde, est constamment appelé par monsieur Vauban à réaliser la topographie de terrains pour la construction de forteresses. Nous avons beaucoup de travail. À part ça, ma santé est bonne et j'espère que la vôtre l'est tout autant. Je ne sais pas quand j'aurai l'occasion de retourner au Canada.

Je vous écrirai plus longuement dès que l'occasion se présentera. Mes salutations à toute la famille.

Votre fils Simon

Chapitre 45

Des largesses de la vie

Marcellin devait toujours se tenir informé de toutes les lois et ordonnances nouvelles venant régir notre vie. Il nous en faisait parfois part, tellement certaines décisions lui paraissaient bizarres. Ainsi, un soir au souper, il s'amusa à nous en mentionner quelques-unes qui, à ses yeux, n'auraient jamais dû être proclamées tant elles allaient de soi.

— Savez-vous, dit-il, qu'il est défendu de mettre des trappes sur une autre terre que la sienne ? Il me semble que tout le monde devrait savoir qu'on ne peut pêcher que devant sa propre terre et qu'on ne peut chasser que sur la sienne.

— Puisque l'intendant a été obligé de faire cette ordonnance, dit Radegonde, il faut croire que certains font le contraire.

— Il y en a qui ne sont pas très éveillés, car l'intendant a été obligé de rappeler qu'il faut clôturer ses terres. Mais écoutez encore celle-là : il est défendu de tirer des coups de fusil dans les villes sous peine de 50 livres d'amende.

— Parce qu'on risquerait de tuer quelqu'un, dit Marie.

— Il serait logique que ce soit pour cette raison, mais ce n'est pas le cas.

— Pourquoi alors?

— Pour éviter de mettre le feu aux maisons.

— Comment ça? En ville, les maisons ne sont-elles pas de pierre?

— Les murs oui, mais les toits sont le plus souvent en bardeaux de cèdre. Une balle qui s'y loge y met le feu.

Marcellin fit une pause dont profita Augustine pour servir le potage, puis il poursuivit:

— Savez-vous qu'il est défendu de faire galoper les chevaux tirant des carrioles, à la sortie de l'église?

— Pourquoi donc?

— Parce qu'il y en a qui font la course après la grand-messe et risquent de renverser des gens. S'ils le font, l'amende est salée: vingt livres!

— On ne peut donc pas faire galoper les chevaux? demanda Marie.

— On peut le faire, mais seulement une fois rendu à dix arpents de l'église.

— Quand on y pense bien, dit Radegonde, songeuse, les ordonnances sont là pour mettre au pas les gens qui ne sont pas raisonnables.

— Certes, dit Marcellin, mais également pour leur rappeler des choses qu'ils risquent d'oublier.

— Comme quoi, par exemple ?

— Il y a obligation pour les propriétaires de maison de faire ramoner leurs cheminées tous les mois au coût de six sols au ramoneur par cheminée. Pendant que j'y pense, ma mie, il faudra voir à faire ramoner les nôtres bientôt. Il me semble que Jimmio ne l'a pas fait depuis longtemps.

— Le pauvre, il n'est plus tout jeune. Ce n'est pas drôle, à son âge, de descendre dans les cheminées.

— Il faudra voir alors à le remplacer pour ce travail par quelqu'un de plus jeune.

— Nous surveillerons le prochain passage d'un Savoyard. Il sera bien heureux de le faire pour nous.

Marie demanda :

— Pourquoi faut-il les ramoner ?

— Parce que, répondit Marcellin, si elles deviennent trop encrassées, le feu y prend. Ça ne te fait pas penser à quelque chose ?

— Non pas !

— Pourtant, ça devrait. Les hommes sont comme les cheminées. On ne doit pas les laisser s'encrasser, sinon ils ne font plus rien, et à la moindre contrariété, ils s'enflamment.

Marcellin était comme ça, aimant profiter d'un peu toutes les circonstances et les propos pour en tirer une bonne leçon.

❖

Chaque fois que Fanchon venait au manoir, c'était pour y faire l'annonce de quelque chose d'heureux. Comme elle l'avait promis, elle vint au début de l'automne avec ses deux garçons et ses deux filles. À son air, Radegonde devina que son aînée portait de nouveau la vie en elle.

— Deux garçons, deux filles, dit-elle. Qui l'emportera ? Est-ce que ce sera un garçon ou une fille ?

— Un garçon ! dirent en chœur Marcellin et Guillaume.

— Une fille ! dit Élise. Je l'ai demandé aux Sauvages.

— Menteuse ! dirent les garçons. Tu n'as même pas vu de Sauvages.

— Oui, j'en ai vus !

— Dans ta tête, peut-être…

— Allons ! intervint Fanchon. Que ce soit un petit frère ou une petite sœur, vous l'aimerez bien quand même.

Quelques mois plus tard, elle donna naissance à une fille prénommée Alexandrine.

❖

Le ramonage de la cheminée fit prendre conscience à Marcellin que ses serviteurs vieillissaient tout comme lui. Il se mit en quête de trouver quelqu'un de plus jeune, non pour remplacer Jimmio, mais bien pour le seconder. De la même façon que trente ans auparavant il avait acheté Jimmio, il se mit à la recherche d'un autre esclave noir. Radegonde l'appuyait dans sa démarche parce que, disait-elle : « Nous avons traité Jimmio comme un vrai serviteur. Il n'était pas en esclavage ici. Il sera heureux d'avoir quelqu'un de sa race pour l'aider. »

Marcellin se rendit à Montréal avec l'idée de revenir au manoir accompagné de ce nouveau serviteur. Il alla d'abord frapper chez les jésuites, car ces prêtres avaient à leur service de nombreux esclaves noirs. Sa démarche fut infructueuse, mais il apprit en revanche qu'une famille de Montréal, venant d'engager un nouveau serviteur, avait mis en vente un esclave noir.

Comme il le raconta à son retour, Marcellin se présenta à cette demeure et fut reçu par une vieille femme, dure d'oreille, qui répondit ainsi à sa demande :

— Monsieur ! Notre nègre, il est à vendre, hein ! Mais pas à n'importe quel prix, hein !

— Avant d'établir un prix, madame, j'aimerais d'abord le voir. Vous comprendrez bien que je veux avant tout connaître son nom, son âge, savoir s'il est en bonne santé et s'il y a moyen de lui parler.

— Comment vous dites, hein ?

Marcellin réitéra sa demande, que la vieille finit par saisir.

— Vous l'achèterez et vous le saurez bien ensuite, hein !

Marcellin haussa le ton afin de se faire bien entendre :

— Qu'en demandez-vous ?

— Cinq cents livres, hein !

— Vous ne pensez pas qu'à ce prix, je pourrais au moins savoir qui j'achète ?

La vieille semblait tenir à son idée, si bien que Marcellin s'apprêtait à laisser tomber quand, au fond de la pièce, il vit apparaître l'esclave qui, dans le dos de sa maîtresse, joignit les mains, s'agenouilla et fit mine de prier, gesticulant à qui mieux mieux comme pour le supplier de l'acheter.

Marcellin se ravisa. Il demanda à la vieille :

— Si vous ne voulez pas que je le voie, vous pouvez à tout le moins me dire son nom et son âge ?

— Son nom, c'est Abel, son âge, je ne le connais point, hein !

— Est-il très âgé ou très jeune ?

— Dans la force de l'âge, hein !

Voyant que l'esclave semblait en bonne santé, Marcellin demanda :

— Pourquoi le vendez-vous ?

— Parce que mon mari est mort et que je suis maintenant seule, hein ! J'ai bien assez d'Ève, hein !

— Qui est Ève ?

— Ma domestique, hein !

— Je vous en offre quatre cents livres, risqua Marcellin.

— Cinq cents, c'est mon prix, hein !

— Quatre cent cinquante, dit Marcellin en faisant mine de partir.

La vieille hésita un moment puis dit :

— Quatre cent cinquante ça ira, hein !

Ce fut ainsi qu'Abel entra dans notre vie, mais non sans qu'il y eut quelques heurts entre lui et Jimmio, qui ne voulait pas perdre ses prérogatives. Marcellin dut intervenir bien des fois pour faire comprendre son rôle à Abel, qui voulait constamment trop en faire et trouvait Jimmio beaucoup trop lent à son goût. Marcellin se demandait parfois s'il avait fait une bonne chose en achetant cet homme. Mais, petit à petit, tout rentra dans l'ordre, les deux hommes ayant fini par se partager les tâches à la satisfaction de chacun.

❖

Avant de revenir au manoir après cet achat, Marcellin passa par le marché, comme il le faisait chaque fois qu'il se rendait à Montréal. Il se dirigea vers un étal, tout au fond de la place, d'où s'échappait beaucoup de fumée et autour duquel régnait une grande animation.

— Hé, le boucanier ! criait un homme chauve dont les oreilles dégagées ressemblaient à des portes de grange. Tu pourrais te passer de nous emboucaner ! Pourquoi tu ne fumes pas tes jambons chez toi ?

— Je n'ai pas de temps à perdre à attendre qu'on m'en achète. Toutes mes journées sont précieuses, je n'en perdrai aucune à me morfondre au marché.

Puis, sans plus se préoccuper du plaignard et de ceux qui, irrités par la fumée, se frottaient les yeux, il se mit à crier :

— Dernière chance aujourd'hui ! Ceux qui ont des fesses à fumer, apportez-les, au plus coupant, salées, brochées, marquées. Dernière chance !

Marcellin s'approcha. Derrière son étal, l'homme avait improvisé un fumoir dans une tente dressée en cône sous laquelle il boucanait des pièces de porc. Au milieu, sur un lit de briques, il avait déposé un immense chaudron sous lequel il entretenait un feu alimenté de bran de scie de bois d'érable qui produisait une épaisse fumée qui s'évacuait par le haut du cône. Marcellin lui demanda s'il disposait de quelques morceaux de porc fumé.

— Bien sûr que j'en ai ! Dans le pied, la cuisse ou la fesse ?

— La fesse, bien entendu.

Il acheta un jambon fumé sans perdre de vue Jimmio qui l'attendait dans la voiture en discutant vigoureusement avec son nouveau collègue. En route, Marcellin eut à intervenir à quelques reprises pour calmer les deux hommes.

— Vous allez arrêter tout de suite de vous chicaner ! J'ai du travail pour vous deux et rendu au manoir, je vais vous préciser exactement de quelle manière je le diviserai entre vous.

Le nouveau serviteur était grand et dans la quarantaine. Il nous fut d'une grande utilité pour tout ce qui demandait de la force. Aucun poids ne semblait trop lourd pour lui, et il travaillait vite et proprement. Il donnait aussi un grand coup de main à Radegonde du côté du jardin.

❖

Une lettre de Renaud constituait chaque fois l'occasion de se rappeler de bons souvenirs. La dernière lettre qu'il avait écrite à ses parents était brève et provenait de Mobile, en Louisiane. Il y laissait entendre qu'il reviendrait sans doute bientôt à Québec, peut-être avec une épouse et un petiot.

— Celui-là, dit Marcellin sur un ton où se mêlaient le reproche et l'admiration, ne saura vraiment jamais faire les choses comme tout le monde !

Chapitre 46

Des nouvelles
de Clément et de Fanchon

Radegonde se morfondait de recevoir si peu de lettres de Clément. Elle s'en ouvrit à Marcellin.

—Clément a beau travailler pour l'intendant, il ne me fera jamais croire qu'il ne trouve pas une minute pour nous écrire et qu'il n'a pas quelques journées de congé pour nous visiter.

—À la rigueur, je pourrais croire que son travail auprès de l'intendant lui vole tout son temps, ce qui l'empêche de nous venir voir, mais il pourrait certes nous écrire. Je crois bien que je devrai me rendre de nouveau à Québec pour le secouer un peu.

Le projet de Marcellin ne se concrétisa pas de tout le printemps. L'été fut tellement chargé de toutes sortes d'activités qu'il ne parla pas de se rendre à Québec avant l'automne. Puis il reçut une lettre qui le décida à se mettre en route du jour au lendemain. À Radegonde qui s'étonnait de ce départ subit, il lui fit la réponse suivante:

— Si j'avais fait le voyage au moment où j'en ai parlé pour la première fois, il y aurait longtemps que nous en aurions le cœur net. Mais je l'ai remis et remis et nous voilà à l'automne. Je devrais toujours suivre les bons conseils de monsieur de La Fontaine et ne pas remettre au lendemain ce que je peux faire le jour même.

Il partit pour Québec et nous revint avec un Clément qui semblait avoir passé de durs moments. Chacun, bien sûr, Radegonde en tête, se réjouit de sa venue au manoir.

Ce ne fut que longtemps plus tard que j'appris ce qui était arrivé à Clément. Marcellin n'en souffla pas un mot afin d'éviter une grande peine à Radegonde. Quant à moi, je n'élaborerai pas plus là-dessus puisque Marcellin m'a demandé d'ignorer en ces lignes les frasques de Clément, qu'il saura bien raconter lui-même.

❖

Pendant l'absence de Marcellin arriva fort heureusement cette lettre de Fanchon qui, elle, donnait régulièrement de ses nouvelles. Après avoir eu l'occasion de lire un texte touchant la défense du fort de Verchères par son ami Madelon en 1692, elle fit parvenir à ses parents cette curieuse lettre :

Montréal, 12 septembre 1715

Chers parents,

Ce petit mot pour vous annoncer ma prochaine visite au manoir, mais surtout pour vous faire part de ce texte bizarre qui m'est tombé dernièrement sous les yeux concernant le récit qu'aurait fait mon amie Madelon de l'attaque qu'il y eut au fort de Verchères en 1692. Un certain monsieur de La Potherie a aussi fait récit de cet événement. Je ne sais pas si vous l'avez lu. Pour ma part, j'ai voulu prendre connaissance de ce qu'il a écrit puisque ce jour-là, vous vous en souviendrez, j'étais allée rendre visite à Madelon et que je me trouvais au fort.

Il est vrai, comme l'écrit ce monsieur, que Madelon fut surprise par les Iroquois au moment où elle était au jardin. Il n'y avait pas moins de cinq années, vous vous en souviendrez certainement, que les Iroquois rôdaient chaque été et jusqu'à l'automne autour de notre manoir et autour du fort de Verchères. Il ne faut donc pas vous étonner qu'au fort, nous étions toujours sur nos gardes.

Ce jour-là, comme je vous l'ai certainement raconté, j'étais justement montée sur la palissade pour causer avec la sentinelle. Comme nous avions coutume de faire, j'avais en main un fusil. Nous avons entendu des cris poussés par des hommes surpris aux champs par les Iroquois. J'ai vu qu'un de ces Sauvages courait après Madelon. Fort heureusement, j'ai eu le temps de tirer, ce qui a surpris l'Iroquois, l'a fait hésiter et a permis à Madelon de se réfugier dans le fort. Jamais, comme l'a écrit ce monsieur de La Potherie, ce Sauvage n'a eu le temps de saisir Madelon par son foulard. S'il l'avait fait, elle n'aurait pas pu le dénouer et aurait été faite prisonnière.

Il est vrai que dès qu'elle fut dans le fort, elle a vite pris les choses en main comme elle l'avait vu faire par sa mère deux années auparavant. En nous promenant sur la palissade, nous avons laissé croire que nous étions fort nombreux. Nous avons mis à contribution ses frères Pierre et Alexandre qui ont fait les cent pas autour du bastion en tenant un chapeau d'homme au bout de leur fusil et en le faisant paraître et disparaître ici et là au-dessus de la palissade.

Aussitôt rendue en sécurité dans le fort, Madelon s'est souvenue de ce que sa mère avait fait pour obtenir de l'aide lorsque, deux années plus tôt, les Iroquois avaient attaqué le fort. Aussi s'est-elle précipitée vers la sentinelle pour demander son aide afin de bourrer le canon. Pendant que nous étions en garde sur le bastion et la palissade afin de repousser toute attaque contre le fort, elle a fait tirer un coup de canon. Il faut croire que ce coup a produit son effet puisque tous les ennemis ont disparu comme par enchantement et que nous n'avons plus été inquiétés par la suite.

Quant à ce que le sieur de La Potherie fait dire à Madelon, à savoir que ce ne serait qu'au bout de huit jours qu'une de nos sentinelles, entendant des voix près du fort sur le fleuve, alla prévenir Madelon, qui s'était assoupie en tenant son fusil dans ses bras, c'est pure *invasion. Elle aurait demandé aux arrivants : « Qui va là ? » On lui aurait répondu : « Français. C'est le capitaine Lamonnerie qui vient vous donner secours. »*

Elle aurait fait ouvrir la porte du fort et se serait rendue accueillir ce secours au bord du fleuve en disant au capitaine Lamonnerie : « Monsieur, soyez le bienvenu, je vous rends les armes. » Galant homme, il aurait répondu : « Mademoiselle, elles sont en bonnes mains. » Ce à quoi Madelon aurait répliqué : « Meilleures que vous ne croyez ! »

Comme je le disais plus haut, tout cela est pure imagination, parce que le lendemain de l'apparition des Sauvages, à l'aube, une centaine de soldats venus de Montréal sont arrivés au fort pour le délivrer. Ils étaient, il est vrai, commandés par le capitaine Lamonnerie. Mais jamais Madelon ne lui a parlé de lui rendre les armes.

J'ai peine à croire que cette chère Madelon, à moins qu'elle n'ait beaucoup changé, il est vrai qu'il y a des années que je ne l'ai point vue, ait inventé pareille histoire. Tout ça est certainement plutôt le fait du sieur de La Potherie.

Pourquoi donc, vous demanderez-vous, me mets-je en frais de vous rappeler tout cela ? Tout simplement parce que, depuis quelque temps, j'aime remonter dans le passé à l'époque où je vivais parmi vous au manoir, et que ce texte m'a été une occasion de le faire.

J'ai grand hâte d'être bientôt parmi vous.

Votre Fanchon

Chapitre 47

Triste événement
et pénible nouvelle

Notaire et juge, Marcellin était constamment appelé à régler toutes sortes de problèmes. Il se trouvait de la sorte mêlé parfois à de fort curieuses situations. Un matin que le soleil n'était pas encore levé, on le vint cueillir au manoir pour une urgence. Il ne manqua pas à son retour de nous faire part de ce dont il s'agissait.

L'homme venu le chercher se montra fort peu loquace tout au long du trajet qui les menait au-delà du fort de Verchères, sur la route menant à Contrecœur. À Marcellin qui lui demanda la cause de cette précipitation, il ne sut que dire : « Vous verrez bien ! »

Et Marcellin finit par voir, en effet. À cette heure hâtive, déjà quelques personnes se trouvaient le long de la route et tous regardaient dans la même direction. L'homme arrêta la voiture à leur hauteur. Dans l'aube naissante, Marcellin aperçut le corps d'un homme pendu à la branche basse d'un érable. Il s'avança, jeta un coup d'œil, fit s'éloigner un peu les curieux et examina le sol tout autour afin de vérifier si cet homme avait été pendu là par d'autres ou s'il s'était lui-même donné la mort. Il s'informa auprès de celui qui était allé le chercher :

— Les gendarmes et le chirurgien sont-ils prévenus ?

— À l'heure qu'il est, hum… Si ce n'est pas fait, ça ne saurait tarder.

— Au fait, puis-je savoir votre nom ?

— Jeancien Labonté.

— Quelqu'un le connaît ?

— C'est Jean Bellavance, dit un homme en s'approchant.

Marcellin ouvrit son coffre et, assis par terre, le dos appuyé à un arbre, il sortit son encrier, s'empara d'une plume d'oie et d'une feuille sur laquelle il commença à rédiger son procès-verbal.

Ce jourd'hui, 17 du mois de mai de l'an de grâce mil sept cent seize, mandé par le nommé Jeancien Labonté, avant le soleil levé, pour me rendre, accompagné de sa personne sur la route menant de Verchères à Contrecœur, j'ai aperçu dans un arbre au bord de la route le corps pendu du nommé Jean Bellavance. À la clarté de l'aube, après avoir examiné les lieux autour de l'arbre où cet homme était accroché, je n'ai pas vu de pistes qui puissent faire croire qu'il y aurait été mené par d'autres pour être exécuté.

J'ai attendu à cet endroit en éloignant les curieux l'arrivée du chirurgien Duclos, lequel s'est présenté vers les six heures du matin accompagné de deux gendarmes. Il a fait décrocher le corps et après examen il a conclu que cet homme est mort par strangulation, ne portant aucune marque pouvant faire croire à des violences quelconques à son endroit. Il a certifié que cet homme s'est donné lui-même la mort.

Les plus hautes autorités du pays seront avisées de cette mort violente par le présent procès-verbal.

Fait à Verchères ce 17 mai 1716 en présence de Jeancien Labonté et de Julien Laborde, habitants du lieu, témoins soussignés avec le chirurgien Antoine Duclos qui a examiné le corps de ce pendu et nous, notaire et juge seigneurial.

Jeancien Labonté
Antoine Duclos chirurgien

de Contrecœur

Julien Laborde
Marcellin Perré notaire
et juge
de la seigneurie de
Verchères

❖

Peu de temps après ce triste événement, une fort pénible nouvelle vint attrister tout le manoir pendant des semaines entières. Une lettre datée du 8 avril 1716 nous parvint, lettre que selon son habitude, Marcellin commença à lire avant de nous en résumer le contenu.

Elle était écrite de la main de Renaud et provenait de Mobile, en Louisiane.

Cher père,

Il y a bien longtemps que j'attendais l'occasion de vous écrire afin de vous faire part de ce qu'est actuellement ma vie. Je la partage désormais avec Béatrice Latraverse, dont j'ai fait la connaissance ici.

Nous y avons notre hutte et vivons tout au long de l'année dans un climat fort agréable. Pourquoi, un jour, ne prendriez-vous pas un vaisseau en compagnie de notre mère pour nous venir voir ? Nous écoulons ici des jours heureux et, j'en suis persuadé, vous seriez ravi de voir l'endroit où nous vivons. Plusieurs familles françaises vivent ici et nous partageons leur vie avec plaisir. La musique ne manque pas. Souffrez que je vous dise que le nommé La Musique, rencontré autrefois en ce lieu, est décédé. Aucun musicien d'ici ne savait faire parler le violon mieux que lui.

Vous serez heureux de connaître mon épouse Béatrice. Elle est charmante et a toujours un sourire accroché aux lèvres. Je suis certain qu'elle plairait beaucoup à notre mère. Si l'occasion jamais se présente, nous ferons le voyage jusqu'à Québec et Verchères. Je meurs d'envie de vous la faire connaître. Peut-être y arriverons-nous avec le plus beau cadeau que la vie puisse nous faire, un enfant.

La lettre de Renaud s'arrêtait sur ces mots. Une autre écriture avait ajouté un post-scriptum.

Marcellin s'arrêta pour le lire à voix basse. Il blêmit, se mit à trembler si bien que Radegonde, s'avisant que quelque chose d'effroyable s'était passé, lança un cri et se précipita vers lui. Marcellin la reçut dans ses bras et ils se mirent à pleurer tous les deux pendant que la lettre tombait par terre. Je la ramassai pour lire ce qui suit :

J'ai le cœur brisé de vous apprendre que votre fils Renaud est passé de vie à trépas en ce 12 avril de la présente année 1716. Partis en mer sur le vaisseau L'Impitoyable, *ils ont été surpris par un navire pirate qui leur a livré un dur combat. Bien que* L'Impitoyable *ne se soit pas rendu, Renaud a été tué d'un boulet de canon durant le combat pour sa défense.*

Veuillez croire à toute la détresse que sa disparition m'a causée et à toute la peine que je ressens à vous annoncer une si triste nouvelle.

Son grand et fidèle ami, Claude Jarobert

❖

La disparition de Renaud assombrit longtemps l'atmosphère du manoir. On n'y trouvait plus la joie de vivre habituelle et la pauvre Marie avait beau mettre tout en œuvre pour tâcher de faire oublier ce grand malheur, rien n'y changeait. Prévenue du drame qui avait frappé sa famille, Fanchon se fit un devoir de passer plusieurs jours auprès de ses parents avec ses enfants, comptant sur la joie de vivre de ceux-ci pour alléger l'atmosphère. Mais il n'est pas facile de faire oublier à une mère la perte d'un enfant cher. Radegonde, on le sentait, était toujours vivement secouée par la mort de son fils. Quant à Marcellin, il avait choisi d'oublier dans le travail, tant et si bien que lorsque Fanchon retourna à Montréal avec ses enfants, Marcellin se plaignit de ne pas avoir eu le temps de profiter de leur visite.

❖

Durant tout ce temps, Clément avait erré pendant des mois comme une âme en peine. Marcellin avait bien tenté de l'intéresser au bon fonctionnement du manoir, en pure perte. Fort heureusement, il finit par être rappelé à Québec au service de l'intendant et, sans le dire, nous fûmes tous soulagés de son départ.

Chapitre 48

À propos de Simon

Le temps faisant son travail, la vie reprit tranquillement le dessus. Mais le cœur d'une mère reste toujours le même, et si Radegonde n'avait plus à s'inquiéter de ce que devenait Renaud, elle n'oubliait pas pour autant ses deux autres fils au loin. Depuis qu'il y était retourné, Clément semblait être rivé à Québec, son travail ne lui permettant pas de leur rendre visite, et il donnait rarement de ses nouvelles.

Quant à Simon, il fallait se faire à l'idée que sa famille n'existait plus pour lui. Marcellin lui écrivit pour lui annoncer la mort de Renaud.

Verchères, 14 septembre 1716

Cher fils,

Votre mère et moi, nous nous demandons souvent ce que vous devenez et quelles sont les raisons pour lesquelles vous nous donnez si peu de vos nouvelles. Vos sœurs nous parlent fréquemment de vous, se rappelant les bons moments passés en votre compagnie et se questionnant, tout comme nous, à propos de vos longs silences.

Si je prends aujourd'hui la liberté de vous écrire, c'est d'abord et avant tout pour vous faire part du grand malheur qui a touché notre famille. Votre frère Renaud est décédé le 12 avril de cette année 1716 lors d'une sortie en mer. Le vaisseau L'Impitoyable *sur lequel il se trouvait a été attaqué par un navire pirate et votre frère a été tué par un boulet de canon.*

Sa disparition nous a fortement bouleversés et attristés. Votre mère reste inconsolable. Elle vivait toujours dans l'appréhension de recevoir une telle nouvelle, et cette crainte, elle la vit également tous les jours pour vous. Jugez donc de l'importante obligation qui est vôtre de donner plus fréquemment de vos nouvelles. Vous n'êtes plus un enfant. Il me semble que votre père ne devrait pas être obligé de vous rappeler votre devoir filial.

Nous vous espérons tous en bonne santé et heureux dans ce que vous faites. Avez-vous eu l'occasion de rencontrer une jeune femme dont vous ferez votre épouse et qu'il nous fera grandement plaisir de connaître? Nous ferez-vous le grand bonheur d'être de nouveau grands-parents?

Votre sœur Françoise nous prie de vous saluer et serait fort heureuse de vous faire connaître vos neveux et nièces. Votre sœur Marie fait dire qu'elle ne vous oublie pas et qu'elle serait fort aise de vous revoir. Quant à votre frère Clément, il agit un peu comme vous et nous donne très peu de satisfaction de savoir ce qu'il fait.

Votre mère et moi nous vous saluons et vous rappelons toute l'affection que nous avons à votre égard, en nous réjouissant à l'avance de la bonne attention que vous nous porterez en nous écrivant.

Votre père, Marcellin Perré

Cette lettre de Marcellin prit des mois à se rendre à destination. Elle sembla toutefois secouer quelque peu Simon puisqu'il daigna y répondre, mais comme toujours, il le fit bien brièvement et sa lettre parvint à Verchères plus d'une année après le décès de ce pauvre Renaud.

Tour, 28 avril 1717

Chers parents,

J'ai bien reçu votre lettre m'annonçant la disparition de Renaud. C'est là une bien triste nouvelle. Mais elle ne m'a pas surpris outre mesure considérant le genre de vie que mon frère menait.

Peut-être serez-vous heureux d'apprendre que j'ai obtenu l'attestation qui fait de moi désormais un ingénieur et hydrographe du roi au même titre que le sieur Franquelin. On me confie de plus en plus de tâches complexes et je me plais bien dans ce que je fais. Mon ami Pierre Gaultier de Varennes, mieux connu désormais sous son nom de La Vérendrye, me dit qu'il aura sans doute un jour recours à mes services. J'en suis fort honoré. Comme il a l'intention d'explorer l'Ouest du Canada, sans doute que je reviendrai au pays en sa compagnie. Cette nouvelle devrait réjouir notre mère, car si je reviens au pays, je ne manquerai pas de vous rendre visite à Verchères.

Votre fils très affectionné, Simon

P.S. Il n'y a pour le moment aucune femme dans ma vie.

Chapitre 49

La faucheuse passe

Fanchon profitait ordinairement du début de l'automne pour sa visite annuelle au manoir, aimant s'y retrouver au moment où la nature donne son grand spectacle de couleurs. Elle annonça sa venue par un petit mot que Marcellin et Radegonde reçurent avec beaucoup de plaisir. Pourtant, octobre en était déjà à son mitan et Fanchon n'avait toujours pas donné signe de vie.

— Ce n'est pas dans ses habitudes de s'annoncer et de ne pas venir, s'inquiéta Radegonde.

Marcellin, qui travaillait à la rédaction d'une lettre, dit distraitement :

— Elle aura été empêchée par un événement quelconque.

Puis, après réflexion, il ajouta :

— Il ne faut pas se surprendre. Son mari n'est pas l'homme le plus compréhensif de la terre. Il n'a jamais trouvé le moyen de mettre les pieds à Verchères et il ne la laisse pas partir à sa guise.

Toujours aussi conciliante, Radegonde tenta de l'excuser :

— Il ne faut pas lui en vouloir. Être père de cinq enfants n'est pas chose facile. Tu en sais un peu quelque chose.

— Ah, si ! Mais ça n'excuse pas notre gendre de nous ignorer.

— Que veux-tu ! Ça prend toute sorte de monde pour faire un monde, et ce n'est pas nous qui allons le changer.

— Je me demande parfois s'il aime ses enfants. Il me semble qu'il pourrait leur faire plaisir de temps à autre en nous les amenant. C'est toujours Fanchon qui le fait, à croire que ses enfants n'ont pas de père.

— Tu deviens injuste, Marcellin. Notre gendre a certainement ses raisons d'agir comme il le fait. Ce n'est pas à nous de le juger.

Elle avait beau dire et beau faire, Marcellin s'en tenait à son idée. Octobre passa sans que Fanchon se fût manifestée. Novembre était largement entamé quand Radegonde décida de se rendre chez sa fille.

— Si elle ne nous rend pas visite, insista Radegonde, c'est moi qui irai la voir.

Elle se fit conduire chez Fanchon par Jimmio. À leur arrivée à Montréal, ils trouvèrent la moitié de la maison alitée. Quelques semaines auparavant, Guillaume avait été malade, ce qui avait empêché Fanchon de se rendre à Verchères. Pour lors, on ne savait pas trop quelle maladie les accablait. Le chirurgien venait tous les jours au chevet des malades. Le jour où Radegonde et Jimmio arrivèrent, il déclara que les enfants étaient bel et bien atteints d'une fièvre maligne. En l'espace de quelques jours, la famille de Fanchon fut décimée. Guillaume mourut le premier, suivi d'Élise et de Marie-Ève.

Fanchon et Radegonde s'étaient relayées à leurs côtés pour leur apporter les meilleurs soins possibles. Se souvenant que Marie avait autrefois été guérie des fièvres par une tisane, Radegonde envoya Jimmio chercher de la pruche et des aiguilles d'épinette blanche. Elle tenta bien de soigner les enfants au moyen de cette tisane, mais ce qui avait fait miracle sur Marie n'eut aucun effet sur eux. Puis Fanchon elle-même se sentit mal et dut s'aliter. Foudroyée, elle s'éteignit à son tour en quelques heures dans les bras de sa mère.

Ce fut une Radegonde complètement dévastée qui revint au manoir après ces deux semaines d'enfer, ramenant avec elle son filleul Marcellin et la petite Alexandrine, les deux seuls enfants de Fanchon qui semblaient avoir été épargnés par la maladie.

Marcellin et Radegonde étaient démolis par le décès de leur fille aînée.

— La vie ne devrait pas permettre que les enfants meurent avant leurs parents, ne cessait de répéter Radegonde.

— La vie est ainsi faite, ma mie, lui rappelait patiemment Marcellin. Elle n'a pas de cœur.

Il ne pouvait mieux dire, car à peine une journée après que Radegonde fut revenue au manoir, elle prit le lit à son tour, suivie de Jimmio et d'Augustine. Marcellin décida aussitôt de m'expédier en compagnie d'Abel, de Félicité et des deux enfants au pavillon de chasse pendant que Marie s'occuperait des malades.

La mort fit implacablement sa besogne, emportant Radegonde de même que Jimmio et Augustine. Marie et Marcellin tinrent le coup. Les corps des défunts furent portés par Abel au cimetière de Verchères. Comme on craignait la contagion, ils furent rapidement mis en terre. Ce ne fut que deux semaines plus tard, au passage du missionnaire desservant, qu'une céré-monie funèbre eut lieu. Le même jour, pour nous per-mettre d'assister aux funérailles, il nous fut possible de revenir au manoir. J'avais l'impression d'entrer dans un tombeau tant était lourd le silence qui l'habitait.

Notre retour marqua, sans qu'on l'ait préconçu, le début d'une ère nouvelle, celle des petits-enfants dont Marie s'occupa comme si elle avait été Fanchon et que j'eus à instruire en qualité de préceptrice. Leur père, qui n'avait jamais mis les pieds au manoir, se préoccupa soudainement de ses enfants, comme s'il venait de s'en souvenir. Il s'y présenta enfin, non pour en reprendre la charge, mais bien pour prier Marcellin de bien vouloir veiller sur eux.

—Je n'ai, dit-il, aucune propension à voir à leur éducation et mon travail ne me permet pas de m'occu-per d'eux comme je le devrais.

— Dans ce cas, dit Marcellin, je veux bien assurer leur avenir, mais dans les règles.

Il prépara un document par lequel François Pélissier reconnaissait avoir confié la garde de ses enfants Marcellin et Alexandrine à leur grand-père Marcellin Perré afin qu'il veille à leur subsistance et à leur éducation jusqu'à leur majorité. Advenant que leur grand-père viendrait à mourir avant cette échéance, leur tante Marie veillerait sur eux au même titre que leur grand-père.

❖

Quand il en eut terminé avec toutes ces démarches, Marcellin s'assit dans son étude et écrivit à Simon la lettre suivante :

Verchères, 22 juillet 1718

Cher fils,

Votre sœur Fanchon et trois de ses enfants, ainsi que votre mère et les serviteurs Jimmio et Augustine ne sont plus. La fièvre maligne les a emportés comme le vent le fait des feuilles d'automne. Vous ne pouvez pas savoir à quel point ma douleur est profonde de les avoir tous perdus. Jamais plus la vie ne sera la même.

Vous vous proposiez de revenir éventuellement au pays, mais il est maintenant trop tard pour le faire. Mon chagrin est tel que je n'ai pas le cœur à vous en écrire plus long. Je vois ma famille disparaître comme la glace qui fond au soleil et j'ai le cœur plus triste que le plus noir des orages.

Priez pour votre père, votre sœur Marie et votre frère Clément, les seuls survivants de cette abomination.

Votre père, Marcellin Perré

Chapitre 50

La vie continue

La présence des enfants de Fanchon au manoir y ramena un peu de vie. Marie ajouta à ses tâches celle des repas, mais Marcellin ne tarda pas à se mettre à la recherche d'une cuisinière pour remplacer Augustine. Il la dénicha du côté de Varennes. Elle avait nom Madeleine Truchon, était grassouillette et la bonne chère n'avait pour elle aucun secret.

❖

Quelques semaines avant ces grands malheurs, Marcellin s'était inquiété d'un nouveau long silence de Clément. Après lui avoir écrit, il avait reçu en retour une lettre qui n'avait pas manqué de l'alarmer vivement. Clément parlait de se marier. Comme il était encore mineur, Marcellin lui avait réécrit pour lui rappeler qu'il ne pouvait le faire sans son autorisation et qu'il n'avait pas l'intention de la lui donner.

En retour, il avait reçu de Clément une lettre de sommation respectueuse, le priant de lui accorder l'autorisation de se marier, car il en allait de son honneur et de celui de la femme qu'il fréquentait. Ensuite, pris par la maladie de Fanchon et tout ce qui s'était ensuivi, Marcellin en avait presque oublié l'existence de Clément. Le calme maintenant revenu, il lui expédia une lettre dans laquelle il lui annonçait les malheurs qui venaient de les frapper.

Puis, pendant quelques jours, il sortit pour de longues promenades dans la nature, cherchant sans doute à retrouver la paix du cœur et à se réconcilier avec la vie. Mais il ne parvenait pas à recouvrer sa sérénité et son fils en était largement la cause. Pour en avoir le cœur net, il résolut de se rendre à Québec.

En se présentant au palais, il apprit que Clément était en congé pour deux semaines. On lui dit :

— Vous devriez vous informer auprès de Justine Dassonville. Elle doit savoir où il se trouve.

— Où habite-t-elle ?

— Rue Sainte-Anne.

Quand Marcellin se présenta chez elle, Justine le reçut fort simplement, en le priant de s'asseoir et en lui vantant les mérites de Clément.

— Vous savez comment est Clément, dit-elle. Il ne tient pas en place. Chaque fois que je lui ai proposé d'aller à Verchères, il a trouvé une défaite pour ne pas s'y rendre. Il préférait vous écrire.

— Il y a longtemps que vous le connaissez ?

— Depuis deux ans, mais nous ne sommes mariés que d'une semaine à peine.

À ces propos, Marcellin sursauta.

— Mariés ? dit-il. Vraiment, mariés ? Et sans ma permission, lui qui n'est pourtant pas encore majeur !

— Il voulait bien attendre ses vingt-cinq ans, monsieur Perré, mais voilà que je suis en famille.

De stupeur, Marcellin s'était levé à l'annonce du mariage de son fils. En apprenant la grossesse de sa bru, les deux bras lui tombèrent et il se rassit aussi vite.

— Ce fils ingrat, grommela-t-il, ne fera jamais les choses comme les autres ! Mais que fait-il ? Où est-il ?

— En congé.

— Mais où ?

— À la pêche !

— À la pêche ?

— Il faut bien qu'il expérimente. Il voulait le faire depuis des années. Il cherche des moyens de nous faciliter la vie.

À ce moment seulement, Marcellin se rendit compte de la vétusté de l'appartement occupé par la jeune femme.

— C'est votre demeure à tous deux ? demanda-t-il.

— En effet, nous habitons ici en attendant de trouver mieux. Pour lors, Clément est à la pêche, mais il m'a promis qu'à son retour, en plus de son travail chez l'intendant, il verrait à gagner plus honorablement sa vie, compte tenu des capacités qui sont siennes.

Marcellin en avait assez entendu. Il demanda à la jeune femme :

— Sait-il que sa mère et sa sœur Fanchon sont décédées ?

La jeune femme pâlit et s'assit, la main sur le cœur.

— Il l'ignore, tout comme moi. Vous me l'apprenez et vous m'en voyez toute bouleversée même si je n'ai pas eu le bonheur de les connaître.

— Il n'ouvre donc pas les lettres que je lui envoie ?

La jeune femme se leva, se dirigea vers la chambre et en revint avec une enveloppe.

— Elle est arrivée le lendemain de son départ. Voyez vous-même ! Je ne l'ai point décachetée. Elle ne m'était pas adressée et, de plus, comment aurais-je pu informer Clément de son contenu ?

Marcellin se leva pour de bon.

— Fort bien, je rentre à Verchères. Vous le mettrez au courant de ma visite et surtout, dites-lui bien que malgré sa conduite indigne, sa sœur Marie et moi continuons à l'aimer et qu'en conséquence, les portes du manoir lui sont toujours ouvertes malgré tout, comme à vous d'ailleurs.

Tirant une bourse de son pourpoint, il la déposa sur la table.

— Pour vous, dit-il, et pour l'enfant à venir.

Il passa la porte sans se retourner, à la fois irrité et heureux de sa visite. Par sa franchise et sa spontanéité, cette jeune femme avait fait sa conquête.

Chapitre 51

Marie prend charge du manoir

Si elle avait été là, Radegonde aurait été très fière de sa fille Marie, qui prit charge du manoir avec autant d'habileté et de succès que sa mère. Sachant qu'il pouvait compter sur elle, Marcellin, tel un homme qui cherchait à oublier, se mit à parcourir la seigneurie de Verchères et les seigneuries voisines. Il marchait beaucoup, profitant de l'été pour pêcher et de l'automne pour chasser la caille et le bécasseau. On le voyait fréquemment assis au manoir ou dans les alentours, la pensée ailleurs, le regard triste.

Ses plus grands plaisirs, il les prenait à faire le tour de ses terres et à s'intéresser aux progrès de ses petits-enfants. Radegonde lui manquait beaucoup. Il invitait parfois des amis à souper, mais le cœur n'y était pas. Ce fut à compter de ce moment qu'il s'occupa de mettre de l'ordre d'abord dans tous les documents notariés qu'il avait produits, puis dans ceux qui concernaient les siens. Il classa tous les papiers qu'il jugeait utiles à l'histoire qu'il se proposait d'écrire sur sa famille. Cependant, chaque fois qu'il s'installait dans son bureau avec l'idée d'en commencer le récit, il se figeait devant la page blanche.

❖

Cinq années s'écoulèrent sans que la routine et la vie du manoir soient perturbées par quoi que ce soit. Puis Clément, qui avait fini par se caser en travaillant comme commis aux écritures pour l'intendant Bégon, arriva avec sa petite famille composée de son épouse et de leurs trois jeunes enfants. On ne peut pas dire que Marcellin se réjouit de cette invasion.

— Je présume, dit-il à Clément, que tu nous reviens parce que tu as perdu ton emploi?

— Il est vrai que je n'ai plus d'emploi pour l'instant, père, mais je n'y suis pour rien. L'intendant Bégon est passé en France et le nouvel intendant est arrivé avec son secrétaire et son commis aux écritures. Je compte bien me trouver du travail ailleurs, ce qui n'est pas encore le cas malgré mes recherches, aussi j'ai pensé que vous nous feriez la grâce de votre hospitalité.

— Mes enfants ont toujours été les bienvenus chez moi, mais à la condition qu'ils s'y rendent utiles.

— Je travaillerai volontiers pour vous, père. Je présume qu'ici l'ouvrage ne manque pas.

Justine était une femme plutôt fantaisiste et indépendante. Elle réussit à convaincre Clément d'habiter le pavillon de chasse durant la belle saison et l'automne.

Leurs enfants y vivaient avec eux. Même s'ils se trouvaient à quelques centaines de pieds du manoir, Clément et Justine ne s'y rendaient que rarement. Marcellin insista pour qu'ils partagent chaque dimanche le repas de midi avec nous. Justine faisait par contre assez fréquemment la navette entre le pavillon de chasse et le manoir pour y chercher de la nourriture, qu'elle faisait chauffer la plupart du temps dehors, sur un feu de bois.

Quant à Clément, il y séjournait pour son travail, mais regagnait le pavillon tous les soirs au terme de sa journée. Marcellin ne s'offusquait pas de son attitude. «Il a toujours été indépendant, pensait-il, ce n'est pas à son âge qu'il va changer.» Puis, quand il apprit l'arrivée d'un nouveau gouverneur, Clément se rendit à Québec pour tenter sa chance d'être engagé. Il n'eut pas à plaider sa cause longtemps. Son travail pour l'intendant Bégon parla en sa faveur. Après ces années de séjour au manoir, il regagna Québec avec sa petite famille.

Chapitre 52

Marcellin en France

Marcellin ressentait le poids des ans. Il ne voulait pas mourir sans avoir revu son fils Simon, qui semblait avoir oublié l'existence de sa famille. Fidèle à lui-même, celui-ci écrivait de temps à autre des lettres très courtes où il parlait surtout de son travail.

Paris, 8 avril 1725

Cher père,

Ma vie est tellement faite de travail que je me demande parfois si rien d'autre n'existe pour moi. Mais c'est là-dedans que je me sens bien. Il se peut fort que je retourne au pays bientôt. Je n'attends pour cela que la décision de mon ami La Vérendrye. Mais comme il en parle souvent sans que rien se décide, je ne peux pas vous dire quand cela se fera, sans doute pas avant des mois sinon des années. Dès que je le saurai, je vous en ferai part.

Je vous espère en bonne santé.

Votre fils affectionné, Simon

Ce fut précisément après avoir reçu cette lettre laconique que Marcellin décida de partir voir son fils en France.

—Ce sera mon dernier voyage, dit-il à Marie. Tu sauras t'occuper comme tu le fais si bien du bon fonctionnement de tout?

—Vous n'avez pas à vous préoccuper, père. Tout ira bien. Faites un bon voyage et ne vous souciez de rien. Le jeune notaire Patenaude fera son travail et le sieur Duhamel saura bien vous remplacer comme juge.

—Je l'espère. Je n'ai plus l'âge ni la volonté de poursuivre ces deux tâches. Mon absence sera l'occasion pour eux de prendre toute la place. Quant à moi, je saurai profiter de ce voyage pour me préparer ensuite au dernier de ma vie.

—Allons, père! le gronda Marie. Vous avez encore devant vous de nombreuses et belles années.

—Ce n'est pas ce que mon cœur ni mes os me disent. Mais soyez tous sans inquiétude, je reviendrai ce printemps par le premier navire.

❖

Contrairement à ses habitudes, à son retour de voyage, Marcellin mit quelque temps à nous faire part de ce qu'il avait vécu là-bas. Il finit par en parler au cours d'un souper:

—Simon n'a guère changé, dit-il, il semble toujours perdu dans ses chiffres. Je l'ai trouvé distrait, souvent parti dans la lune et sans la moindre intention de partager sa vie avec une compagne.

—C'est peut-être mieux ainsi, dit Marie. Sans doute ne saurait-il pas rendre une épouse heureuse.

—J'ai tenté de lui faire plaisir en l'accompagnant dans son travail, qui consiste à passer des journées entières à prendre des mesures sur place. Il les reporte ensuite sur papier et peut reconstituer de la sorte avec précision l'endroit qu'il a mesuré.

—Père, dit Marie, ce travail me semble passionnant, vous ne trouvez pas?

—Sans doute, pour quelqu'un dont c'est la passion. Même si tout cela semble utile, ça m'est apparu très monotone. Il profite des jours de mauvais temps pour faire ses dessins, autrement il est dehors, perdu dans ses mesures.

—Vous a-t-il fait visiter sa maison?

—C'est ce qui m'a le plus désolé. Il habite presque un taudis, une petite chaumière où se trouve à peine ce qui convient aux nécessités de la vie. Il m'a expliqué que c'est temporaire, car il n'y vit que le temps d'aller ailleurs. Voilà pourquoi, m'a-t-il assuré, il ne se soucie pas trop de l'endroit où il demeure.

—C'est peut-être aussi ce qui explique pourquoi il ne s'efforce pas de se trouver une épouse.

—Tu as sans doute raison. Quelle femme voudrait passer sa vie dans de pareilles conditions? Ce n'est certainement pas parce qu'il ne pourrait vivre mieux.

Il aurait tout l'argent nécessaire pour se procurer une belle demeure. Je me demande parfois…

Marcellin n'ayant pas terminé sa phrase, Marie le questionna :

— Vous vous demandez quoi ?

— Ah ! Ma fille, ce n'est rien qui puisse se dire et faire avancer les choses. S'il est bien comme il est, c'est peine perdue de vouloir changer rien à rien.

Il n'en dit pas plus et Marie n'insista pas. En notre for intérieur, nous avions bien compris ce que Marcellin voulait insinuer.

Chapitre 53

Une proposition d'écriture

Après toutes ces années, la seigneurie de Verchères s'était développée harmonieusement. Outre le fort et le manoir du seigneur, on y trouvait un moulin à vent, une église autour de laquelle s'élevaient un bon nombre de maisons. Malgré le décès prématuré du seigneur Jarret, sa jeune épouse avait su bien administrer. Mais en cette année 1728, la mort vint la chercher à son tour et ce fut avec beaucoup d'émotion et de regrets que nous assistâmes à ses funérailles et à son inhumation au côté de son époux, au cimetière de Verchères.

Sa disparition soulignait une fois de plus la marche inexorable du temps. En quelques années, tout Verchères était en train de changer et s'estompait petit à petit le passé. Quand nous y allions, nous avions peine à reconnaître les visages, tant il en était disparus de notre époque, remplacés par des plus jeunes que nous avions connus enfants et qui prenaient tranquillement la place. Marcellin lui-même le faisait remarquer, ajoutant chaque fois :

— C'est comme ici, au manoir. Si ceux qui nous ont quittés revenaient parmi nous, ils se croiraient presque dans un monde inconnu.

—Mais vous êtes toujours ici, le reprenait Marie, et moi aussi. Quant au manoir, il est encore bien en place.

—Oh! Marie, tu comprends certainement fort bien ce que je veux dire.

Mais Marie qui, d'une année à l'autre ne changeait pas, s'efforçait de fermer les yeux et ne baissait jamais les bras. Il est vrai que la présence des enfants de Fanchon permettait au manoir de présenter encore un visage jeune, car Marcellin le fils et sa sœur Alexandrine animaient bien la place par leurs jeux. Toutefois, rien n'était comme avant. Sans Radegonde et Fanchon, sans Jimmio et Augustine, le manoir n'était plus le même. Une importante page du grand journal de la vie avait été tournée. On ne refait pas le passé.

❖

Mais le manoir allait de nouveau accueillir de jeunes vies quand, à la suite d'une malversation commise par Clément, Justine décida de le quitter pour venir vivre un temps avec ses enfants au manoir. Marcellin fut heureux des les y recevoir, mais une fois de plus, il me prévint qu'il ne voulait pas que soient soulignées, d'une façon ou de l'autre, les frasques de Clément.

❖

Je me rappelle bien que ce fut également à cette époque que Marcellin, semblant vieillir de jour en jour, accablé à la fois par le poids des années et les malheurs de la vie, vint me trouver pour me dire :

— Nicole, je veux vous demander une grande faveur. Vous avez depuis nombre d'années partagé notre vie. Vous êtes celle qui, à mes yeux, pourrait le mieux rendre compte de ce que nous avons été. Je me proposais d'écrire l'histoire de ma famille, mais je ne m'en sens plus ni le goût ni la force. Je veux vous confier cette tâche à laquelle je tiens beaucoup.

Je tentai de l'encourager à s'y mettre lui-même.

— Allons ! Vous qui avez écrit toute votre vie, il me semble que vous pourriez encore le faire.

— Voyez mes mains qui tremblent et mes doigts déformés par le mal. J'ai peine à tenir la plume et chaque fois que je m'y mets, je n'ai pas écrit trois mots que mon esprit vagabonde et que je me perds dans le dédale de mes souvenirs sans jamais savoir par lequel commencer.

— Si vous me dictiez ce que vous désirez écrire, je pourrais fort bien le faire pour vous.

— Vous saurez tout aussi bien le faire avec vos propres souvenirs, et toutes ces lettres et tous ces papiers que j'ai précieusement conservés vous en montreront la voie. Nous les classerons ensemble, si vous le voulez bien, et je suis certain que vous pourrez en tirer le meilleur pour dire à tous qui nous avons été et quelle fut notre vie. Vous aimiez mon épouse et vous avez connu tous nos enfants. Vous avez été celle qui leur avez enseigné à lire, écrire et compter. Vous avez passé presque plus de temps avec eux que nous, leurs parents. Vous saurez certainement les faire connaître avec leurs qualités et défauts. C'est vous qui devez vous mettre à ce travail que mon grand âge et mes capacités diminuées ne me permettent plus d'accomplir. Je mets toute ma confiance en vous pour mener à bonne fin ce travail.

— Si vous m'en croyez capable, je ferai de mon mieux.

— Promettez-moi, avant que je quitte ce monde, de me faire lire ce que vous aurez écrit.

— Je le ferai volontiers, mais encore faut-il que je puisse trouver le temps de me familiariser avec tous ces papiers que vous me confiez, et que mon travail auprès du jeune Marcellin et d'Alexandrine me le permette…

❖

La vie est curieusement faite. J'avais en main tout ce qui pouvait me permettre de combler le vœu de Marcellin, mais je repoussais sans cesse l'échéance au lendemain. Quelque chose m'empêchait de m'y mettre et j'agissais exactement comme l'avait fait Marcellin tout au long des dernières années. Je ne trouvais pas une minute pour me consacrer à cette tâche.

Puis, comme il arrive souvent quand nous remettons au lendemain, nous ne nous engageons jamais vraiment. Voilà qu'une lettre reçue de Simon vint un peu brouiller les cartes. Il annonçait son retour au pays avec l'intention de séjourner un temps au manoir et Marcellin nous mit à contribution pour le bien recevoir. Dans cette courte lettre que j'ai précisément sous les yeux, il avait écrit :

Paris, 3 mai 1730

Cher père,

Ce mot pour vous dire que je rentre au Canada. Ma lettre vous rejoindra par ce premier navire en partance de La Rochelle. Je m'embarquerai vers la fin de juin pour Québec où je devrais être vers la mi-août. Je passerai à Verchères vers cette époque avec idée de séjourner un temps au manoir.
À bientôt donc!

Votre fils affectionné, Simon

Parce que cette lettre nous était parvenue, on eût dit que cette visite annoncée nous empêchait de vaquer comme à l'ordinaire à nos occupations. Marcellin ne vivait plus, il attendait. Marie ne parlait que de ce retour et Félicité ne faisait que répéter : « J'ai bien hâte de voir ce qu'est devenu monsieur Simon. » Tout la vie du manoir semblait suspendue.

Comme il l'avait laissé entendre, Simon nous arriva au milieu du mois d'août. Avec ses longs cheveux, ses besicles et sa barbe, nous eûmes peine à le reconnaître. Il parlait toujours de la même voix grave et posée, avec des mots recherchés, et ses propos tournaient tous autour du travail qu'il accomplissait. Il ne nous semblait pas considérer les choses de la même façon que nous, comme s'il en mesurait toujours les dimensions dans son esprit. Il passa plusieurs soirées à nous raconter ce qu'avait été sa vie en France.

En y pensant bien, elle se résumait à peu de choses, sinon à ce travail de topographie des lieux qu'il parcourait et au dessin des cartes qu'il en tirait. Il n'était pas peu fier de nous expliquer en détail comment il procédait pour transcrire sur papier toutes les mesures prises sur les lieux qu'il avait visités. Il ne manquait pas de nous souligner comment il avait été louangé par tous pour son travail. Un soir, Marcellin lui demanda :

— Je ne doute pas que tu aies accompli un travail merveilleux. Mais as-tu trouvé le temps de te faire une compagne de vie ?

— Ma vie, je l'ai consacrée à mon travail. Une femme n'aurait pas été heureuse en ma compagnie.

Il resta plus d'un mois au manoir. Puis il partit comme il était venu, appelé pour faire partie d'une expédition montée par son ami La Vérendrye, qui

avait obtenu du gouverneur et de l'intendant l'autorisation d'explorer l'Ouest du pays. Il devait y accomplir
un travail de topographie et d'hydrographie.

Marcellin lui fit promettre de nous tenir informés
de ses pérégrinations et Simon assura qu'il le ferait.
Cette expédition, si j'en juge par la dernière lettre qu'il
nous fit parvenir, se mit en branle en 1731. Sa missive
fut écrite à la fin de novembre de cette année-là et ne
nous parvint qu'au printemps suivant.

Chapitre 54

Une autre disparition

Depuis que son fils était revenu, un des grands soucis de Marcellin restait le sort de Simon. Ce dernier semblait être dans de meilleures dispositions au sujet de l'écriture. Marcellin reçut cette lettre de lui.

Michillimakinac, 22 août 1731

Cher père,

Comme promis, voici les dernières nouvelles en ce qui me concerne. Je me suis embarqué avec mon ami La Vérendrye dans l'expédition qu'il mène avec ses fils pour la découverte de l'Ouest du pays. Nous sommes une cinquantaine d'hommes répartis dans une quinzaine de canots. La progression vers l'Ouest se fait fort bien. Nous sommes rendus au-delà de Michillimakinac et voguons sur le lac Supérieur avec idée de passer l'hiver à Kaministikwia, appelé aussi Fort William, sur le lac Supérieur.

Je vous donnerai des nouvelles de là-bas. Tout va bien pour moi et pour vous aussi je l'espère.

Votre fils affectionné, Simon

Ce fut la dernière lettre qu'il nous fit parvenir. Peu après, nous en avons reçu une de La Vérendrye lui-même. Il annonçait sans plus de précisions la noyade de Simon, survenue dans le cadre de l'exploration d'une rivière. Il se disait désolé de la perte de son ami qui avait tant fait pour une meilleure connaissance de notre pays.

Cette nouvelle attrista Marcellin pendant des jours. Ce fils qui lui était si cher et qu'il avait perdu de vue depuis tant d'années lui était revenu pour disparaître aussitôt alors que des liens nouveaux semblaient vouloir se tisser entre eux.

Il avait vu partir à jamais son épouse et quatre de ses six enfants. Il lui restait la fidèle Marie, toujours attentive à ses besoins. Il aurait pu terminer ses jours en toute quiétude à profiter des belles journées de soleil au bord du fleuve, des couleurs de l'automne et de la douceur des jours printaniers, mais on le sentait tourmenté par son passé heureux si brusquement envolé et il dépérissait un peu plus tous les jours.

Lui qui avait tant aimé tenir la plume n'écrivait plus. Il n'insistait plus pour qu'on le mène à Verchères, à Contrecœur ou à Varennes, où il comptait de nombroux amis. Lui qui autrefois aimait jouer aux cartes ne s'y intéressait plus.

Il disait que depuis le décès de Marie Perrot, il n'avait plus d'intérêt à se rendre au manoir des Jarret. De temps à autre, il sortait et s'assoyait en face de son manoir qu'il semblait examiner avec attention. Sans doute repassait-il dans sa tête tout ce qui avait fait son bonheur en ces lieux. Mais nous sentions que la vie et le goût de vivre le quittaient petit à petit. Il me demandait de temps à autre où j'en étais rendu dans mes écritures. Quand je lui disais que je n'avais pas encore commencé, il manifestait sa déception en hochant la tête.

Je commençai véritablement à me faire une idée de ce que j'allais écrire quand j'eus lu tout ce qu'il m'avait confié. Je classai les lettres par ordre chronologique et je me fis un plan, tentant, en remontant le temps, de me rappeler les principaux faits qui avaient marqué la vie du manoir depuis mon arrivée. Comme je n'étais pas là au tout début, je demandai à Marcellin de me raconter les premiers temps du manoir, ce qu'il fit avec un certain empressement, et j'en pris scrupuleusement note. Puis, il eut la bonne idée de me remettre un dernier document qu'il gardait précieusement, le livre de raison de Radegonde. En le lisant, une foule de souvenirs refluèrent à ma mémoire et je me sentis alors prête à m'attaquer à la tâche.

Chapitre 55

Clément

Clément, que Marcellin avait un jour qualifié de fils prodigue, travaillait à Québec. Verchères n'était certes pas sa destination préférée et, sans doute las de devoir écrire, il ne donnait jamais de ses nouvelles. Mais voilà qu'un jour, un marchand de Québec de passage à Verchères vint spécialement au manoir parler de Clément à Marcellin.

— Votre fils, dit-il en roulant de grands yeux, court des dangers à travailler pour les intendants.

Sans dissimuler son étonnement, Marcellin lui demanda :

— Qu'est-ce qui peut bien le mettre en danger ?

— Je me suis laissé dire par quelqu'un près de l'intendant qu'il en sait trop, et en particulier sur ce qui se passait du temps de Bégon.

— C'est un temps révolu, dit Marcellin. Pourquoi le passé pourrait-il lui nuire ?

— Il parle trop. À votre place, je lui ferais savoir qu'il gagnerait à être plus discret. Si Bégon n'est plus au pays, des gens qui ont travaillé pour lui et ont profité de ses largesses s'y trouvent toujours. Certains n'apprécient pas les insinuations de votre fils et j'ai entendu dire par l'un d'eux qu'il prendrait les moyens nécessaires pour le faire taire. Si j'étais son père, j'interviendrais pour l'inciter à la prudence.

Marcellin remercia cet homme de l'avoir ainsi prévenu et, après son départ, vint me trouver en me priant, ses mains trop déformées ne lui permettant de le faire, de bien vouloir rédiger la lettre à son fils qu'il désirait dicter.

Cette lettre, la voici, telle que je l'ai écrite et telle que Marcellin me demanda d'en garder copie.

Manoir Perré, ce 21 septembre 1732

Cher fils,

Je vous espère en santé et heureux avec votre petite famille. Si je prends le temps de vous écrire, c'est parce que je suis rongé d'inquiétude à votre égard depuis qu'un marchand de Québec s'est arrêté ici pour nous faire part des dangers auxquels votre situation vous expose.

Il semble, si je me fie à ce que m'a révélé cet homme, que vous soyez informé de malversations qui auraient eu lieu du temps où vous étiez à l'emploi de l'intendant Bégon. Vous auriez fait à ce sujet des allusions qui ont été entendues par certains de ceux qui profitaient de bonnes entrées auprès de l'intendant. L'un d'entre eux, ayant eu vent de vos propos, a laissé entendre qu'il prendrait les moyens nécessaires pour vous faire taire.

Je vois là une menace directe à votre existence ou à celle de personnes qui vous sont chères. Veuillez donc prendre les précautions nécessaires pour qu'aucun malheur ne vous frappe et gardez-vous à l'avenir de trop parler. Il arrive souvent, selon l'expression consacrée, que les murs aient des oreilles. Faites bien attention à tous vos propos et surtout assurez-vous que ceux qui les entendent n'en feront pas des armes qui se tourneront contre vous. Voilà les conseils que votre vieux père vous adresse en espérant que vous aurez la sagesse de les suivre.

Nous serions bien heureux de votre visite ainsi que de celle de votre épouse et de vos enfants. Nous sommes votre seule parenté en ce pays, ce que vous semblez avoir oublié. Votre mère n'est plus, mais sachez que votre vieux père que Dieu viendra bientôt chercher serait fort heureux d'une dernière visite de votre part.

Veuillez croire à toute mon affection à vous et aux vôtres,

Votre père, Marcellin Perré

Chapitre 56

La fin

Ce fut au moment où je commençais à coucher sur papier les premières lignes de ce récit que Marcellin nous quitta sans bruit au cours d'une nuit paisible, comme quelqu'un qui part sur la pointe des pieds. Depuis plusieurs mois, une épidémie de choléra ravageait le pays, y faisant des milliers de morts. Est-ce cette maladie qui l'emporta ? Je ne saurais le dire, puisque personne au manoir n'en souffrit. Mais il mourut d'un mal mystérieux qui le rongeait depuis quelque temps.

Il y avait plusieurs jours qu'il se disait fatigué, se tenant la main sur le cœur et cherchant son souffle. Son état nous préoccupait, mais tout cela nous l'attribuions à son âge. Aussi Marie, voyant que, selon ses habitudes, il n'était pas dans sa chaise berçante au petit matin, se rendit dans sa chambre. Elle le trouva dans son lit, endormi sereinement à jamais.

Ses funérailles eurent lieu le lendemain, et tout Verchères et les environs furent à l'église pour lui rendre un dernier hommage. La seigneurie perdait en lui un notaire, un juge et un capitaine de milice des plus appréciés, de même qu'un des plus anciens habitants de ce coin de pays, selon les mots mêmes que le curé employa dans l'hommage qu'il lui rendit.

J'étais auprès de sa fille Marie quand le cercueil fut descendu dans la fosse. Avec Félicité, nous n'étions plus que trois à l'avoir accompagné tout au long de sa vie jusqu'au bord de cette fosse. Pendant que nos larmes coulaient sur sa dépouille, je me disais que la vie, ce passage trop bref, avait tout de même été bonne pour lui et qu'il allait enfin reposer auprès de celle qu'il avait tant aimée. Je me demandais bien ce qu'ils se raconteraient dans cet au-delà où j'irais les rejoindre à mon tour. Et je me disais qu'ensemble, ils avaient sans doute encore beaucoup de bon temps à partager.

❖

De retour au manoir, je me mis à la rédaction de ce que vous venez de lire. J'ai ainsi accompli ma promesse à Marcellin, tout en me rendant compte cependant qu'elle n'était pas complète puisque si j'avais pu raconter un peu de sa vie, de celle de Radegonde, de Fanchon, de Renaud, de Marie et de Simon, je n'avais pas pu, en raison de la défense de Marcellin, percer le mystère que constituait celle de Clément, qui m'en toucha d'ailleurs un mot, quand il vint un jour au manoir, ayant appris par Marie que je m'étais adonnée à cette tâche.

— Marie m'a dit que vous avez écrit la vie de notre famille. Elle qui a lu ce que vous dites de nous m'a laissé entendre qu'il y était bien peu mention de moi.

— En effet, répondis-je. Je ne pouvais pas raconter ce que je ne connaissais pas. Mais Clément, je vous ai montré à écrire, vous saurez bien prendre la plume un jour et nous en faire part vous-même.

Il me lança un regard espiègle, comme il sait si bien le faire, et il s'exclama :

— Il n'est pas dit qu'on ne connaîtra rien d'un des personnages les plus célèbres de cette famille Perré, et puisque vous ne vous êtes pas chargée d'écrire qui je suis, je saurai bien le faire moi-même ou quelqu'un d'autre à ma place.

Voilà ! Ma tâche est désormais accomplie, à lui de faire la sienne. Mais je n'ai pas voulu terminer l'histoire de Marcellin, de Radegonde et de leurs enfants sans ajouter en appendice à ce récit quelques extraits du livre de Raison de Radegonde, qui nous permet de mieux percevoir quelle femme exceptionnelle elle était. J'ai aussi reproduit en appendice les lettres de Renaud au fil desquelles il nous raconte ce que fut sa vie.

Et maintenant que ma tâche est accomplie, je dépose la plume et je pourrai enfin dormir en paix.

Appendice 1

Extraits du livre
de raison de Radegonde

Nous n'étions que de quelques jours à Verchères que Marcellin fit commencer la construction de notre manoir sur deux terres reçues, une du seigneur François Jarret de Verchères, et l'autre du seigneur René Gaultier de Varennes.

Quand le soleil éclaire, le fleuve revêt une robe bleue qui reflète le ciel, il n'y a pas plus beau que ce coin de Verchères. Quand notre manoir sera construit, nous pourrons nous réjouir d'avoir tous les jours sous les yeux ce paysage qui appelle la paix. Marcellin a bien fait d'écouter la proposition du seigneur de Verchères. Nous serons heureux à cet endroit.

Le seigneur Jarret et son épouse sont des gens d'une grande amabilité. Je suis déjà l'amie de Marie qui a en tout mon âge et qui dirige son manoir comme le meilleur des régisseurs. Elle saura sans doute m'aider à faire de même avec le nôtre.

Marcellin, ce jour d'hui, a acheté chez le seigneur de Contrecœur une cavale fort docile appelée Annette.

Les ouvriers et manœuvres qui ont travaillé à la construction du manoir ont reçu quarante sols par jour, ce qui fait, pour vingt-cinq jours, cinquante livres par ouvrier et ils étaient cinq.

Fanchonette et Renaud nous donnent beaucoup de bonheur. Ils sont déjà habitués à ce pays et s'amusent follement à observer les animaux qui rôdent parfois autour du fort. Nous voyons des écureuils et aussi des chats sauvages qui tournent sans cesse autour de tous les endroits où ils peuvent trouver de la nourriture. On dit que ces animaux sont si propres qu'ils lavent leur nourriture avant de la manger. Il y a aussi beaucoup d'oiseaux et particulièrement des geais, des bleus et des gris qui sont très familiers et très agréables à regarder.

En cette fête de Saint-Clément 1678 sont entrées à notre service Augustine Dupont et sa fille Jeanne, l'une devant servir à la cuisine et l'autre aux chambres.

L'hiver nous avait déjà montré ses premiers flocons de neige quand deux engagés ont commencé à abattre les arbres là où s'étend notre terre au bord du fleuve. Ils construiront un pavillon de chasse. Nous lui garderons à notre service tout l'hiver à abattre des arbres pour défricher tout autour du manoir. Ils en feront du bois de corde. Marcellin leur a promis chacun cinquante livres pour leur travail ainsi que la nourriture et un toit. Ces engagés sont Guillaume Laforce et Antonin Robert.

Voici quelques dépenses que nous fîmes dernièrement pour la construction du pavillon de chasse. Pour un cent de planches de dix pieds de long, dix pouces de large et un pouce d'épaisseur, cinquante livres. Pour les ouvriers à quarante sols par jour, vingt livres.

Du temps où nous fûmes logés au fort de Verchères, notre Fanchonette se rendait tous les jours bercer la petite Madelon qui n'est encore qu'un bébé. Aujourd'hui que les seigneurs de Verchères étaient nos hôtes, elle n'a pas manqué de demander à notre amie Marie comment se porte Madelon. Nous avons promis de la mener la voir.

Nous n'avions pas oublié comment les arbres ici deviennent tout pleins de couleurs en automne. Mais de revoir tout cela nous fut un fort grand plaisir, bien que cela soit le signe de l'arrivée prochaine de l'hiver, qui est une saison fort rude. Cette année encore, nous

nous sommes rempli les yeux de toutes les merveil-
leuses couleurs que donnent les érables et les bouleaux.
La nature est généreuse. Elle ne nous fait jamais payer
pour les spectacles qu'elle offre.

Le seigneur de Contrecœur est un vieil homme très
rude, mais il a le cœur sur la main et malgré ses sautes
d'humeur, il ne manque pas de nous causer beaucoup
de joie par tout ce qu'il raconte, car il parle avec
abondance et ses propos sont loin de nous chagriner.

Marcellin a été fort heureux à son retour au manoir
aujourd'hui d'y trouver les seuls objets qu'il lui reste
de son père.

Nous ne devrions jamais nous défaire de tout ce
que nos parents nous donnent quand ils nous quittent
à jamais. Chaque objet que leurs mains ont fait ou
touché possède son histoire. Voilà pourquoi j'insiste
tant pour conserver tous nos biens. Marcellin pour sa
part est toujours prêt à jeter ce qui se brise, mais pourtant si quelqu'un a été capable de le faire, nous trouverons bien quelqu'un pour le réparer. Voilà pourquoi
je m'efforce de tout garder, même les vieilles casseroles
percées. On ne sait jamais quand elles pourront
resservir.

Chaque fois que quelqu'un se présente au manoir,
nous avons grand plaisir à le recevoir surtout quand

nous le connaissons, comme ce fut le cas aujourd'hui d'un marchand dont nous avions la visite du temps où nous habitions au Passage.

Ce serait parfois si agréable de pouvoir connaître l'avenir et d'autres fois ce serait insupportable. Voilà pourquoi il nous est impossible de savoir ce qui nous attend demain. Pourtant, certains font dire aux cartes des choses qui se rapportent à l'avenir et qui sont parfois fort agréables à entendre. Peut-être qu'ils ne nous disent pas ce qui pourrait nous chagriner.

Je me languis parfois de choses qu'il nous était si facile d'obtenir en France et que nous trouvons difficilement ici. J'aurais besoin d'une alène, de fil, d'un dé à coudre, de toile de Meslis. Il en va de même pour la cuisine, je manque de cannelle, de serpentine, de basilic et de bien d'autres herbes. Il faudra que j'en sème au jardin. Si la chère Rosalie était toujours de ce monde, comme son aide me serait précieuse pour démêler toutes ces herbes qui donnent tant de goût à tout ce que nous mangeons !

J'ai dressé aujourd'hui la liste de tout ce qui nous manque d'utile qui pourrait sans doute nous rendre la vie plus facile. Avant longtemps, j'aurai besoin de tissu pour confectionner un habit pour Marcellin et une robe neuve pour moi. Je m'ennuie du temps où, au Havre, je pouvais acheter tout de suite de la toile de

Meslis, du baracan qui serait si utile pour nos manteaux, de la ratine et de la serge. Je ne sais pas si je pourrai m'habituer à porter des manteaux de poil d'animaux comme du chat sauvage ou du castor. Marie Perrot m'en a fait essayer un l'autre jour. C'est chaud, mais mon doux, que c'est lourd !

Il y a eu ce matin, à la seigneurie, la boucherie de porcs. Notre fermier y a mené un porc que nous avions fait engraisser avec les restes de cuisine. Marcellin s'est rendu là-bas pour l'abattage. Je ne serais pas capable de voir ainsi égorger un animal. Il reste que le cochon est bien généreux puisque nous le mangeons de la queue jusqu'au groin. Nous aurons du suif pour nos chandelles, du saindoux pour la cuisine et aussi du lard frais. Il faudra en saler pour nos réserves d'hiver. Mais ce qui me plaît le plus, nous aurons de la saucisse et du boudin dont je me régale déjà.

Voici un texte qui dit ce qu'il faut faire avec le porc qu'on vient de tuer. « Étant froid, on le dépècera, coupant la gorge plus large que l'on pourra, pour faire des langues à la manière d'Anjou, levant aussi les gros jambons tout de leur long, et après on salera par pièce ce que l'on veut conserver pour mettre au pot de l'ordinaire, ou manger avec des pois, mettant le lard et les pièces qui ont le moins d'os au fond du saloir, comme celles qui se conservent le mieux, et les autres comme les côtelettes au-dessus afin qu'elles prennent moins de sel et soient mangées les premières. Quant aux pattes, aux oreilles et au groin, c'est mieux de les saler à part. »

Je peux enfin dormir tranquille. Nous avons nos barriques d'anguilles, nos tinettes de beurre et nos saloirs de lard pour l'hiver.

Quel ne fut pas notre étonnement lors du voyage que nous fîmes à Montréal de trouver sur le bateau à notre retour un homme noir avec la peur dans les yeux ! C'était un esclave. Comme il ne parle pas notre langage, il répétait toujours « Jimmio » à tout ce que nous lui disions, et nous l'avons appelé ainsi. Il nous est bien difficile toutefois de savoir quel âge il peut avoir.

Jimmio vient d'un pays de chaleur. Il n'aime pas la neige et le froid. Il faut le voir quand prend l'hiver. Il cherche tout le temps à se rapprocher de l'âtre. Pauvre Jimmio ! C'est cependant bien utile pour nous, car nous n'avons jamais besoin de nous occuper d'avoir un bon feu, il ne manque pas de l'alimenter sans cesse. Il a vite appris quels sont les bois les meilleurs selon que l'on veut allumer le feu, réchauffer vite le poêle pour la cuisson ou garder longtemps des tisons dedans.

Aujourd'hui, la fête de Sainte-Hélène, me rappelle ce jour où nous avons acheté Jimmio. J'ai tout bonnement récité ce que ma mère nous disait à chaque fête de cette sainte :

À la Sainte-Hélène
La noix est pleine
Et le cerneau
Se met à l'eau.

À Fanchonette, j'ai dû expliquer qu'un cerneau est une noix fraîchement retirée de son écaille. Ça, je le sais parce que ma mère-grand venait d'une province de France où les noix poussent en abondance et elle me l'a appris. J'ai aussi su par elle qu'en cette province, quand un tourtereau demandait la main de sa belle, on l'invitait à un repas. Si, à la fin, on lui offrait des noix, c'est que sa demande était refusée. Fort heureusement il n'en va pas de même ici et tant mieux, car nous n'avons pas de vraies noix.

Marcellin a engagé aujourd'hui un fermier pour notre terre. Nous pourrons en retirer une bonne part de notre nourriture.

La terre est une bonne mère qui, pour peu qu'on l'apprivoise, nous donne généreusement ce que nous lui confions. J'ai semé dans mon jardin de la laitue, des choux, des radis, des raves, des betteraves et des oignons avec un peu de céleri.

Marcellin a fait transformer le manoir de façon à ce que nous soyons davantage à l'abri des attaques possibles des Iroquois.

Un émissaire de l'intendant est passé aujourd'hui pour recenser les gens et ce qu'ils possèdent. Il a posé toutes sortes de questions à notre sujet et à celui de nos domestiques. Il a même été question de nos animaux. Marcellin a rempli ses feuilles avec lui.

Voici ceux que nous connaissons à Verchères à part le seigneur. Il y a son frère, André Jarret de Beauregard. Aussi, Jean Cherlot dit Desmoulins et Jean Blouffe, qui sont les fermiers de la terre du seigneur du lieu pour laquelle ils retirent annuellement la moitié des grains. Le tonnelier est André Barzat. Il est marié à Françoise Pilois et ils ont cinq enfants. La sage-femme se nomme Catherine Charron. C'est l'épouse de François Chagnon dit Larose. Ils n'ont pas encore d'enfant. Jean Blouffe est le fermier de la terre seigneuriale, mais il est aussi cordonnier. Il y a aussi René Oudin. Il a acheté la moitié de la terre de Jean Blouffe.

Nous avons eu visite de monseigneur l'évêque de Québec venu confirmer tous ceux qui ne l'étaient pas. J'en fus avec les enfants. Le frère du seigneur de Verchères était aussi de ceux qui reçurent la confirmation, de même que mon amie Marie, l'épouse du seigneur de Verchères.

Marcellin me dit que pour bien gagner sa vie en ce pays, il n'y a qu'une façon de faire : il faut aller à la traite des fourrures. Mais on ne peut pas partir sans un congé du gouverneur. Il les donne à qui il le veut bien. Cette année, le seigneur Jarret de Verchères en a obtenu un. Il pourra envoyer trois hommes faire la traite des fourrures avec les Sauvages. Il a demandé à Marcellin de s'occuper de tout pour lui. Mon homme se démène si bien depuis ce temps-là que je ne le vois presque plus.

Fanchonette a été malade hier. Elle a eu une fluxion de poitrine et les fièvres. Je lui ai mis des herbes que le sieur Rémy, l'apothicaire de Contrecœur, m'avait fournies il y a quelque temps en guise de remède pour un peu tout, et aujourd'hui les fièvres sont tombées et elle va déjà beaucoup mieux.

Ma bonne Rosalie connaissait la puissance des herbes. J'aurais tant aimé qu'elle m'enseigne leurs vertus. Elle l'a fait pour quelques-unes, mais il m'aurait fallu plus de temps avec elle pour qu'elle m'apprenne tout ce qu'elle savait à ce sujet. Les plantes pour elle n'avaient pas de secrets. C'est bien dommage que je n'aie pas à ce moment-là passé plus de temps à ces choses. Une fois de plus, ça m'apprend qu'il ne faut jamais remettre à demain.

Ne pas oublier que le minot de blé vaut cent sous et un cent de foin vingt-quatre livres. Pour le salaire d'un engagé ou domestique, il nous en coûte quarante écus et deux cents livres par année pour sa nourriture.

Il y avait aujourd'hui au sortir de l'église de Contrecœur un homme qui faisait amende honorable pour un vol. Il avait suspendu au cou une pancarte où était écrit : «Je suis un voleur ». Cet homme est rentré nuitamment à l'auberge pour y dérober une bouteille de vin. Il a été pris par l'aubergiste et condamné par le juge seigneurial à demeurer ainsi, pancarte au cou pendant une heure à genoux sur le perron de l'église au sortir de la grand-messe du dimanche.

Le marchand Chauvin que nous n'avions pas vu de deux ans au moins est passé ce matin. Il avait les marchandises que lui avait commandées Marcellin.

Il y a rumeur que les Iroquois rôdent plus souvent du côté de Montréal. Marcellin est parti acheter de nouvelles armes. Nous vivons dans un beau pays, mais malheureusement nous n'y trouvons pas la paix désirée. Pourquoi faut-il que partout où des hommes vivent, ils trouvent toujours le moyen de s'entretuer ?

Marcellin, qui a tant à faire, voulait montrer à lire, à écrire et à compter aux enfants, mais il n'en a pu trouver le temps. Aussi a-t-il décidé d'engager un précepteur ou une préceptrice. Il a trouvé une préceptrice qui a nom Nicole Brouillard. Elle est arrivée depuis quelques jours et déjà je m'en suis faite une amie.

Jeanne ayant trouvé mari, nous avons dû la remplacer par Marguerite Dumontier, qui nous semble une fille alerte et qui a été bien accueillie par Augustine. Elle est fort enjouée et les enfants l'aiment déjà beaucoup.

16 janvier 1684. Nous avons eu une éclipse du soleil qui a duré près de cinq minutes où le jour fut presque aussi noir que la nuit.

Chaque fois que le seigneur de Verchères fait venir Marcellin à son manoir, c'est pour lui demander un travail nouveau. Ainsi, il veut qu'il fasse le dénombrement des habitants de la seigneurie. Marcellin dit que c'est un très long travail, mais par amitié pour le seigneur Jarret, il a accepté de le faire.

Le seigneur Jarret est le juge seigneurial pour régler les différends qu'il y a parfois entre les habitants. Marcellin dit que les gens se chicanent souvent pour des riens. Deux femmes dont je tairai les noms par charité chrétienne se sont prises au chignon parce que l'une a cueilli des fraises à l'endroit où l'autre se trouvait. Elles ont comparu devant le juge de la seigneurie. Il y en a une qui devra remplacer la coiffe qu'elle a brisée sur la tête de l'autre pendant l'altercation.

Renaud a perdu une dent de devant. Ça lui fait un curieux trou dans la bouche. Nous lui avons dit que la bonne petite souris passerait sous son oreiller durant la nuit s'il y mettait sa dent et qu'elle lui laisserait une pièce d'argent pour la remplacer. J'ai glissé un denier sous son oreiller pendant qu'il dormait et j'ai eu beaucoup de difficultés à retrouver sa dent sans le réveiller. Déjà commence à paraître son autre dent.

Nous irons ces jours-ci au manoir du seigneur de Verchères payer les cens et rentes. Comme nous possédons une terre dans deux seigneuries, nous devrons aller également à Varennes le même jour.

Fanchonette et Renaud sont bien petits pour apprendre à tirer du fusil. Mais Marcellin dit que si jamais nous sommes assaillis par les Iroquois, nous aurons besoin de tous les bras pour faire le coup de feu. En ce pays, quand les Iroquois attaquent, ils se font plus craintifs quand ils se rendent compte qu'il y a beaucoup de monde en mesure de se défendre à coups de fusil. Voilà pourquoi Marcellin a mené les petits au fort de Verchères où le seigneur du lieu, qui est un soldat, leur a enseigné comme il l'a fait pour moi et Jimmio à se servir d'un fusil. Même Augustine et Jeanne ont appris comment le charger. Si jamais les Sauvages nous menacent, elles sauront bien se rendre utiles à aider ainsi à accélérer les coups de feu.

Je suis certaine que le temps influence nos humeurs. Je l'ai vérifié aujourd'hui. Quand une tempête se prépare, les enfants sont turbulents. Il a fait tempête toute la nuit et si grosse que nous ne voyions plus dehors. Il faudra dégager les fenêtres pour retrouver de la clarté et décharger les toits.

Marcellin m'a expliqué en quoi consiste l'obligation de faire paître des bêtes dans la commune. Il paraît que c'est un devoir du seigneur dans chacune des seigneuries de fournir une commune afin d'aider les habitants à regrouper leurs bêtes, ce qui en facilite la surveillance.

Quand nous sortons le soir et que le ciel est sans nuages, il y a tellement d'étoiles qu'on dirait à un certain endroit du ciel qu'elles forment un ruisseau. Ce serait, selon Marie Perrot, le lait qu'a perdu la Perrette de monsieur de La Fontaine en cassant sa cruche dans la fable où il est dit: «Adieu veaux, vaches, cochons.»

Marcellin a tant à faire comme notaire qu'il doit souvent quitter le manoir et voilà que le seigneur de Verchères a voulu lui confier une autre tâche, celle de juge. Il faudra que Marcellin apprenne à dire non.

La neige est si bellement tombée cette nuit que ce matin, tout est blanc d'un si beau blanc qu'on dirait que toutes les couleurs sont devenues plus belles.

Marcellin a été mêlé bien malgré lui à une histoire de dîme. Il y a des gens qui ne semblent pas comprendre que nos prêtres ne vivent pas de l'air du temps et ont besoin de l'argent ou des biens que nous leur donnons pour vivre. Il paraît que le mot dîme vient du mot dixme et en conséquence constitue le dixième de ce que nous produisons. Ainsi, nos prêtres ont droit au dixième de nos récoltes.

Il y avait des gens, du temps où nous vivions en France, qui disaient que nous devrions revenir aux habitudes anciennes et vivre comme nos ancêtres dans la nature, sans autres commodités qu'un petit abri et en gagnant notre nourriture par la chasse comme le font les Sauvages d'ici. En allant à Sorel l'autre jour, Marcellin a rencontré un jeune baron qui disait que les Sauvages vivent mieux que nous. Mais ce qui a rendu Marcellin furieux, c'est quand il a parlé en mal des filles du roi.

J'ai eu le bonheur hier de donner naissance à un garçon qui s'est fait longtemps attendre. Il faut voir comme Fanchon, Renaud, Marie et Ursule sont heureux d'avoir un petit frère. C'est à qui voudrait le bercer. Notre petit Simon sera bien entouré et sans doute gâté. Je me demande déjà ce qu'il deviendra dans la vie. Marcellin se moque de moi et dit qu'il a encore vingt ans pour y penser.

La dernière fois que je suis allée à Contrecœur avec Marcellin, Barbe, l'épouse du seigneur du lieu, m'a donné la recette de la boisson que son époux nous a fait servir et, aujourd'hui où j'ai rendu visite à mon amie Marie à Verchères, elle m'a donné une recette pour préparer la viande de cerf. Je l'écris ici pour ne point la perdre ou l'oublier.

Pour huit personnes ou environ, il faut un morceau de lard ; un gigot de chevreuil d'une dizaine de livres ; du beurre ; du cognac ; du vin rouge ; un peu de farine, de moutarde forte, de groseilles, du sel et du poivre. Elle m'a dit d'entrelarder le gigot et de le faire dorer à la broche. Il faut recueillir les jus et les mélanger à la farine et les groseilles pour la sauce. Dans une casserole, faire chauffer le cognac et verser sur le gigot. Verser doucement le vin et assaisonner de sel, de poivre et de moutarde. Je n'ai pas de groseilles. Il faudra planter des groseilliers ce printemps.

Comme je n'ai pas écrit la recette que m'a donnée Barbe pour le rossoli, je la prépare comme ça de mon mieux. Il s'agit d'une eau-de-vie de vin dans laquelle il faut mettre du clou de girofle, de la cannelle, du poivre noir, du sucre d'érable et aussi quelques autres ingrédients au goût.

Marcellin fait construire un four à pain. Comme j'ai hâte d'y faire cuire notre pain ! Je pense que lui et les enfants vont s'en régaler.

Le seigneur de Verchères a demandé à Marcellin d'enseigner la lecture à sa fille Madeleine. Comme il n'a pas le temps, c'est à la fin Nicole qui montre à lire tant à Madelon qu'à notre Marie et à Ursule. La petite Ursule a si mauvaise santé qu'elle a de la difficulté à apprendre.

Jimmio fait très bien tout ce que nous lui demandons, mais il y a des choses qu'il ne sait point faire. Aussi Marcellin a décidé d'engager un homme qu'on appelle «à tout faire». Il a fini par en trouver un qui se nomme Jacques Fruitier. Il est très grand et semble fort capable. Il a un si puissant rire que quand il l'émet, ça me laisse toute saisie.

Revenu de Montréal où il est passé par le marché, Marcellin nous a apporté toutes sortes de bons fruits et légumes. Il a choisi entre autres un nouveau légume qui pousse maintenant ici et appelé la carotte. Je l'ai fait cuire dans l'eau à la façon des autres légumes qui poussent dans la terre comme les raves. C'est un délice !

Il y avait longtemps que Marcellin n'était pas allé à Québec. Mais voici que le seigneur Jarret l'a invité à l'y accompagner pour assister à l'arrivée du nouveau gouverneur

Marcellin est revenu de Québec avec ce que je croyais être des cartes brisées. Il a expliqué qu'il s'agit de monnaie. Il n'y a plus suffisamment de pièces de monnaie sur le marché en Nouvelle-France. Aussi monsieur l'intendant Beauharnois a-t-il décidé d'en fabriquer à l'aide de cartes à jouer. Marcellin m'a montré une pleine carte signée par le gouverneur et l'intendant. Cette carte vaut quatre livres. Une carte coupée de moitié vaut quarante sols et une carte coupée du quart équivaut à quinze sols. Ce sera, paraît-il, notre nouvelle monnaie. J'ai voulu payer le cordonnier Jean Blouffe avec une carte d'un quart pour des chaussures qu'il a réparées et il a refusé d'être dédommagé de la sorte. Je lui ai donné à la place du vin et du fromage.

La pauvre Marguerite nous a quittés de bien triste façon, mais nous voilà avec une nouvelle femme de chambre dont, cette fois, nous l'espérons, nous voudront sans doute nous féliciter, car elle a nom Félicité Larchevesque.

Ma pauvre Marie et son époux sont fort éprouvés. Voici qu'ils viennent de perdre Antoine, l'aîné de leurs enfants. Il n'avait que quinze ans.

Il paraît que semer en lune montante est bon pour les plantes. La sève rejoint plus vite les feuilles pour que les graines germent et se développent. Il est bon durant la lune montante de préparer le sol pour les semences, parce qu'il reçoit les influences du ciel. Il y a deux jours du mois où il vaut mieux se reposer parce que la lune est mal placée et les semences ne germent pas, quand elle est plus près de la terre et quand elle en est le plus loin.

Il y a encore beaucoup de travail à faire en dedans et au-dehors. Marcellin a décidé de faire chauler les murs du manoir. J'ai bien hâte de voir notre demeure dans sa nouvelle robe blanche.

Marcellin a fait accoupler notre jument Annette. Il nous tarde de voir à quoi ressemblera le poulain ou la pouliche qu'elle mettra bas.

Les Jarret se consolent tant bien que mal de la perte de leur fils aîné. Aujourd'hui nous avons participé à leur bonheur de voir Marie-Jeanne, leur fille de douze ans, épouser Jean de Douhet sieur de La Rivière. Elle a reçu en cadeau de son père le fief Marigot détaché de sa seigneurie de Verchères. En moins d'un an, leur manoir s'est vidé de leurs deux aînés.

Quand aurons-nous un curé à Verchères ? Nous avons fait dimanche la connaissance du nouveau curé de Contrecœur, qui nous a paru être un homme fort austère.

Au début de juin, monsieur le seigneur de Verchères est parti en guerre contre les Iroquois avec le gouverneur, monsieur de Denonville. Il a eu juste le temps d'apprendre avant de quitter Montréal que lui est né un fils le 1er juin, lequel s'appelle Jean-Baptiste.

Marcellin dit que la guerre contre les Iroquois n'apportera rien de bon et que nous risquons de les avoir bientôt sur le dos.

La rougeole est dans tout le pays. On nous dit que plusieurs personnes en sont mortes. Nous ne sortons plus du manoir. Ça vaut mieux ainsi, parce que les Iroquois ne cessent de rôder. S'ils viennent, ils seront reçus comme ils le méritent, à coups de fusil.

Marcellin est allé à Contrecœur chez le maréchal-ferrant pour Annette. La pauvre bête avait brisé un de ses fers. Je me suis morfondue jusqu'à son retour. J'ai

tant eu peur que les Iroquois le surprennent ou bien
encore que Marcellin nous rapporte la rougeole

Nous avons fait le coup de feu sur bon nombre
d'Iroquois venus pour nous tuer. Si le manoir n'avait
pas été fortifié comme il l'a été par les bons soins de
Marcellin, nous serions tous morts. Les Iroquois ont
semblé étonnés de recevoir une si grande résistance.
Pour se venger de ne pouvoir nous rejoindre dans le
manoir, ils ont incendié le fournil. Il nous faudra
acheter du foin et des grains à Montréal.

Parmi ceux tués par les Iroquois cette année, nous
connaissions Jean de Douhet, l'époux de Marie-Jeanne
Jarret. Il est mort sur son fief de Marigot.

Mon amie Marie a donné naissance à une fille. Les
Jarret nous ont fait l'honneur d'en être parrain et
marraine. Ils l'ont appelée Marie-Marguerite.

Il y a parfois des surprises étonnantes que nous fait
la vie. C'est ce qui est arrivé cette année à une dame
de Verchères qui avait appris la mort de son mari et
qui l'a vu réapparaître après trois années sans avoir
donné signe de vie. Le désagrément, c'est qu'elle était
depuis remariée.

1er mai 1688. Nous avons été fort attristés d'apprendre aujourd'hui le décès du seigneur Antoine

Pécaudy de Contrecœur. Il n'y a pas eu la fête du mai. Nous avons été en famille assister à son inhumation. La pauvre Barbe, son épouse, devait fort bien s'y attendre, vu le grand écart d'âge entre elle et son époux. Il lui aura fait tout de même trois enfants, dont l'aîné Louis, lequel est malheureusement décédé à Québec, il y a moins d'un an.

Nous ne sommes plus en paix du printemps à l'automne. Il nous faut toujours être sur le qui-vive. Les habitants travaillent aux champs avec leur fusil et tout le monde a constamment les yeux à guetter les Iroquois.

Le chien de Jimmio n'avait pas de nom. Il a l'air si méchant que Marcellin a dit qu'il ressemble à un empereur. Après réflexion, il l'a baptisé Maximilien. Mais le problème avec un tel nom, c'est que Jimmio a de la difficulté à le dire, de telle sorte que nous rions chaque fois qu'il l'appelle. Il essaie de dire Maximilien et finit toujours par l'appeler lien, et le chien l'écoute bien.

Renaud a fait une découverte dans le bureau de son père. À travers une feuille dont se sert Marcellin pour écrire ses contrats, il a découvert un dessin en filigrane. Il n'a plus été question ensuite que de cette découverte. Avec Fanchon, ils ont inventé des dessins dans le sable dont eux seuls connaissent la signification.

13 avril 1689. C'est aujourd'hui que Marie-Jeanne Jarret contracte mariage avec Antoine Du Vergut, sieur Du Mas et d'Aubusson. Mon amie Marie était tout heureuse avant-hier de m'annoncer cette nouvelle. La pauvre Marie-Jeanne a perdu son premier époux tué par les Iroquois, il y a moins de deux ans. Je me réjouis pour elle qu'elle puisse de nouveau se marier.

Un autre de nos amis nous a quittés le 4 juin. Il s'agit du seigneur René Gaultier de Varennes. Marcellin n'a pas appris sa mort assez tôt pour aller aux funérailles aux Trois-Rivières. Nous n'avons pas eu la chance de fréquenter beaucoup les Gaultier, car ils vivaient le plus souvent aux Trois-Rivières. Nous avons été quelques fois les voir à Varennes. Marcellin aimait beaucoup causer avec le seigneur de Varennes, car c'était un homme fort connaissant en plusieurs domaines.

Revenu de Montréal, Marcellin nous a appris une bien triste nouvelle. Le 5 août, plus de mille cinq cents guerriers iroquois ont surpris les habitants de Lachine sur l'île de Montréal. Ils ont brûlé plus de cinquante maisons et capturé une centaine d'habitants, femmes et enfants après en avoir tué sur place au moins vingt-cinq en leur cassant la tête et en les brûlant. Il paraît qu'il n'y a pas de cruautés qu'ils ne font pas. Ils ouvrent même le ventre des femmes grosses pour en retirer leurs enfants. Nous vivons constamment dans la peur quc le même malheur nous arrive. C'est un beau pays que celui de la Nouvelle-France, mais il est dangereux d'y vivre à cause de ces barbares. Que leur avons-nous fait pour qu'ils soient ainsi montés contre nous?

Il y a eu une éclipse de lune le 24 de mars. Marcellin a veillé pour la regarder. J'étais si fatiguée que je me suis mise au lit et ne l'ai point vue.

Aujourd'hui, fête de la Saint-Jean. Nous avons fait comme en France notre grand feu de Saint-Jean. C'est la nuit la plus courte de l'an. Ces feux sont faits pour rendre hommage à la lumière, c'est ce que j'ai appris toute petite. Il a plu ce matin, mais le temps est redevenu plus serein.

Dans le petit livre de dictons dont m'a fait présent la bonne Marie Jarret, j'en trouve pour le mois de juin. Je vais tenter de voir s'ils disent vrai.

Qui en juin se porte bien
Au temps chaud ne craindra rien

Juin froid et pluvieux
Tout l'an sera grincheux

Juin fait pousser le lin
Juillet le rend fin

Juin ui juillet en fraîcheur
En août orages et chaleur

En juin trop de pluie
Le jardinier s'ennuie

1ᵉʳ septembre. En écrivant le dicton de la Saint-Gilles qui dit : « S'il fait beau à la Saint-Gilles, cela durera jusqu'à la Saint-Michel », ça m'a rappelé ceux que j'avais écrits en juin. Je les ai relus. Pourquoi les dictons sont toujours bons ? C'est que nous ne pensons jamais à vérifier s'ils disent la vérité. Il faudra qu'à la Saint-Michel, je me le rappelle. Mais il est vrai que juin fait pousser le lin, qu'il y a des orages en août, mais est-ce que c'est parce qu'il a fait frais en juin et juillet ? Ça, je ne m'en souviens pas assez bien pour vérifier.

C'est à la Saint-Michel qu'on dit : « Quand les hirondelles voient la Saint-Michel, l'hiver ne vient qu'à Noël. » Il faudra que je me souvienne à Noël de ce qu'on dit à la Saint-Michel. Mais voilà que me revient à l'esprit ce qu'on disait à la Saint-Gilles. Il a fait beau ce jour-là et c'est vrai que tout le mois a été beau.

Les Iroquois ont attaqué le fort de Verchères. Tous les domestiques et les personnes présentes dans le fort ont fait l'éloge de mon amie Marie. Son époux étant absent, elle était seule avec ses jeunes enfants et quelques domestiques. Elle a pris le commandement de la défense et malgré le petit nombre de serviteurs et de défenseurs, elle a réussi à repousser trois attaques de ces barbares. Elle a fait tirer du canon, ce qui a alerté les forts voisins, et au deuxième jour, un détachement de soldats est arrivé de Montréal pour délivrer le fort de ses agresseurs.

Ce 28 octobre, Marcellin a rapporté la nouvelle que les Anglais ont tenté de prendre Québec, mais sont repartis. La flotte commandée par un capitaine Phipps a bombardé Québec après que le gouverneur Frontenac eut répondu à des émissaires anglais qui le sommaient de se rendre, qu'il répondrait par la bouche de ses canons et de ses fusils. À la suite de cette victoire, la petite église de la place Royale à Québec se nomme maintenant Notre-Dame-de-la-Victoire.

Voici ceux qui ont été tués par les Iroquois. Francois-Michel Jarret. Il a été tué de l'autre côté du fleuve, à Repentigny, le 7 mai. Mon amie Marie demeure inconsolable. Il n'avait que quinze ans. André Jarret de Beauregard, le frère du seigneur de Verchères, a été tué aussi en même temps. Antoine Du Verger, le deuxième époux de Marie-Jeanne Jarret, a aussi été tué. La pauvre devient veuve pour la deuxième fois, et pour la même raison, cette fois avec un petiot et un autre dont elle est grosse.

Il y a eu la criée de la maison d'André Jarret. Marcellin m'a expliqué pourquoi il y a criée. C'est pour permettre à la famille de payer les dettes contractées par le défunt. Marcellin a acheté une commode.

Le seigneur de Verchères a été si morfondu de perdre un enfant, un gendre et son frère dans la même année qu'il a décidé de devenir enseigne dans une compagnie d'infanterie de la marine. Il a acheté une maison à Montréal.

Malgré les Iroquois qui rôdent, la récolte cette année fut très bonne.

Voici la dépense pour le foin et le grain achetés à Montréal. Pour trois cents de foin de quatre bottes, dix livres tournois, et pour trois minots de blé pesant soixante livres chacun à six livres le minot, dix-huit livres tournois. Pour autant de minots de pois et de maïs, trente-six livres. Pour la planche qui a servi à Morisseau pour la construction d'un nouveau fournil, la dépense a été de soixante-dix livres.

Fanchon, sans que nous nous en soyons trop aperçus, est devenue une femme et Renaud, comme son père me l'a dit, nous quittera pour parfaire ses études à Québec dès l'an prochain. J'ai le cœur serré rien qu'à m'imaginer la maison sans Renaud et Fanchon.

Fanchon, qui n'avait pas revu son amie Madelon depuis des semaines, a demandé d'aller passer quelques jours en sa compagnie au fort de Verchères. Il y a bien son amitié avec Madelon qui la mène à cet endroit, mais il y a aussi que les Jarret reçoivent souvent et, j'en suis presque certaine, parmi les beaux jeunes hommes qui fréquentent le fort, il s'en trouve certainement un qui ne laisse pas Fanchon indifférente.

Si les Iroquois nous ont laissés en paix cette année, ils ont encore tenté de prendre le fort de Verchères. Comme j'ai été inquiète quand j'ai entendu des coups de feu de ce côté ! Nous nous sommes empressés de mettre en place tout ce qu'il faut pour notre défense, mais j'avais le cœur en émoi puisque Fanchon était encore en visite chez les Jarret.

Le nouveau four est une bénédiction tant il permet de cuire du vrai bon pain. Que ferions-nous si le pain n'existait pas ?

Fanchon nous a raconté à son retour de Verchères que malgré le fait que ni le seigneur ni son épouse n'étaient au fort quand les Iroquois l'ont attaqué, Madelon a su si bien organiser la défense du fort que les Iroquois n'ont même pas pu s'en approcher. Fanchon dit qu'elle n'a pas eu peur et qu'elle a fait le coup de feu tout comme Madelon et ses jeunes frères. Un vieux serviteur savait tirer du canon. Madelon en a fait tirer un coup comme elle l'avait vu faire par sa mère, il y a deux ans, et les Iroquois ne les ont plus inquiétés.

C'est fait, notre Renaud est parti étudier à Québec. Comme le manoir me semble vide ! Je m'ennuie déjà de le savoir si loin de nous. Fanchon ne le laisse pas trop voir, mais son frère lui manque beaucoup. Heureusement, il y a les plus petits qui commencent à faire leur place. Marie veille bien sur sa sœur Ursule. Leur préceptrice est fort heureuse de leurs progrès en lecture et en écriture.

La vie nous fait parfois des surprises vraiment inattendues. Elles sont parfois bonnes, d'autres fois mauvaises. Cette fois, celle-ci est fort heureuse puisque j'attends un enfant alors que je croyais ne jamais plus en avoir. Cet enfant aura-t-il le bonheur de connaître son frère et sa sœur aînés ?

Renaud étudie maintenant au Collège des jésuites à Québec. Marcellin tient à ce qu'il puisse avoir les meilleurs professeurs possible. Il semble bien, d'après les échos que nous en avons, que notre Renaud se laisse facilement distraire de ses études. Il est vrai que dans une grande ville, les distractions sont beaucoup plus nombreuses. Pourvu que ça ne l'empêche pas de répondre favorablement aux ambitions de son père à son égard. Marcellin s'inquiète fort de lui. Il a résolu de lui écrire et Renaud n'a pas manqué de répondre et faire connaître ses intérêts.

Nous avons joué aux cartes chez les Jarret de Verchères, le jour de la Chandeleur. Le jeu était le lansquenet que je connaissais peu ou prou. Il m'est difficile de l'expliquer. Voici un peu comme il se joue. On donne à chacun une carte, sur laquelle on met ce qu'on veut; celui qui a la main se donne la sienne. Il tire ensuite les cartes. S'il amène la sienne, il perd. S'il amène celles des autres, il gagne. Il y a aussi dans ce jeu les coupeurs, qui prennent des cartes dans le jeu avant que celui qui a la main se donne la sienne. Il y a aussi la réjouissance, qui est la carte qui vient immédiatement après la carte de celui qui a la main. Tout le monde y peut mettre avant que la carte de celui qui a la main soit tirée, mais il ne tient que ce qu'il veut pourvu qu'il s'en explique avant de tirer sa carte. S'il la tire sans rien dire, il est censé tenir tout. C'est un jeu plus compliqué à expliquer qu'à jouer. Nous avons aussi joué à la dupe, qui est une sorte de lansquenet à la différence que celui qui a la dupe se donne la première carte et que celui qui a coupé doit prendre la seconde, et les autres ne sont point obligés de prendre la carte qui leur est présentée.

C'est une grande joie de voir notre Fanchon se marier, mais c'est aussi une peine de savoir qu'elle va nous quitter puisque son époux, qui est un officier, est appelé en garnison à Montréal. Fort heureusement l'enfant que je porte viendra combler ce vide.

Qui aurait cru que la jeune Barbe Denis, veuve du seigneur de Contrecœur, le rejoindrait si tôt dans la mort? Elle était de cinquante années moins vieille que lui et pourtant elle ne lui a survécu que de six années.

Marcellin a reçu une lettre de France et il a décidé d'aller y régler une fois pour toutes la succession de son oncle au Havre-de-Grâce. La maison me semble bien vide. Heureusement, les enfants sont là et la bonne Nicole me tient fort bien compagnie.

Il y a des malheurs de notre vie que nous voulons taire à jamais.

Quel bonheur nous avons chaque fois que nous avons la visite d'un de nos enfants partis de la maison ou encore quand nous recevons une lettre! Nous avons eu les deux aujourd'hui, d'abord une lettre de Renaud, puis la visite surprise de notre chère Fanchon venue annoncer qu'elle va nous faire grands-parents. Comme Marcellin sera heureux d'apprendre cette nouvelle à son retour!

Il y a beaucoup d'abeilles dans les fleurs du jardin. Les abeilles servent à quelque chose puisqu'elles nous font le miel. Mais les méchantes guêpes, à quoi donc sont-elles bonnes ? Elles ont fait leur nid dans la corniche, pas loin de l'entrée du fournil, si bien que nous avons peine à y pénétrer sans qu'elles nous attaquent. Simon a profité de la nuit pour décrocher le nid au moyen d'une perche et il y a mis le feu.

Le printemps nous a ramené Marcellin. Comme j'étais heureuse de le revoir ! Tout comme nous, il avait toutes sortes de choses à raconter. Il fut fort indigné de la mésaventure qui fut mienne.

Avec les enfants, l'autre jour non loin du fleuve, nous avons vu un oiseau qui traînait de l'aile. Le pensant blessé, nous avons tenté de l'attraper pour le soigner, mais il est parti à voler tout normalement. Marcellin dit que cet oiseau nous a de la sorte joué un tour. Il voulait nous éloigner de son nid, dont nous étions proches.

Nous avons découvert que ce pauvre Simon est gaucher. Voilà pourquoi il a de la difficulté un peu partout. Il doit s'habituer à se servir de sa main droite, comme la plupart des gens.

Les enfants adorent la soupe et me voilà tous les jours en quête de façons nouvelles de leur en cuire. Il y a bien la soupe aux pois dont ils se régalent, mais il faut aussi en changer de temps à autre. J'ai préparé

une nouvelle soupe de poisson et les enfants en rede-
mandent.

Il y a beaucoup de jours de fête dans l'année. C'est
l'occasion de festoyer. Mais il y a obligation d'aller à
la messe ces jours-là puisque les hommes ne travaillent
pas. On dit qu'il y a un habitant de Varennes qui a
travaillé sur sa terre un jour de fête et que depuis, son
champ s'est transformé en cailloux.

Marcellin était aujourd'hui contrarié parce qu'il ne
pouvait travailler en raison de la Chandeleur. Il m'est
arrivé avec ces vers de la fable *Le Savetier et le Financier*
de monsieur de La Fontaine.

Le mal est que dans l'an s'entremêlent des jours
Qu'il faut chômer : on nous ruine en fêtes
L'une fait tort à l'autre, et monsieur le curé
De quelque nouveau saint charge toujours son prône

Nous voilà grands-parents par notre fille Fanchon
qui a donné naissance à un garçon dont nous sommes
parrain et marraine. Marcellin a été fier de lui donner
son nom. C'est fort dommage que Fanchon ne
demeure pas à Verchères. Nous ne verrons pas souvent
cet enfant.

Renaud a été fait prisonnier par les Anglais. Pauvre
enfant. Il nous fait vivre beaucoup de fortes émotions.

Notre vieille Annette n'est plus. Marcellin l'a remplacée par une jeune pouliche à laquelle les enfants ont donné le nom de Pégase. C'est Marie qui l'a suggéré par ce qu'elle a retenu des enseignements de Nicole à propos des Grecs.

J'ai trouvé dans un vieux livre ces proverbes que j'aime bien : Quand le chat se débarbouille, le temps se brouille. L'alouette en main vaut mieux que l'oie qui vole. Il ne faut pas courir deux lièvres à la fois. Mieux vaut tondre l'agneau que le pourceau. Le bœuf est lent, mais la terre est patiente. On ne saurait faire d'une buse un épervier. Canard qui nage et poisson sautant appellent l'orage, la pluie et le vent. Petit à petit, l'oiseau fait son nid. Il ne faut pas vendre la peau de l'ours avant de l'avoir tué.

Chaque fois que nous recevons une lettre de Renaud, mon cœur se serre. Il est maintenant au fort Bourbon, toujours au milieu des dangers. C'est la vie qu'il a choisie, mais ce n'est certes pas la moins inquiétante pour nous tous. Il semble heureux ainsi, c'est ce qui compte et en cela nous devons nous oublier.

Après qu'un oiseau est entré dans le manoir, notre Marie nous est arrivée l'autre matin avec ce petit poème.

Un oiseau noir
Est entré dans le manoir
C'est mauvais signe
A dit Augustine
Dans l'année quelqu'un mourra
Il faudra voir qui ça sera.

Marcellin l'a félicitée pour son poème. Mais il a dit : l'oiseau est entré et est ressorti, il n'y aura donc pas de mort dans l'année.

Après Renaud, c'est maintenant au tour de Simon de quitter le manoir. Que donnerais-je pour garder mes enfants autour de moi ! Mais la seule façon pour eux de chercher de l'instruction, c'est de s'éloigner. Si nous vivions à Québec ou à Montréal… mais à quoi bon se plaindre, puisque notre bonheur est ici et celui de nos enfants là où la vie les appelle. Nous serions à Québec ou Montréal qu'ils nous quitteraient quand même puisque la vie est ainsi faite. N'est-ce pas ce que nous faisons tous un jour ?

Clément, que Jimmio emmenait avec lui dans la charrette, nous a fait une belle peur quand il en est tombé. Fort heureusement, Jimmio s'en est aperçu en entendant ses cris. Par bonheur, l'enfant n'a pas été blessé. Il a eu plus de peur que de bosses. Voilà un dicton qu'il faisait bon de répéter.

Il n'y a rien de plus déplorable que de voir un grand rêve sur le point de se réaliser n'avoir jamais lieu. C'est ce que fut notre visite à Québec pour le carnaval, car l'événement n'a pas eu lieu. Notre déception fut grande. Elle fut compensée par le bonheur de voir Simon, notre petit homme, sérieusement plongé dans ses études. Les jésuites vont en faire un savant.

Le fait de revoir des amis nous fait grand bien. Cette chance, nous l'avons eue au Passage près duquel demeurent toujours Le Chauve et Le Matou. Il faisait bon de causer avec eux du bon temps passé à l'auberge du lieu. Mais tout bonheur a son contraire. La mort d'Honorine n'a pas manqué de nous attrister. Je me suis rendue au cimetière prier sur la tombe de Rosalie. Il me semble que de se pencher sur cette tombe ne nous cause pas tant de peine qu'une grande paix. De Rosalie, on ne peut garder que de doux souvenirs.

Mais voilà qu'à notre retour à Verchères, nous apprenons que la mort a fait encore son travail. Le seigneur de Verchères est décédé au cours de notre absence. J'ai couru consoler mon amie Marie. Elle est fort courageuse. Tout comme elle avait autrefois pris tout en main pour la défense du fort, elle joue à merveille son rôle de maîtresse des lieux et voit fort bien au bon fonctionnement de la seigneurie.

Fanchon sera de nouveau mère. La vie sait parfois, en nous donnant des grands bonheurs, nous faire oublier les grands malheurs qu'elle nous cause.

Par une lettre reçue de Fanchon, nous apprenons le récit fantaisiste que fait un monsieur de La Potherie de l'attaque des Iroquois au fort de Verchères qu'a repoussée la jeune Madelon. Fanchon, qui était sur les lieux ce jour-là, ce qui nous avait causé bien du souci, dit que ce récit ne peut être celui de son amie Madelon.

La pauvre Fanchon nous a raconté tout ça parce qu'elle repoussait le plus loin possible le moment de nous annoncer une mauvaise nouvelle. Elle risque de partir pour la France où son mari est appelé.

En s'amusant auprès du puits, Marie a remonté le seau qu'elle croyait vide. Elle y a trouvé une grenouille. Elle a dit avec raison que sans elle, cette pauvre petite bête n'aurait jamais pu sortir du puits. Elle fut tout heureuse de lui donner sa liberté. Nous avons parfois dans la tête des idées qui, comme cette grenouille, n'en peuvent pas sortir.

Ce que nous appréhendions survient réellement. Fanchon s'en va bientôt en France. En voilà une autre qui, comme ses frères, sera bien loin de nous. Comme la vie est curieusement faite !

Notre Simon nous fait part de son désir de devenir cartographe, un métier moins dangereux que celui de soldat, mais qui risque de le tenir lui aussi fort loin de nous et pour fort longtemps. J'ai peine à croire que nos enfants puissent tous s'éloigner alors que les enfants de bien d'autres familles vivent tous non loin de leurs parents.

Il n'y a rien de plus douloureux pour une mère que de perdre un enfant. Notre petite Ursule n'est plus. La seule consolation que j'ai de sa disparition, c'est de ne plus la voir souffrir.

Cette monnaie de cartes n'est pas la meilleure des choses puisqu'il est facile de l'imiter. Marcellin a été pris à témoigner dans un cas de ce genre. Son sommeil en a été affecté. Il ne sait pas si l'accusé était vraiment coupable ou s'il n'a pas tout simplement été la victime d'un malentendu.

Renaud s'est enfin manifesté. Il est bien loin de nous en un endroit appelé Mobile. Il aura passé une bonne partie de sa vie au loin. Celui-là a certainement du sang de découvreur.

Marcellin m'a prêté le livre des fables de monsieur de La Fontaine. Il est étonnant de voir à quoi peut nous mener ce que nous lisons. La fable que j'ai lue m'a fait penser que nous n'avons pas encore d'église et de curé à Verchères. Comment en suis-je arrivée à penser à cela après la lecture d'une fable? Il est bien étonnant parfois que les idées qui se bousculent dans notre tête nous fassent penser à des choses ne semblant pas avoir de rapports entre elles. Mais si nous y pensons bien, une chose à quoi l'on pense nous mène à une autre, qui fait de même et ainsi de suite.

Il y a maintenant un facteur officiel. Il nous a apporté une lettre de notre cher Renaud qui se trouvait en France. Celui-là, nous avons vraiment de la difficulté à le suivre. Il est comme un lièvre qui court, s'arrête et repart dans la direction opposée. Pour lors, il doit revenir au pays.

Fanchon nous revient de France. La pauvre, son mari, que nous avons si peu connu, y a été tué. Elle va venir vivre au manoir avec ses enfants. Quel bonheur de les avoir avec nous!

Quand Madeleine de Verchères a su que Fanchon était au manoir, elle est arrivée aussitôt lui rendre visite. Elle va se marier. Ce fut presque l'unique sujet de conversation à part, bien sûr, la défense du fort quand elles étaient encore toutes jeunes.

Fanchon nous a fait le cadeau d'un chaton. Les enfants tentent toujours de s'entendre sur le nom qu'ils veulent lui donner. Il semble qu'à la suggestion de Marcellin, ils l'appelleront Raminagrobis, comme le chat de monsieur de La Fontaine. Pour leur plaire, Marcellin leur a raconté la fable :

C'était un chat vivant comme un dévot ermite
Un chat faisant la chattemite
Un saint homme de chat
Bien fourré, gros et gras.

Pour lors, il est si petit que les enfants trouvent que le nom ne lui va pas. Attendez, leur a dit Marcellin, de le voir grossir et il fera bien son Raminagrobis.

La pouliche Pégase donne parfois de la misère à Jimmio. On dirait qu'elle devient aussi têtue qu'un âne. Les animaux ont aussi leur caractère et parfois il n'est pas meilleur que celui de bien des humains.

Voilà notre Renaud devenu corsaire. Je tâche de ne point penser à tous les dangers qui le menacent. Celui-là, s'il nous revient vivant, il faudra en remercier le ciel.

Avec Marie, Félicité et Augustine, nous avons aujourd'hui fabriqué le savon pour toute l'année. Demain, nous ferons la même chose pour les chandelles.

Renaud nous fait la surprise de sa visite. Pour peu, nous nous serions cru revenus plusieurs années en

434

arrière quand il taquinait sa sœur. Il nous a bien fait rire en contrefaisant la chanson *Ah! vous dirais-je maman*.

Simon passe en France pour travailler avec le sieur Franquelin. Encore un autre qui nous quitte pour le lointain. Pauvres parents, nous n'avons rien à redire, mais leurs départs nous fendent le cœur.

Renaud nous est revenu pour nous dire, lui aussi, qu'il part, cette fois en expédition contre nos ennemis de Nouvelle-Angleterre.

Je me demande bien parfois qui a été le premier à essayer les recettes de ce que nous mangeons. Ainsi, qui a pensé le premier à cuire le lièvre sur la broche et qui a eu l'idée du canard au vin?

Notre Fanchon se marie de nouveau à un soldat. Les taquineries de Renaud pour sa sœur étaient donc fondées sur du vrai.

Mes craintes au sujet de la mort se sont révélées justes. Pierre Jarret, l'ami de Renaud, a perdu la vie en Nouvelle-Angleterre. Pauvre Marie, elle perd encore un autre de ses fils à la guerre.

C'est toujours un grand bonheur que la visite d'une de nos enfants avec ses propres petits. Mais notre bonheur fut encore plus grand quand Fanchon décida d'avoir son enfant chez nous. Elle a donné naissance à une fille nommée Élise.

Simon nous a donné de bien courtes nouvelles. Tout ce que j'espère, c'est qu'il soit vraiment heureux.

Quelque chose a souillé l'eau du puits. En remontant le seau, l'eau était toute jaune. Marcellin croit que de la terre tombée de la paroi en serait la cause. Il faudra attendre quelques jours avant que l'eau redevienne claire. Il nous faut donc aller en puiser au fleuve.

Notre Marie a été sauvée des fièvres par la recette de la nommée Pirote de Verchères. Il faut prendre des tisanes faites d'aiguilles de pruche et d'épinette blanche.

La chapelle de Verchères est maintenant construite. Le curé La Foye, de Contrecœur, vient y dire la messe tous les dimanches.

Clément s'est fait des clapiers où il garde des lapins. Il est toujours à quêter des restes de cuisine pour les nourrir. Il les engraisse bien et dit que nous pourrons en manger à Pâques ou à la Trinité. Je suis bien curieuse de voir s'il chantera la même chanson quand il sera question de les tuer.

Voilà que notre fils Renaud se trouve en Acadie. Celui-là, il aura bien fait le tour du monde. Qu'a-t-il mangé quand il était petit pour avoir tant le goût de voyager?

Nous avons eu le spectacle de spectres de couleur dans le ciel et aussi de sphères immenses qui se compénétraient. C'était très beau, mais aussi tellement inattendu et mystérieux que nous nous demandions s'il fallait nous en réjouir ou en avoir crainte.

La nouvelle nous est venue que plusieurs des vaisseaux de la flotte anglaise qui ont tenté de prendre Québec se sont échoués pendant une tempête sur l'Île-aux-Œufs dans le fleuve. Il paraît que pour la raison de cette deuxième victoire, la petite église sur la place Royale à la Basse-Ville de Québec s'appelle maintenant Notre-Dame-des-Victoires.

C'est au tour de notre Clément de partir étudier à Québec. Mon doux, que la vie passe vite! Il me semble qu'hier encore il était tout petit. Il est le dernier de nos garçons. Courra-t-il le monde comme ses frères?

Le tocsin s'est fait entendre et nous nous sommes précipités vers le fort de Verchères. Mais comme le dit Marcellin, ce fut une fausse alerte qui aurait pu mal tourner, mais a heureusement fini dans le rire.

Renaud est à Québec. Aurons-nous le bonheur de sa visite ? Il y a lieu d'en douter tant il est comme une queue de veau à toujours bouger sans arrêt.

Nous recevons de bien brèves nouvelles de Simon, mais elles font plaisir quand même. Il est étonnant qu'il n'écrive pas plus souvent.

Notre Fanchon nous fera encore grands-parents. Est-ce que ce sera une fille ou un garçon ? Ses frères veulent un garçon, ses sœurs une fille.

Il y a des dictons concernant les araignées. Le plus étonnant est celui qui dit : Araignée du soir, espoir. Je présume qu'il y en a un qui dit : Araignée du matin, chagrin. Tout cela pour dire que nous sommes envahis par les araignées et que nous pouvons en voir des dizaines, le soir comme le matin.

Les pommiers ont tellement produit cette année que nous avons eu un surplus de pommes avec lesquelles nous avons fait du cidre.

Abel est le nom d'un autre serviteur noir que Marcellin a acheté. Jamais chez nous il ne sera traité en esclave. Jimmio saura bien le lui faire comprendre.

Marcellin nous a rapporté de Montréal un jambon fumé qui est un délice.

Tant de chenilles ont envahi la forêt et elles ont tellement dévoré de feuilles sur leur passage qu'on dirait qu'elles y ont tracé un chemin.

Voilà notre Renaud de nouveau en Louisiane. Celui-là, il faudrait l'attacher et encore, il trouverait quand même le moyen de partir.

Une souris s'est risquée dans le manoir. Elle a tout de suite eu Raminagrobis à ses trousses. Elle a trouvé un trou au fond de la cuisine et s'y est enfilée avant que Raminagrobis ne l'attrape. Le chat est demeuré là quelques heures, le museau tout près du trou. Sa patience a été récompensée puisqu'il est passé tout à l'heure avec la souris dans la gueule.

Nous nous sommes inquiétés au sujet de Clément qui reste muet et Marcellin est allé à Québec pour tâcher de le retrouver. C'est pendant que son père le cherchait là-bas qu'une lettre est arrivée dans laquelle il nous dit ce qu'il devient. La vie a parfois de drôles de façons de se jouer de nous.

Marcellin a rencontré au Séminaire de Québec un jeune prêtre qui lui a paru un curieux homme. Il paraît qu'il lui a lu de ses écritures que Marcellin a trouvé fort étonnantes.

Voilà que Marcellin a été appelé à Verchères pour un homme qui s'est pendu.

J'ai rarement le temps de m'asseoir. Je l'ai pourtant fait aujourd'hui au pavillon de chasse, près du fleuve. Il faisait très beau et il y avait plein d'oiseaux sur l'eau et au bord de l'eau. Je ne sais trop pourquoi, tout à coup, j'ai senti un frisson qui m'a fait penser à la mort. Je m'en suis vite revenue au manoir. Mais cette triste pensée ne me quitte plus.

Ce que je redoutais le plus depuis des années est survenu. Je ne saurai jamais surmonter la douleur que m'a causée l'annonce de la mort de Renaud.

Nous ne prenons pas assez de temps pour admirer la nature qui nous entoure. Le fleuve est si beau que nous devrions nous asseoir tout près chaque jour. Il nous enseigne que notre vie s'écoule un peu tous les jours à la manière de l'eau qui le fait vivre.

J'ai le cœur brisé par la grande épreuve qui nous arrive. Notre Fanchon et trois de ses enfants sont morts des fièvres malignes et me voilà à mon tour atteinte de cette maladie.

❖

Voilà ce que j'ai cru bon de retenir du livre de raison du Radegonde. Il ne me reste plus qu'à souhaiter que quelqu'un prenne la plume pour raconter l'histoire de Clément, considéré comme le mouton noir de la famille. Après tout, les moutons noirs ne méritent-ils pas qu'on s'occupe davantage d'eux?

Appendice 2

Les lettres de Renaud à ses parents

J'ai cru bon, enfin, puisque je ne pouvais retenir tout ce que Renaud racontait dans ses lettres, de les reproduire ici en appendice. Renaud avait à peine terminé ses études à Québec quand il rencontra Pierre Le Moyne d'Iberville. Cet homme l'impressionna tellement qu'il décida de se mettre à son service. Ainsi commença sa vie aventureuse. S'il avait pu lire toute l'inquiétude que son choix de vie apportait à ses parents, peut-être aurait-il opté pour une autre façon de mener sa vie. Mais tant Marcellin que Radegonde firent souvent la réflexion: « S'il est heureux ainsi. »

Il écrivait fidèlement à ses parents au moins une fois par année. Il résumait fort bien dans ses lettres l'ensemble de ses activités. Aussi, me suis-je contentée de regrouper ses lettres par ordre chronologique pour reconstituer ce que fut sa vie depuis son départ de Québec en 1693 jusqu'à son décès en 1716.

À bord du vaisseau Le Poli, *1ᵉʳ juillet 1694*

Cher père,

Je me suis embarqué à Québec le 7 novembre 1693 sur la frégate La Sainte-Anne *arrivée depuis quatre jours à peine de la baie d'Hudson avec un plein chargement de fourrures. Nous avons essuyé des vents contraires jusqu'au début de décembre avant de pouvoir mettre enfin le cap sur La Rochelle où nous sommes parvenus un mois plus tard. Il me fallait gagner ma croûte. Je l'ai fait en m'embauchant comme palefrenier auprès du sieur Davaugour. J'ai pu de la sorte toucher suffisamment de quoi vivre et perfectionner mes connaissances dans le maniement des armes auprès du maître Bardet, un rude gaillard qui m'a fait beaucoup suer.*

Quand on nous dit que le monde est petit, nous haussons les épaules pour laisser voir notre incrédulité. Eh bien! J'ai eu un bel exemple de cette maxime, quand dans une rue de La Rochelle, je suis arrivé nez à nez avec mon ami Pierre Jarret. Il ne me reconnut pas tout de suite, s'attendant si peu à me voir en ces lieux.

— Mais, s'écria-t-il, Renaud, c'est... c'est bien toi!

Je répondis en riant:

— Je l'espère bien!

— Je te croyais à Québec, dit-il. Qu'est-ce que tu fais ici?

— Je perfectionne mon maniement des armes en attendant d'en découdre avec nos ennemis. Et toi? Je te pensais à Montréal.

— *Je suis venu perfectionner mes connaissances navales.
C'est ainsi qu'on sa compagnie, je pus me familiariser
avec cette belle et puissante ville. Comme nous avions beaucoup de temps avant de monter à bord d'une flûte ou d'une
frégate pour regagner Québec, Pierre me demanda :*

— *Que comptes-tu faire ?*

— *Comme mon père me l'a recommandé, je veux
profiter de mon séjour ici pour enrichir mes connaissances.*

— *En quel domaine ?*

— *Tu ne me croiras pas. Je brûle du désir d'en connaître
plus sur ma famille qui était précisément de La Rochelle,
même si mon grand-père vivait, étant jeune, à La Tremblade. Je saurai bien trouver des Perré quelque part.*

— *C'est une idée excellente. Je ne saurais en faire autant
puisque mes ancêtres Jarret sont d'aussi loin que le
Dauphiné.*

— *Alors, nous chercherons ensemble.*

*Je mis plus de temps que je ne le croyais à retracer un
Perré dans cette ville qu'il me fallut d'abord apprivoiser.
Québec est une bien petite ville en comparaison de La
Rochelle avec son port grouillant de monde, ses rues prises
d'assaut par des centaines de personnes les jours de marché.
Je n'avais pas l'habitude de frayer avec tant de monde. Mon
ami Pierre me fut d'une aide précieuse. C'est alors que je
m'y attendais le moins que je fus mis sur la piste d'un Perré.
Nous étions au marché. Deux femmes déambulaient devant
nous en jacassant avec animation comme elles savent si bien
le faire. L'une était jeune, l'autre passablement vieille avec
une bosse dans le dos.*

— Je te le dis, Fany… Si tu ne me crois pas, tu n'auras qu'à vérifier toi-même.

— Je vous crois, mère-grand, mais ce sont-là des histoires du passé dont je n'ai cure.

— Tu devrais pourtant… Il faut t'en préoccuper. Il ne faut jamais laisser filer un héritage si tant est qu'on y a droit.

— Qui vous dit que j'y ai droit?

— Tu es bien une de ses petites-filles?

— Peut-être, mais personne ne m'a jamais dit que je pouvais toucher quelques sols de cet héritage.

— Pauvre toi! Penses-tu que les autres héritiers vont courir après toi pour te prévenir? S'ils peuvent espérer une plus grande part du gâteau, ils ne le feront certes pas.

— Est-ce que le grand-père avait tellement de sous?

— Les Perré, Fany, ont toujours eu passablement le magot. Il est vrai que le siège de la ville leur a fait grand tort, mais quand on a des sous, on sait habituellement où les cacher quand il est besoin de le faire.

D'entendre soudainement le nom Perré prononcé par cette vieille m'a fait redresser les oreilles. Je n'ai pas hésité à aborder ces deux femmes.

— Pardonnez, mesdames! Mais je viens d'entendre de la bouche d'une de vous le nom Perré. Puis-je vous mentionner que je suis moi-même un Perré?

À ces mots, la vieille qui semblait vouloir continuer son chemin s'est retournée vers moi et m'a examiné des pieds à la tête. Elle s'est exclamée:

— Un Perré, toi? Certainement pas d'ici.

— Vous avez raison grand-mère, puisque je suis né en Nouvelle-France.

— Oh, là, là! Un Perré de si loin?

— De pas si loin que vous le croyez, puisque mon grand-père était d'ici.

— Ton grand-père?

— Arnaud Perré.

— Ça ne me dit rien, mais peut-être qu'Hilaire saurait y voir plus clair que moi.

— Hilaire?

— Mon vieux… C'est lui qui est un Perré. Moi, je suis une Fessard de Saintonge.

— Et votre vieux, il y a moyen de lui parler?

— Pour sûr, en autant qu'on lui cause du côté de sa bonne oreille.

C'est ainsi qu'en compagnie de ces deux femmes, je me retrouvai à La Palice à parler famille avec un vieil homme dont la bonne oreille était aussi mauvaise que la rue menant à sa chaumière. Je dus hausser le ton pour lui faire comprendre la raison de ma venue. Il se souvenait vaguement d'un enfant prénommé Arnaud.

— Si c'est de cestui-là dont il s'agit, dit-il, il était le fils unique de mon oncle David, lequel est mort quelque part du côté de La Tremblade.

— La Tremblade! m'exclamai-je. Mon grand-père Arnaud y a vécu étant jeune.

Il esquissa un sourire laissant paraître les quelques rares dents qui lui restaient avant de dire:

— La vie a de ces surprises!

Quand je lui dis que mon grand-père avait, tout jeune, subi le siège de La Rochelle, il me dit qu'il l'ignorait. De lui j'appris toutefois l'histoire des Perré, tous huguenots, venus s'établir en Vendée par l'intermédiaire de Josaphat, originaire de la Mayenne. C'était l'aïeul de grand-père Arnaud. S'étant fixé à La Rochelle, il se lança dans le commerce du tissu et, aux dires de ce vieil homme, il y fit rapidement fortune. Son fils Jonas, paraît-il, était un florissant marchand de La Rochelle au moment du siège. Il y mourut et ses enfants cherchèrent vainement par la suite où il avait caché sa fortune.

— Tu sais, me dit le vieillard, à cette époque de misère, il fallait être bien éveillé pour ne point perdre tout son pécule.

— Comment se fait-il qu'il n'a pas révélé sa cachette à ses enfants ?

— Il avait sans doute l'intention de le faire, mais il a trop attendu et a emporté son secret dans la tombe.

— Les enfants ont-ils tenté de la trouver ?

— S'ils ont tenté ? Crétac ! Ils ont tout fait, mon père en tête. Quand ils en ont eu terminé, il ne restait plus une pierre de la maison. Ils n'avaient plus qu'à la reconstruire, ce qu'ils n'ont pas fait. Ils ont vendu le terrain et se sont dispersés du bord de la Saintonge et du Poitou. Mon père est le seul à être demeuré à La Rochelle. À sa mort, nous étions six à hériter.

J'ai bien essayé d'en apprendre plus sur celui qu'il appelait David. Tout ce qu'il en connaissait, il me l'avait dit. Voilà comment je parvins à faire un peu de lumière autour de ces Perré, nos aïeux.

Au printemps, nous assistâmes aux préparatifs de l'expédition que le sieur d'Iberville comptait mener contre les Anglais de la Baie-du-Nord. Le sieur d'Iberville voyait à l'armement de deux frégates, Le Poly et La Salamandre. Nous aidâmes de notre mieux à leur chargement. Je retins sur l'une mon passage, y engageant la totalité de mes gains des mois précédents. Mon ami Pierre en fit autant.

Nous avons fait voile vers Québec à compter du 15 mai 1694 en partant de Rochefort en compagnie de douze bateaux de pêche pour Terre-Neuve. Je vous ferai tenir cette lettre dès notre arrivée à Québec.

Ne manquez pas d'embrasser notre mère pour moi et de transmettre à mes sœurs et à mon frère toute l'affection que je leur porte.

Votre fils affectueux, Renaud

❖

Fort Bourbon, 1695

Cher père,

De retour de France, nous avons touché Québec le 11 juillet et je vous ai aussitôt expédié une lettre. J'étais fort heureux de m'y retrouver. Je pensais pouvoir vous rendre visite, mais à peine y étions-nous que le sieur d'Iberville se mit en quête d'engager cent vingt hommes pour son expédition à la Baie-du-Nord.

Comme nous étions très nombreux à vouloir en être, il lui a fallu faire un choix dont il a été juge avec son frère de Sérigny et deux autres dont je n'ai pas retenu les noms. Cette sélection s'est faite d'une manière bien curieuse.

— Vous devrez montrer ce que vous valez, nous dit le commandant.

Un barbu, qui semblait en avoir vu d'autres, s'informa au nom de nous tous :

— De quelle façon cette fois ?

— Celle que j'ai choisie, répondit le sieur d'Iberville.

— Laquelle donc ?

— Un concours d'adresse.

Chacun eut à se faire valoir à l'épée, au sabre, au pistolet, au mousquet et à la course. Pour ce qui est des armes blanches, je n'eus point de mal à montrer mon talent, pas plus qu'au mousquet. Le pistolet me causa des problèmes, mais également la course. Le sieur de Sérigny se moqua :

— Renaud Perré, me dit-il, tu apprendras certainement à courir plus vite quand tu auras un ennemi au derrière.

— Sans doute !

Je dus reprendre ma course, mais cette fois avec en tête un Sauvage qui me courait après, tomahawk à la main. Le commandant retint ma candidature. Nous étions, en fin de compte, cent dix à signer le contrat qui ne prévoyait pas de rétribution fixe, mais nous avions droit à la moitié des prises que nous ferions sur mer ou sur terre à compter de notre départ de Québec jusqu'en 1697 et également à la moitié des profits sur les fourrures. Nous pouvions aussi vendre à notre compte pour cent livres de marchandises de ꞏꞏꞏꞏ. *Enfin, il nous fallait fournir les armes de combat.*

Nous avons quitté Québec le 10 août pour nous retrouver dix jours plus tard au détroit de Belle-Isle parmi les icebergs et à la fin d'août à celui d'Hudson, que nous avons mis quatre jours à traverser. Les vents ne nous furent enfin favorables qu'au 21 septembre où nous avons atteint l'embouchure de la rivière Nelson. Le 24, nous étions en vue du fort et quarante d'entre nous furent à terre pour en commencer le blocus. Nos ennemis s'y sont retirés.

— Nous les aurons comme des rats ! s'est écrié mon ami Pierre.

Je répliquai :

— S'ils ne sortent pas d'eux-mêmes, la faim les en fera sortir.

Le lendemain, à bord de La Salamandre, *nous avons remonté la rivière Sainte-Thérèse et sommes passés devant le fort Nelson sans que les décharges de leurs canons nous touchent. Nous étions à quelques encablures du mouillage que nous comptions atteindre quand une forte bourrasque nous repoussa droit sur la côte où notre vaisseau s'échoua. Pendant des heures, nous avons cru à notre perte. Les glaces dévalant de la rivière frappaient sans cesse notre vaisseau. Mais fort heureusement, les vents venant à mollir, en allégeant* La Salamandre *nous avons pu la tirer de sa mauvaise position.*

Pendant ce temps, sur terre, nos hommes commandés par Louis Le Moyne de Châteauguay, frère de notre commandant, tenaient le blocus. Malheureusement, le sieur de

Châteauguay y fut tué par une décharge de mousquet. Courageusement, notre commandant, pourtant fort peiné par la perte de son frère, fit continuer les préparatifs du siège, si bien que quelques jours plus tard, les canons étaient en place, prêts à réduire le fort en cendres. Une sommation leur fut envoyée à la mi-octobre. Ils se rendirent le lendemain. Nous entrions dans le fort à trois heures le jour même. En un lieu si éloigné, il n'y avait rien d'autre à faire avec ces prisonniers, au nombre de cinquante-trois, que de les garder à l'intérieur du fort avec promesse de les rapatrier au printemps.

Habitué tout comme moi à ne pas rester à rien faire, Pierre me dit :

— Si jamais se présente, malgré le froid, une occasion de bouger d'ici, je saute dessus.

— Et moi de même !

— Tu sais que notre commandant songe à une expédition vers la mer de l'Ouest ?

— Qui te l'a dit ?

— Son frère Sérigny. Il paraît que des documents trouvés dans le fort laisseraient croire que les Anglais s'y sont aventurés.

Quelques jours plus tard, le sieur Renaudot se mit en quête d'hommes pour l'accompagner en canots à la recherche d'un passage vers la mer de l'Ouest. J'en fus. Après douze lieues dans un bras de mer, il s'avéra que cette mer était encore bien loin. Le sieur Renaudot renonça à pousser plus avant. De retour sur La Salamandre, *nous eûmes à subir les rigueurs de l'hiver. En ce pays de neige et de glace, la*

...... entre la vie et la mort est bien mince. Plusieurs hommes souffrirent du scorbut et en moururent. Fort heureusement, j'échappai tout comme mon ami Pierre à cette calamité.

Les eaux demeurant libres de glaces tout au long de notre séjour en ces lieux, nous assistâmes à un défilé de canots sauvages remplis de fourrures. Ils vinrent échanger leurs peaux de castor contre des marchandises. Comme nous le permettait notre contrat, nous avons pu, nous aussi, troquer nos marchandises contre des fourrures. Les profits que nous avons retirés allaient nous permettre de vivre durant les mois à venir.

Notre commandant s'attendait, au printemps et tout au cours de l'été, à voir surgir des navires anglais venant ravitailler le fort. Il avait l'intention de les prendre avec tout leur butin. Pour notre malheur, aucun ne se présenta. Le sieur d'Iberville, voyant la saison s'avancer, décida de repasser par Québec avant de regagner la France tout en laissant soixante-dix hommes à la garde du fort. J'ai choisi tout comme mon ami Pierre de faire partie de la garnison.

Je vous fais tenir cette lettre par un ami embarqué sur le vaisseau du sieur d'Iberville.

Je me languis de vous revoir tout comme notre chère mère ainsi que mes sœurs et mon frère Simon. Si vous tentez de m'écrire, faites-le en poste restante à Québec. Je finirai bien par mettre la main sur cette missive.

Mes amitiés à tous!

Votre fils affectueux, Renaud

❖

Londres, 15 novembre 1696

Cher père,

Il y a longtemps que vous n'avez pas eu de mes nouvelles et pour cause. Je suis prisonnier des Anglais depuis des mois. Nous avons reçu la visite d'un officier français venu s'enquérir du sort que nous réservent nos ennemis. C'est par lui que je fais transiter cette lettre qui, je l'espère, vous sera expédiée.

De ma vie, ce séjour au fort Bourbon fut la plus pénible des mésaventures. Le commandant du fort, le sieur La Forêt, y était secondé par le sieur Le Moyne de Martigny, le cousin de Pierre Le Moyne d'Iberville. Nous avions des vivres pour une année et amplement de munitions. Nous avions la garde de nos prisonniers et les jours s'étiraient sans qu'on en voie la fin, notre plus grand espoir étant de voir paraître au printemps des navires français.

Nous avions autant de fourrures qu'il nous était permis d'en trafiquer. Nous sortions les jeux de cartes et nous passions des heures à jouer et à bâiller. Nous nous sentions au bout du monde.

Jugez de notre déception lorsque parurent devant le fort au début de septembre deux vaisseaux de guerre anglais et trois frégates de la Compagnie de la Baie d'Hudson. Notre commandant nous dit :

— Soldats, notre honneur est en jeu. Préparez-vous à combattre !

— Comptez sur nous! dirent la plupart d'entre nous, à l'exception de deux ou trois récalcitrants prêts à céder le fort sans un coup de feu.

— Vous n'avez point honte, soldats? s'indigna le commandant. Si vous désirez qu'on nous accorde les honneurs de la guerre, nous devons combattre.

Pendant plusieurs jours, nous opposâmes une vive résistance. Sachant que nous avions avec nous nombre de prisonniers anglais, nos ennemis n'osèrent point bombarder le fort. Au nombre de quatre cents, ils finirent par nous entourer de telle sorte que le commandant fut contraint de négocier la capitulation. Les vainqueurs promirent de nous ramener en France avec tous nos effets.

Pierre me dit:

— Une telle entente venant des Anglais me semble louche. Ils sont de trop bonne foi.

— Nous avons très bien traité nos prisonniers, dis-je. Ils en tiennent compte.

Comme promis, nous eûmes droit de monter sur Le Bonaventure avec tous nos effets. La traversée fut passablement mouvementée. Mais rendus à Londres, au lieu de nous conduire comme entendu à Paris, ils se saisirent de nos biens et nous fûmes mis en prison où nous croupissons depuis.

Je vous espère tous en bonne santé et j'ai beaucoup de temps pour penser à vous. Dès que je serai sorti de cette geôle, je vous écrirai. Priez pour moi comme je le fais pour vous. Dites à notre mère de ne point s'inquiéter.

Votre fils affectueux, Renaud

❖

Libéré de sa prison de Londres, Renaud reprit bien vite ses activités comme en témoigne cette lettre :

Fort Bourbon, 12 septembre 1697

Cher père,

Ce n'est qu'en février 1697 que nous revîmes les côtes de France. Il ne nous restait plus que les habits que nous avions sur le dos. Le sieur d'Iberville nous prit en charge. Nous avons passé le reste des mois d'hiver à La Rochelle à attendre et espérer. Le sieur d'Iberville y faisait préparer des navires en vue d'une expédition dont la destination demeurait secrète. Il eut la gentillesse de nous prévenir :
— Si vous voulez en être, dit-il, vous n'aurez qu'à monter à mon bord.
— Pour où ?
— Ça, vous le verrez en temps et lieu. Je vous garantis, à chacun trente livres par mois, plus le produit de vos chasses.
Nous sommes montés, Pierre et moi, à bord du Pélican, *le navire amiral, qu'accompagnaient quatre autres vaisseaux,* Le Palmier, Le Profond, Le Violent *et* Le Wesp.
— Cinq navires, dit Pierre, voilà une expédition fort importante.
Nous en apprîmes la destination lorsque nous mouillâmes à Plaisance, le 18 mai suivant. Quelle ne fut pas notre joie

de savoir que nous allions à la baie d'Hudson reconquérir le fort que nous occupions un an auparavant !

Il faut avoir vécu pareille expédition pour comprendre la multitude de dangers que nous avons courus. Imaginez une tempête de neige dans les plus fortes que nous réserve le milieu de l'hiver. Voilà ce que nous avons subi vers la fin de juillet. Tout le monde grelottait. Nous devions nous faufiler entre les glaces pour éviter d'être broyés. La meilleure façon de ne point être heurtés consistait à nous en approcher et à y accrocher notre vaisseau au moyen de grappins. Lors de l'une de ces manœuvres, les grappins se détachèrent si bien que nous touchâmes dangereusement Le Palmier, *poupe contre poupe, mais fort heureusement sans trop de dommages.*

Un des événements des plus curieux, mais auquel je n'assistai pas, me fut raconté par Pierre au retour d'une expédition.

— Imagine-toi que nous avons rencontré deux indigènes.

— De quoi ont-ils l'air ?

— Ils sont complètement vêtus de fourrures.

— Vraiment ?

— Mais, tu ne le croiras pas, ils ont troqué tous leurs vêtements contre quelques babioles que nous leur avons offertes.

Nous pourrions, père, obtenir d'eux toutes les fourrures que nous désirons simplement en leur donnant des objets de rien qu'ils n'ont jamais vus, mais qu'ils désirent plus que tout. N'est-ce pas étonnant ?

Pour en revenir à mon propos, nous sommes parvenus à pénétrer dans la baie d'Hudson à la fin d'août. Au début de septembre, nous étions en vue du fort Nelson. C'est alors que nous nous dirigions vers le fort Sainte-Anne, au fond de la baie, que nous avons aperçu trois navires que nous pensions être Le Profond, Le Palmier *et* Le Wesp, *mais il s'agissait en fait de trois vaisseaux anglais venus alimenter le fort en nourriture et munitions. Il faut voir en de telles circonstances comment le sieur d'Iberville prend rapidement ses décisions. Au lieu d'attendre que ces vaisseaux nous cernent et nous coulent, il prit l'initiative de les attaquer en premier.*

Il lança Le Pélican *contre* Le Hampshire, *le plus gros des trois navires anglais. Lors de telles attaques, la seule façon de vaincre l'ennemi, c'est de tirer une bordée de boulets de canon qui percent la ligne de flottaison du navire ennemi. C'est ce que fit* Le Hampshire *contre nous, mais la bordée atteignit notre mâture sans causer trop de dommages. Celle du* Pélican *frappa juste et nous vîmes* Le Hampshire *atteint gravement faire demi-tour et sombrer. Un des autres navires anglais,* Le Hudson Bay, *se rendit tout de suite, tandis que le troisième prit la fuite. Nous tentâmes de le rejoindre, mais* Le Pélican *prenait l'eau et nous dûmes cesser la poursuite.*

Nous n'étions pas pour autant hors de danger, car une tempête s'éleva si bien que notre vaisseau qui avait perdu son gouvernail était pour être jeté à la côte. Nous fûmes contraints de l'évacuer. Vous écrire toutes les difficultés que nous avons eu à surmonter couvrirait plusieurs pages de mon récit. Je vous dirai simplement que nous fîmes des radeaux de fortune sur lesquels nous touchâmes terre. Après avoir aménagé un camp en forêt, nous nous attendions à ce que les soldats du fort Nelson viennent mettre fin à nos jours, mais fort heureusement, nos vaisseaux, Le Profond, Le Palmier *et* Le Wesp *apparurent enfin.*

En peu de temps, un campement fut installé à portée de canon du fort. Notre commandant réclama que les Anglais libèrent les prisonniers français qui se trouvaient dans le fort. Devant le refus du commandant anglais, il donna l'ordre d'attaquer le fort à coups de bombes incendiaires. Après cette attaque, il somma de nouveau le commandant anglais de se rendre. Devant son refus, il commanda un nouveau bombardement qui, celui-là, s'avéra beaucoup plus meurtrier, après quoi il menaça le commandant d'une attaque qui serait sans pardon. Ce dernier dit qu'il se rendrait à condition qu'on lui laisse toutes les fourrures qu'il y avait dans le fort. Le sieur d'Iberville refusa et le mit devant les choix suivants : ou il nous envoyait trois otages avant la nuit ou nous procédions à un massacre de la garnison. Pour gagner du temps, le commandant anglais envoya trois otages. Mais le lendemain, vers midi, il capitula. Je dis à Pierre :

—Espérons que notre commandant réserve aux prisonniers anglais le même sort que les Anglais nous ont fait subir quand nous étions entre leurs mains.

Pierre me laissa entendre :

— Nous ne sommes pas des Anglais. Le sieur d'Iberville a de l'admiration pour ceux qui ne se rendent pas au premier coup de canon. Ces prisonniers anglais seront bien traités.

Notre commandant promit en effet de ramener tous les prisonniers à Londres avec tous leurs effets. Devant nos protestations, il dit : « J'ai promis, je n'ai qu'une parole. » Voilà exactement tout ce qui se passa.

C'est de notre garnison de la baie d'Hudson, où je me trouve présentement, que je vous fais parvenir cette lettre. Puisse-t-elle vous atteindre. Je la veux porteuse de tous mes respects à votre égard de même qu'à notre chère mère pour qui j'ai une pensée tous les jours de même qu'à mes frères et sœurs que je vous prie d'embrasser pour moi.

Votre fils affectueux, Renaud

❖

Fort Bourbon, 8 juin 1698

Cher père,

Au moment où vous recevrez cette lettre, je serai sans doute déjà tout près de la France où je suis repassé avec mon ami Pierre. Après un nouveau séjour au fort Bourbon à la baie d'Hudson, nous avons profité du passage du vaisseau L'Atalante *pour faire la traversée en France.*

Vous avez certainement entendu parler du sieur Robert Cavelier de La Salle, cet explorateur qui a tout tenté pour trouver et explorer le fleuve Mississippi en toute sa longueur. Vous savez qu'il a été assassiné en 1687, lors d'une mutinerie parmi les hommes avec lesquels il était parti en exploration.

Voilà que par un membre du navire L'Atalante, nous avons appris que le sieur d'Iberville projette d'établir une colonie en Louisiane. Nous voulons faire partie de cette expédition. Je vous en dirai plus long sur les suites de notre démarche.

Ne manquez pas de rassurer notre chère mère à ce sujet. Je cours moins de dangers présentement en allant en Louisiane que j'en ai couru depuis quelques années à la baie d'Hudson. Dites-lui que comme vous et mes frères et sœurs, elle est dans mes pensées chaque jour.

Votre fils affectueux, Renaud

❖

Biloxi, 28 avril 1699

Cher père,

Je ne sais si, après un long silence de ma part, vous serez intéressé de recevoir des nouvelles d'aussi loin que le Mississippi. Mais voilà bien que j'y suis depuis quelques mois. Nous sommes partis de Québec, Pierre et moi, pour la France, à temps pour nous joindre à l'expédition du sieur d'Iberville en Louisiane. Il y projette l'établissement d'une colonie à l'embouchure ou le long du Mississippi, qu'il se targue de découvrir. Il paraît, selon ce qu'a écrit Cavelier de La Salle, que l'embouchure de ce fleuve se trouve à l'endroit où il déverse dans la mer une eau blanche et bourbeuse.

Nous sommes partis de Brest le 24 octobre 1698 et arrivés à Saint-Domingue le 4 décembre. Nous avons été dégradés à cet endroit plus longtemps que nous le désirions parce que le gouverneur de l'île, que notre commandant voulait rencontrer, était malade. Nous avons pu obtenir de lui un pilote d'expérience, un corsaire du coin, nommé « la terreur des Espagnols », qui l'ont surnommé Laurenzillo. Il connaît le golfe du Mexique comme le fond de sa poche.

Nous avons appareillé de Saint-Domingue le 31 décembre 1698 et le 5 janvier 1699, nous avons doublé Cuba, et le 24 janvier nous atterrâmes à la rivière Indies de Floride. Le 26, nous étions dans la baie de Pensacola. Notre commandant a demandé au gouverneur espagnol de la place de pouvoir entrer dans le port pour nous réapprovisionner d'eau et de bois. Le commandant craignait sans doute que nous tentions de prendre la place et nous a refusé l'entrée du port. Mais il nous a fait porter par ses hommes en chaloupes l'eau et le bois désirés.

Nous sommes partis ensuite à la recherche de l'embouchure du Mississippi en longeant la côte. Nous avons mouillé dans la baie de Mobile. Notre recherche s'est poursuivie durant tout le mois de février et c'est par hasard que nous avons trouvé cette embouchure. La mer était devenue si grosse que, pour ne pas sombrer, notre navire a gagné la côte. Pour mettre le vaisseau à l'abri, le commandant l'a fait passer entre deux rochers par seulement douze pieds de profondeur, pour se rendre compte ensuite que nous étions dans une rivière puisque l'eau était devenue douce. En fait, il s'agissait bel et bien du Mississippi.

J'ai participé à la remontée de ce fleuve avec les hommes que monsieur d'Iberville a ammenés. Nous avons atteint un village habité par des indigènes. Le grand chef portait un capot de serge bleu qui lui avait été donné par l'explorateur Tonti. Nous sommes revenus sur nos pas et le commandant a fait ériger un poste temporaire à la baie de Biloxi. Pierre et moi faisons partie depuis de cette garnison. Le temps y est beau en été comme en hiver. Nous travaillons à l'amélioration de la place en attendant le retour du sieur d'Iberville qui est repassé en France. C'est par un des membres de son équipage que je vous fais parvenir cette lettre. Il a promis de la faire expédier de France.

Soyez assuré de mon bon souvenir pour vous tous.

Votre fils affectueux, Renaud

P.S. Il y a parmi les hommes en garnison à Biloxi un nommé La Musique qui joue du violon comme pas un. J'ai fait sa connaissance et il m'a dit qu'il connaît bien la Nouvelle-France pour y être allé autrefois.

Si vous désirez m'écrire, vous pouvez le faire via le ministre de la Marine de France en indiquant bien Biloxi comme destination.

❖

La Havane, 8 mai 1702

Cher père,

Vous n'aurez sans doute pas reçu la lettre que je vous ai fait parvenir l'an dernier, car j'ai appris depuis que le navire par lequel je vous l'ai expédiée a été pris par nos ennemis. Si ma mémoire est fidèle, je venais d'arriver à Biloxi de peu quand je vous ai écrit l'année précédente. Je vous dirai donc brièvement ce que fut ma vie en Louisiane, car je n'y suis plus depuis maintenant quelques mois.

La garnison de Biloxi, vous vous en souviendrez, était toute nouvelle quand, avec Pierre, nous y sommes demeurés. Nous avions pour mission d'empêcher les Anglais de s'établir sur la côte ou sur le Mississippi. Bienville, le frère de notre commandant, a remonté le Mississippi et a eu la surprise d'y rencontrer, à cent milles de l'embouchure, une frégate anglaise de dix canons. Il a eu tôt fait de la faire tourner de bord en lui disant que les Français avaient pris possession du fleuve et en menaçant son capitaine de la faire attaquer par des coureurs des bois. Notre commandant, le sieur d'Iberville, est retourné en France à l'automne 1699 et il est revenu au début de janvier 1700.

Il a expédié Bienville chez les Bayagoulas le long du Mississippi pour y chercher un endroit qui n'est pas exposé aux inondations afin d'y établir une colonie. Pierre et moi avons été de l'expédition. Nous avons trouvé l'endroit propice à quinze lieues de l'embouchure du fleuve et le sieur d'Iberville y a fait construire un fort. Nous sommes ensuite retournés avec Bienville à Biloxi. Pendant que notre commandant se trouvait sur le Mississippi, nous avons eu la visite du gouverneur espagnol de Pensacola avec deux cents hommes à bord de trois voiliers fortement armés. Le gouverneur de Pensacola, un dénommé Ariola, vint avec arrogance déposer une protestation à l'effet que la France n'avait pas à établir un fort à Biloxi.

Quel ne fut pas notre étonnement de le voir revenir quelques jours plus tard, tout piteux et en bien petit équipage, à bord de notre vaisseau La Renommée, commandé en l'absence de d'Iberville par Ricouart. Il était, comme l'a dit notre commandant, « honteux comme un renard qu'une poule aurait prise ». Un coup de vent avait jeté son vaisseau contre l'île de la Chandeleur où il avait fait naufrage et avait été sauvé par les hommes de La Renommée qui voguait dans les parages. Notre commandant à Biloxi, le sieur Sauvolle, expédia aussitôt quatre embarcations remplies de vivres afin de secourir les naufragés.

Quand le sieur d'Iberville fut de retour, avant de regagner la France, il confia à notre commandant la mission de reconnaître la quantité de bois du pays et de terrains miniers ainsi que la possibilité d'y pêcher des perles. C'est ce à quoi nous fûmes occupés durant les mois suivants.

À son retour de France en l'année 1701, le sieur d'Iberville a commandé la destruction de Biloxi pour reconstruire un fort dans la baie de Mobile. Notre commandant Sauvolle étant décédé et un grand nombre de nos compagnons de Biloxi ayant les fièvres, Pierre et moi avons décidé de quitter les lieux pour nous engager ailleurs dans la lutte contre nos ennemis anglais. Voilà pourquoi vous recevrez cette lettre en provenance de La Havane où nous venons d'arriver sur le navire commandé par le sieur d'Iberville. Il retourne ensuite en France, mais nous avons décidé de demeurer quelque temps à La Havane avec idée de nous embarquer sur un navire qui fera la chasse aux Anglais. Je profite du passage ici d'un navire en partance pour Québec afin de vous faire parvenir cette lettre.

Je présume que vous êtes tous en bonne santé et je me languis de ne point avoir de nouvelles de vous tous. Il est vrai qu'avec mes déplacements incessants, les lettres qui me sont destinées trouvent difficilement moyen de me joindre. Je suis tout comme mon ami Pierre en excellente santé. Ce dernier vous transmet avec le mien son meilleur souvenir.

Veuillez, père, transmettre toute mon affection à notre chère mère et à mes frères et sœurs.

Votre fils affectueux, Renaud

❖

Saint-Domingue, 23 mars 1705

Cher père,

Il y a bien longtemps que je ne vous ai pas écrit. Ce n'est pas faute de penser à vous tous, mais les occasions d'expédier des lettres se font rares quand nous sommes en pleine mer.

Après un assez long séjour à La Havane, nous nous sommes engagés, Pierre et moi, sur un navire français, Le Mutin, qui fait continuellement la chasse aux vaisseaux ennemis. Nous avons vogué dans le golfe du Mexique, nous jetant sans coup férir sur à peu près toutes les proies qui nous semblaient bonnes à dépouiller.

Notre capitaine est un corsaire de grande réputation du nom de Morpain. Au moment où je vous écris, il y a rumeur qu'on lui confie le gouvernement d'Haïti. Nous écumons les mers en sa compagnie et partageons le butin retiré de nos prises. Il ne se passe guère de mois sans que nous saisissions un navire ennemi. J'aime ce genre d'aventure, mais je n'y passerai pas ma vie. Pour lors, Pierre et moi nous contentons de gagner ainsi notre pain en attendant de pouvoir trouver une occasion plus propice à exercer notre métier de soldat.

Dites à notre mère tout l'amour que je lui voue et ne manquez pas de transmettre mon bon souvenir à mes frères et mes sœurs.

Votre fils affectueux, Renaud

❖

Port Royal, Acadie, 31 août 1707

Cher père,

Ma lettre, cette fois, devrait vous atteindre avec plus de facilité, puisque je ne suis pas trop éloigné de vous, car je me trouve à présent en Acadie. Comment y suis-je parvenu? Je vous avais dit que je m'étais engagé auprès du capitaine Morpain. Il a été nommé gouverneur d'Haïti et a armé le vaisseau L'Intrépide *pour la chasse aux vaisseaux anglais le long de la côte de Nouvelle-Angleterre. Nous l'avons rejoint alors que son vaisseau se trouvait en Acadie. Nous sommes partis ensuite en chasse comme prévu et nous avons fait deux prises importantes, un navire rempli d'esclaves et un autre de vivres.*

Pour ne pas nous exposer inutilement et risquer de nous faire prendre nous-mêmes, nous avons mis le cap sur le port français le plus près, ce qui vous explique cette lettre en provenance de Port-Royal. Nous y avons été accueillis comme des héros, car Port-Royal avait subi un long siège de mille six cents soldats de la Nouvelle-Angleterre et ne disposait d'à peu près plus de vivres. Les denrées du navire que nous avions saisi arrivèrent fort à point. Une semaine à peine après notre arrivée, nous eûmes à subir de nouveau l'assaut de ces soldats anglais, mais notre résistance fut si forte qu'ils furent contraints de se retirer.

Pierre, tout comme moi, est bien décidé d'aller combattre nos ennemis plus près de chez nous. Nous trouvons ces soldats de Nouvelle-Angleterre fort arrogants. Voilà pour-

quoi nous nous embarquerons sur le premier vaisseau qui fera escale à Port-Royal en route pour Québec. Inutile de vous dire que dès que j'y serai, je me ferai un devoir de vous rendre visite.

Veuillez dire à notre mère que je me réjouis déjà du grand bonheur de la revoir bientôt de même que vous, père, et mes sœurs et mes frères.

Votre fils affectueux, Renaud

❖

Québec, 22 septembre 1708

Cher père

Je reviens seul de l'expédition qui nous a menés, Pierre et moi, à Haverhill sur la rivière Merrimack, en Nouvelle-Angleterre. Nous y étions conduits, une centaine de Français, accompagnés d'une quarantaine de Sauvages, par Jean-Baptiste de Saint-Ours Deschaillons et Jean-Baptiste Hertel de Rouville.

Nous avons attaqué un village et après nous en être emparé, nous y avons mis le feu et tué une partie des habitants, en représailles de ce que les Anglais ont fait en Acadie. Au moment où nous nous retirions de ces lieux, nous avons été surpris par un détachement d'une soixantaine de soldats anglais. Le moment de surprise passé, nous avons répliqué avec tellement de vigueur que nous avons mis nos ennemis en fuite, mais pour constater que dix des nôtres avaient perdu la vie pendant le combat, dont mon ami Pierre Jarret de Verchères.

Quand vous recevrez cette lettre, sa mère aura sans doute été prévenue de sa disparition. C'était un ami fidèle que je ne saurai jamais remplacer. En tentant de le secourir, j'ai été légèrement blessé à un bras par une balle qui m'a manqué le cœur de peu. Parfois, tant ma tristesse est grande, j'aurais voulu moi aussi rester sur le champ de bataille.

Je suppose que mère doit souhaiter que j'oriente ma vie sur des chemins moins dangereux. Je le ferais bien, mais j'ai à venger mon ami Pierre et tous ceux qui comme lui sont morts par le concours de nos ennemis. Si je meurs à mon tour, je veux que vous sachiez que je ne saurais faire de métier qui me réjouisse autant que celui de soldat, car je m'y sens utile à chacun de vous par la paix que je vous procure en gardant nos ennemis loin de vous. Pardonnez-moi d'être ainsi fait et priez pour que longtemps encore je puisse continuer à mener la vie qui est mienne.

Si l'occasion m'est donnée de passer à Verchères, je le ferai volontiers. Mais déjà le devoir m'appelle sur un autre front. Ne soyez pas inquiets! Jusqu'ici la vie a été bonne pour moi et je sais qu'elle continuera de m'épargner.

Je vous salue avec tout le respect et l'amour que je vous dois. Dites à Fanchon que son frère ne l'oublie pas et souhaitez-lui de ma part, si elle se remarie, le plus grand des bonheurs. Bien que je les connaisse peu, j'entoure également ma sœur Marie et mon frère Clément de toute mon affection. Quant à mon frère Simon, que je n'ai pas *vu depuis belle lurette, j'espère pour lui qu'il réalise ses rêves.*

Votre fils affectueux, Renaud

P.S. Nous avons repoussé avec succès une expédition de la milice du Massachusetts contre Québec.

❖

Plaisance, 24 novembre 1710

Cher père,

Comme vous le savez et comme je vous l'ai raconté lors de mon passage au manoir, après mon retour à Québec, après la bataille de Haverhill et la perte de mon ami Pierre, je me suis demandé s'il ne valait pas mieux accrocher mon fusil et me consacrer à autre chose. Mais j'étais si triste d'avoir perdu mon ami que je n'avais qu'une idée, le venger. J'ai pensé que c'est en Acadie que j'aurais le plus d'occasions de faire tort à nos ennemis.

Dès mon retour à Québec, je me suis embarqué sur le premier vaisseau en partance pour l'Acadie. Rendu à Port-Royal, j'ai fait la connaissance d'un nommé Rodrigue, à la fois marchand et corsaire. Il était pilote du roi à Port-Royal, mais il songeait sérieusement à s'établir à Plaisance, où je l'ai suivi. Il y faisait le commerce et pour s'approvisionner en marchandises, il faisait la chasse des navires anglais.

Je suis maintenant de son équipage et j'ai grand plaisir à écumer ainsi les mers. Nous avons, en octobre dernier, fait la rencontre d'une flotte d'invasion anglaise qui se dirigeait vers Port-Royal. Comme notre navire est une frégate qui court fort rapidement sur l'eau, nous avons pu devancer de beaucoup ces navires et prévenir les autorités de Port-Royal qui ont reçu ces ennemis comme ils le méritaient.

J'ignore si je continuerai encore longtemps à vivre de la sorte. Je crois que j'ai mieux à faire. Mais cette expérience me permet d'oublier la perte de mon meilleur ami tout en me sentant utile à quelque chose.

Veuillez croire à mon meilleur souvenir et transmettre mes salutations et mon affection à ma mère, mes frères et mes sœurs.

Votre fils affectueux, Renaud

❖

Plaisance, 28 novembre 1711

Cher père,

Un court mot pour vous dire que tout va bien pour moi. Il est question que le marchand et corsaire pour qui je travaille gagne Québec pour y faire un peu de commerce. Si tel est le cas, je serai du voyage. Je crois que pour moi, le moment est venu de passer à autre chose.

La course en mer à la chasse de navires ennemis ne m'amuse plus guère. J'ai rencontré durant une de nos expéditions un homme qui a séjourné en Louisiane. Ça m'a rappelé le temps où j'y étais avec le sieur d'Iberville. Il paraît qu'au cours des années beaucoup de choses ont changé. Il me dit que je ne reconnaîtrais pas Mobile, car beaucoup de Français de Nouvelle-France sont descendus s'y établir. Je n'ai pas oublié comme la température y était douce, comparée à nos grands froids du Nord.

Je pense bien que je me laisserai de nouveau tenter par un séjour là-bas. Entre-temps, toutefois, je ferai tout mon possible pour vous visiter à Verchères. Peut-être aurai-je le bonheur d'y croiser ma chère Fanchon. Quant à Simon, il ne semble pas que nous pourrons le revoir de sitôt. Saluez bien Marie pour moi. Quant à Clément que je connais à peine, quoi lui dire sinon que son frère lui souhaite la meilleure chance dans la vie. Enfin, transmettez toute mon affection à notre chère mère.

Je vous informerai dès que je le pourrai faire de ce que je deviens.

Votre fils affectueux, Renaud

❖

Québec, 26 juin 1713

Cher père,

Me voici de retour chez nous. Le marchand Rodrigue ayant choisi de faire du commerce à Québec, je l'y ai suivi en quête d'une façon différente de vivre. Je ne suis de retour que de peu et dès que je le pourrai, je vous rendrai visite au manoir. Mais pour l'instant, j'ai trop à faire ici en tâchant de voir ce qui pourra dans l'avenir combler le plus ma vie. Je crains bien de vous décevoir, car les fusils me parlent encore plus que tout le reste.

Ce que nous avons gagné au risque de notre vie, il y a quelques années, nous est enlevé sans que nous puissions le défendre même par nos propos. Nous n'avons jamais eu la chance de dire l'importance de conserver la baie d'Hudson. J'étais à Québec quand nous fut annoncé que la paix avait enfin été conclue entre la France et l'Angleterre. Jugez de notre bonheur. Il y eut dans les rues de la ville de grandes réjouissances. Nous avons allumé des feux de joie. Il fallait entendre les batteries tirer des salves et le Te Deum monter dans la cathédrale. Mais quelle ne fut pas notre consternation d'apprendre, quelques jours plus tard, que par ce traité la France cédait l'Acadie à nos ennemis avec également la baie d'Hudson. Nous avons beau être en paix, il n'en demeure pas moins que les Anglais nous envient à un point tel qu'ils ambitionnent constamment de nous enlever tout ce que nous possédons. Ils ont l'intention de nous voler nos terres et si nous ne demeurons pas éveillés, ils y parviendront sûrement.

Je fus mis hier en présence de quelques jeunes gens de famille envoyés ici par lettre de cachet. Ce sont des libertins sans vergogne dont les familles se sont débarrassées. Nous en sommes presque venus aux coups avec eux. Ils sont d'une insolence incroyable avec les femmes. Mon ami Jarobert s'est indigné des chansons qu'ils chantaient.

— De quoi vous mêlez-vous ? lui a lancé un de ces hurluberlus. Si vous craignez les paroles que l'on chante, que valez-vous devant nos ennemis sur un champ de bataille ?

Jarobert était si insulté que si nous ne l'avions retenu, d'un coup d'épée il aurait embroché ce malotru comme un poulet. Il leur a dit leur fait.

— Vous n'êtes que des bouches inutiles, la pire racaille que nous ayons en Nouvelle-France, trop sans-cœur pour travailler, si lâches et si dépourvus de vaillance que si on vous intimait l'ordre de lever votre mouchoir, vous n'auriez même pas le cœur de le faire.

Ils lui ont répondu par des hurlements. L'un d'entre eux s'est tourné vers nous et a baissé son pantalon pour nous montrer son cul. Mal lui en prit, car on l'a botté si proprement qu'aujourd'hui encore, il ne doit même pas être capable de s'asseoir.

Il se construit des forts dans tous les villages, mais le roi ne veut pas de citadelle à Québec.

Je me propose de me rendre à Verchères bientôt, mais une fois de plus, je suis retenu à Québec, car dans quelques jours, je dois témoigner de la liberté au mariage d'un des amis que je me suis faits ces dernières années.

Vous savez que désormais personne ne peut se marier sans démontrer en toute évidence qu'il n'est pas déjà marié ailleurs. Les curés se sont fait jouer ce tour plus d'une fois. Mon ami Charles Dupuis, avec qui j'ai parcouru les mers au cours de ces dernières années, a choisi de se marier. Mais encore faut-il qu'il trouve deux personnes l'ayant connu depuis suffisamment de temps pour être en mesure de démontrer qu'il n'a pas déjà une épouse quelque part. Il compte sur moi pour ce témoignage, ce qui me retient ici.

Dès que le chemin sera libre, je vous promets ma visite. À bientôt!

Votre fils affectueux, Renaud

❖

Mobile, 8 mai 1714

Cher père,

Un an ou tout près que je ne vous ai pas écrit. Étant à Québec, je me proposais de vous rendre visite, mais la vie est ainsi faite qu'elle nous surprend nous-mêmes à l'occasion. J'y ai croisé mon ami Jarobert que je n'avais pas vu depuis quelque temps. Il me dit qu'il montait le lendemain à bord d'un vaisseau ancré au port de Québec, en partance pour la Louisiane. Le goût m'est aussitôt revenu de le suivre en ces lieux où j'avais jadis guerroyé avec beaucoup de plaisir. Le temps de ramasser mes effets et j'étais déjà à bord de la frégate Le Pélican blanc, *en route pour ces terres lointaines devenues, au dire même de mon ami, les terres de demain.*

C'est donc de Mobile où je suis depuis quelques mois que je vous fais parvenir ce mot, profitant de ce qu'un vaisseau parte pour Québec avec escale aux îles d'Amérique. Dès que je le pourrai, je vous ferai part de tout ce qui me retient ici et, il faut le dire, m'enchante bien. Peut-être vous rejoindrai-je marié et aurons-nous eu le temps de vous faire de nouveau grands-parents.

Veuillez croire à toute mon affection et mon souvenir,

Votre fils Renaud

Table des matières

DEUXIÈME PARTIE

LES ENFANTS DEVENUS GRANDS

TROISIÈME PARTIE

LA VIE SUIT SON COURS

Suivez-nous

Achevé d'imprimer en septembre 2012
sur les presses de Marquis-Gagné
Louiseville, Québec